A Escolha dos Três

STEPHEN KING

A TORRE NEGRA

A Escolha dos Três

TRADUÇÃO
Mário Molina

SUMA

Grafia atualizada segundo o Acordo Ortográfico da Língua Portuguesa de 1990, que entrou em vigor no Brasil em 2009.

Título original
The Dark Tower II: The Drawing of the Three

Capa
Estúdio Nono

Ilustração de capa
Weberson Santiago

Ilustração de orelha
Estúdio Nono baseado em foto de Shane Leonard

Preparação
Stella Carneiro

Revisão
Bonie Santos
Gabriele Fernandes

Dados Internacionais de Catalogação na Publicação (CIP)
(Câmara Brasileira do Livro, SP, Brasil)

King, Stephen
A escolha dos três / Stephen King ; tradução Mário Molina. — 2ª ed. — Rio de Janeiro : Suma, 2025.

Título original: The Dark Tower II: The Drawing of the Three.
ISBN 978-85-5651-141-6

1. Ficção de suspense 2. Ficção norte-americana I. Título. II. Série.

25-292950.0 CDD-813

Índice para catálogo sistemático:
1. Ficção de suspense : Literatura norte-americana 813

Cibele Maria Dias – Bibliotecária – CRB-8/9427

EDITORA SCHWARCZ S.A.
Praça Floriano, 19 — Sala 3001 — Cinelândia
20031-050 — Rio de Janeiro — RJ
Telefone: (21) 3993-7510
www.companhiadasletras.com.br
www.blogdacompanhia.com.br
facebook.com/editorasuma
instagram.com/editorasuma

Para Don Grant, que apostou nesses livros, um por um.

ARGUMENTO

A escolha dos três é o segundo volume de uma longa história chamada A Torre Negra, uma história inspirada por e até certo ponto baseada no poema dramático de Robert Browning "Childe Roland to the Dark Tower Came" (que por sua vez faz referência a *Rei Lear*).

O primeiro volume, *O pistoleiro*, conta como Roland, o último pistoleiro de um mundo que "seguiu adiante", finalmente se defronta com o homem de preto... um feiticeiro que vinha caçando há muito, muito tempo — embora ainda não saibamos exatamente *quanto* tempo. Acabamos descobrindo que o homem de preto é um sujeito chamado Walter, que se dizia ser amigo do pai de Roland naqueles dias antes de o mundo seguir adiante.

O objetivo de Roland não é essa criatura semi-humana, mas sim a Torre Negra; o homem de preto — e, mais especificamente, o que o homem de preto *sabe* — é apenas o primeiro passo em sua jornada para aquele misterioso lugar.

Quem, exatamente, é Roland? Como era o seu mundo antes de "seguir adiante"? O que é a Torre e por que ele a persegue? Só temos respostas fragmentárias. Roland é um pistoleiro, uma espécie de cavaleiro, um dos encarregados de preservar um mundo de que ele se lembra como "cheio de amor e luz"; de impedir que o mundo siga adiante.

Sabemos que Roland se viu obrigado a provar precocemente sua maturidade após descobrir que a mãe se tornara amante de Marten, um feiticeiro muito mais poderoso do que Walter (que, sem que o pai de Roland soubesse, era aliado de Marten); sabemos que Marten planejou que Roland descobrisse tudo, esperando que ele fracassasse em seu ritual de maioridade e fosse "mandado para o Oeste"; sabemos que Roland triunfa em seu teste.

O que mais sabemos? Que o mundo do pistoleiro não é assim tão diferente do nosso. Artefatos como bombas de gasolina e certas canções ("Hey Jude", por exemplo, ou alguns versos) sobreviveram, assim como costumes e rituais estranhamente parecidos com os da visão romantizada que temos do Oeste americano.

E existe um cerne que de alguma forma conecta nosso mundo ao mundo do pistoleiro. Num posto de parada de uma trilha de carroças há muito abandonada, num vasto e estéril deserto, Roland encontra um garoto chamado Jake, que *morreu* em nosso mundo. Um garoto que foi empurrado numa esquina de rua pelo ubíquo (e iníquo) homem de preto. A última coisa de que Jake, que estava indo para a escola com a mochila numa das mãos e a merendeira na outra, se lembra do seu mundo — do *nosso* mundo — é ter sido esmagado pelas rodas de um Cadillac... e morrer.

Antes de alcançar o homem de preto, Jake torna a morrer... desta vez porque o pistoleiro, defrontado com o segundo mais angustiante impasse de sua vida, prefere sacrificar esse filho simbólico. Ao precisar escolher entre a Torre e o menino, possivelmente entre a danação e a salvação, Roland escolhe a Torre.

— Vá então — diz Jake, antes de mergulhar no abismo. — Há outros mundos além deste.

O confronto final entre Roland e Walter ocorre num gólgota poeirento, cheio de ossos decompostos. O homem sombrio revela o futuro de Roland com um baralho de cartas de tarô. Essas cartas, mostrando um homem chamado O Prisioneiro, uma mulher chamada Dama das Sombras e uma forma ainda mais sombria que é simplesmente a Morte ("mas não para você, pistoleiro", diz o homem de preto), são profecias que constituem o tema deste volume... e o segundo passo na longa e difícil caminhada de Roland rumo à Torre Negra.

O pistoleiro termina com Roland sentado numa praia do mar Ocidental, contemplando o pôr do sol. O homem de preto está morto e o futuro do pistoleiro parece incerto; *A escolha dos três* começa nessa mesma praia, menos de sete horas depois.

Prólogo
O MARINHEIRO

O pistoleiro despertou de um sonho confuso que parecia consistir de uma única imagem: a do Marinheiro no baralho de tarô do qual o homem de preto extraíra (ou fingira extrair) o deplorável futuro do pistoleiro.

Ele está se afogando, pistoleiro, o homem de preto estava dizendo, *e ninguém entra na água para salvá-lo. O garoto Jake.*

Mas aquilo não era um pesadelo. Era um sonho bom. Era bom porque era *ele* quem estava se afogando, e isso significava que ele não era Roland, mas sim Jake, o que era um alívio, pois seria muito melhor se afogar como Jake do que viver como Roland, um homem que, por um sonho distante, traíra uma criança que havia confiado nele.

Bom, sem problema, vou me afogar, pensou ele ouvindo o rugido do mar. *Que eu me afogue*. Mas aquele não era o som do mar aberto; era o barulho áspero de água num lugar cheio de pedras. *Seria* ele o Marinheiro? Se assim fosse, por que a terra estava tão perto? E, aliás, será que ele *não* estava na terra? Era como se...

Suas botas foram encharcadas por água gelada, subindo pelas pernas até a virilha. Os olhos do pistoleiro então se abriram e o que o tirou do sonho não foram os testículos congelando — subitamente encolhidos, reduzidos mais ou menos ao tamanho de nozes — nem o horror à sua direita, mas a lembrança de seus revólveres... seus revólveres e, ainda mais importante, suas balas. Revólveres molhados podiam ser rapidamente desmontados, enxugados, lubrificados, enxugados novamente, lubrificados de novo e remontados; balas molhadas, assim como fósforos molhados, podiam ficar inutilizadas para sempre.

O horror era uma coisa rastejante que devia ter sido trazida por uma onda. Arrastava penosamente um corpo molhado e brilhante pela areia.

Tinha cerca de um metro e vinte de comprimento e estava uns quatro metros à sua direita. Olhava para Roland com olhos vazios, semicerrados. O longo bico serrilhado, que estava aberto, começou a emitir um ruído estranhamente parecido com fala humana: perguntas num tom de lamento, quase de desespero, numa língua estranha. *Did-a-chick? Dum-a-chum? Dad-a-cham? Ded-a-check?*

O pistoleiro já tinha visto lagostas. Aquilo não era uma delas, embora entre as coisas que já vira as lagostas fossem as únicas com que a criatura pelo menos vagamente se parecia. Ela não parecia estar com nenhum medo dele. O pistoleiro não sabia se era perigosa ou não. Mas não se importava com a própria confusão mental — a temporária incapacidade de se lembrar onde estava ou como havia chegado lá, se tinha realmente alcançado o homem de preto ou se tudo não passara de um sonho. Só sabia que tinha de se afastar da água antes que ela molhasse sua munição.

Ouviu o barulho áspero, cada vez mais alto, da água e desviou os olhos da criatura (ela havia parado e, levantando as garras com as quais viera se arrastando, passava a bizarra impressão de um boxeador assumindo a postura inicial de guarda que, como Cort lhes ensinara, chamava-se Posição de Honra) para a arrebentação que se aproximava com seus dejetos de espuma.

Ela está ouvindo a onda, pensou o pistoleiro. *Seja lá o que for, tem ouvidos.* Tentou se levantar, mas suas pernas, dormentes demais, se curvaram sob o seu peso.

Ainda estou sonhando, pensou, mas apesar do estado de confusão em que se encontrava aquilo pareceu uma ideia tentadora demais para ser digna de crédito. Tentou se levantar mais uma vez, quase conseguiu, mas acabou caindo. A onda estava quebrando. Não dava mais tempo. A única solução era se mover quase da mesma maneira que a criatura à sua direita parecia se mexer: enfiou as duas mãos na areia e arrastou o traseiro pela praia pedregosa para longe da onda.

Não avançou o bastante para evitar de todo a onda, mas chegou longe o necessário para se dar por satisfeito. A única coisa que a onda cobriu foram suas botas. A água lhe chegou quase aos joelhos e depois recuou. *Talvez a primeira não tenha chegado tão longe quanto achei. Talvez...*

Havia uma meia-lua no céu. Uma auréola de névoa a cobria, mas ela derramava luz suficiente para o pistoleiro ver que os coldres estavam escuros demais. Pelo menos os revólveres tinham tomado um banho. Era impossível avaliar o dano causado ou saber se as balas que estavam nos tambores e as que estavam nos cinturões cruzados também haviam sido molhadas. Antes de verificar, ele precisava se afastar da água. Precisava…

"*Dod-a-chock?*" Daquela vez estava bem mais perto. Preocupado com a onda, se esquecera da criatura que a água trouxera junto. Olhou ao redor e viu que agora a coisa estava a pouco mais de um metro de distância. Com as garras enterradas na areia coberta de pedrinhas e conchas da praia, ela se arrastava. De repente ergueu o corpo carnudo, serrilhado, ficando parecida com um escorpião, embora Roland não visse nenhum ferrão na ponta de seu corpo.

Outro barulho áspero, agora muito mais alto. A criatura imediatamente parou e tornou a levantar as garras em sua própria e peculiar versão da Posição de Honra.

Aquela onda foi maior. Roland começou a se arrastar pelo aclive da praia, mas, quando estendeu as mãos, a criatura de garras moveu-se com uma rapidez difícil de prever pelos seus movimentos anteriores.

O pistoleiro sentiu uma forte pontada de dor na mão direita, mas não havia tempo para pensar nisso agora. Deu impulso com os saltos das botas encharcadas, fincou as mãos na areia e conseguiu esquivar-se da onda.

"*Did-a-chick?*", indagava a monstruosidade em seu tom de lamento — *não vai me ajudar?, não vê que estou desesperada?* —, e Roland viu a ponta do primeiro e do segundo dedo da mão direita desaparecer no bico denteado da criatura. Ela tornou a atacar e Roland ergueu a mão direita pingando sangue bem a tempo de salvar o que restava dos dois dedos.

"*Dum-a-chum? Dad-a-cham?*"

O pistoleiro conseguiu ficar de pé com esforço. A coisa rasgou o jeans ensopado, cortou uma das botas cujo couro velho era macio, mas resistente como ferro, e tirou um naco de carne da panturrilha de Roland.

Ele sacou com a mão direita e só percebeu que os dois dedos necessários para executar a familiar operação de extermínio tinham sumido quando o revólver caiu na areia.

A monstruosidade investiu ansiosa em sua direção.

— Não, desgraçada! — rosnou Roland, ao chutá-la. Foi como chutar um bloco de rocha… que mordia. Ela despedaçou a ponta da bota direita de Roland, arrancando a maior parte de seu dedão do pé, e terminou por arrancar a bota em si.

O pistoleiro se curvou, pegou o revólver, deixou-o cair, xingou, mas finalmente conseguiu. O que antes havia sido uma coisa tão fácil, algo que ele fazia sem pensar, de repente se transformara quase num malabarismo.

A criatura estava agachada sobre a bota do pistoleiro, rasgando-a sem parar de fazer perguntas naquela língua truncada. Uma onda rolou para a praia, a espuma equilibrada na crista parecendo pálida e morta na fraca luminosidade da meia-lua. A lagostrosidade parou as suas investidas na bota e ergueu as garras naquela pose de boxeador.

Roland sacou com a mão esquerda e puxou três vezes o gatilho. *Clique, clique, clique.*

Pelo menos agora sabia do estado das balas no tambor.

Embainhou o revólver esquerdo no coldre. Para guardar o direito precisou virar o cano para baixo com a mão esquerda e deixá-lo escorregar para o lugar certo. O sangue cobria a madeira gasta das coronhas; manchava o coldre e o jeans surrado ao qual o coldre estava preso por tiras de couro. Escorria dos cotos onde seus dedos costumavam ficar.

O mutilado pé direito continuava dormente demais para doer, mas a mão direita ardia terrivelmente. Os fantasmas dos dedos talentosos e longamente treinados, já se decompondo entre os sucos digestivos nas entranhas daquela criatura, insistiam que ainda estavam ali e que estavam ardendo.

Prevejo sérios problemas à frente, pensou o pistoleiro, distraído.

A onda recuou. A monstruosidade baixou as garras, abriu um novo buraco na bota do pistoleiro e concluiu que o dono devia ser bem mais saboroso do que aquele pedaço de pele que acabara cuspindo.

"*Dud-a-chum?*", a coisa perguntou e se lançou para cima dele com terrível velocidade. O pistoleiro recuou sobre pernas que mal podia sentir, percebendo que a criatura devia ter alguma inteligência; havia se aproximado cautelosa, talvez numa longa jornada pela praia, sem saber o que ele era ou do que poderia ser capaz. Se o banho que a onda lhe deu não o tivesse acordado, a coisa teria despedaçado seu rosto enquanto ainda estivesse mergulhado em sonhos. Agora a criatura concluíra que ele era não apenas saboroso, mas também vulnerável; uma presa fácil.

Ela estava quase em cima dele, uma coisa de mais de um metro de comprimento e trinta centímetros de altura, uma criatura que poderia chegar a pesar trinta quilos e que parecia tão afeita a carne quanto David, o falcão que Roland tivera quando garoto — mas sem o leve vestígio de lealdade que havia em David.

O salto da bota esquerda tropeçou num pedregulho que brotava da areia e ele cambaleou, quase caindo.

"*Dod-a-chock?*", perguntou a coisa, aparentemente num tom ansioso, espreitando o pistoleiro com olhos furtivos, ondulantes, enquanto as garras se estendiam... e então veio uma onda e as garras assumiram novamente a Posição de Honra. As garras, no entanto, agora oscilavam um pouco; o pistoleiro percebeu que a coisa reagia ao barulho da onda e achou que então, pelo menos para ela, o barulho estava diminuindo.

Ele recuou passando pela pedra e se curvou quando a onda quebrou na praia com seu barulho áspero. A cabeça do pistoleiro ficou a centímetros da cara de inseto da criatura. Uma de suas garras poderia facilmente lhe arrancar os olhos, mas aquelas garras trêmulas, tão parecidas com punhos cerrados, permaneceram erguidas de ambos os lados do bico semelhante ao de um papagaio.

O pistoleiro estendeu a mão para o pedregulho no qual quase tropeçara. Era realmente grande, estava semienterrado na areia e sua mutilada mão direita, sangrando, protestou bastante quando os grãos de areia e as pontas afiadas do chão pedregoso tocaram a ferida aberta. Mas ele conseguiu puxar o pedregulho e levantá-lo, com os lábios se repuxando contra os dentes.

"*Dad-a...*", começou a monstruosidade, com as garras se abaixando e se abrindo enquanto a onda quebrava e o som recuava. Então o pistoleiro, com toda a sua força, atirou a pedra em cima dela.

Houve um ruído de algo se esmigalhando quando as costas articuladas da criatura se quebraram. Ela se debateu freneticamente embaixo da pedra, com o traseiro se erguendo um pouco e batendo no chão, se erguendo e batendo. As interrogações viraram um zumbido de exclamações de dor. As garras se abriam e fechavam em torno de nada. O bico-goela agarrava torrões de areia e pedras.

E, no entanto, quando outra onda quebrou, a criatura tentou mais uma vez levantar as garras e, quando conseguiu, o pistoleiro pisou em sua cabeça com a bota que havia sobrado. O barulho lembrou um monte de galhinhos secos sendo quebrados. Um líquido grosso jorrou sob o salto da bota de Roland, esparramando-se em duas direções. Parecia preto. A coisa arqueou o corpo e se debateu furiosamente. O pistoleiro fez mais força com a bota.

Uma onda veio.

As garras da monstruosidade subiram um centímetro... dois... estremeceram e depois caíram, agora se crispando num abrir e fechar.

O pistoleiro retirou a bota. O bico serrilhado da coisa, que tinha removido dois dedos da mão e um do pé de seu corpo, abria e fechava devagar. Uma antena jazia quebrada na areia. A outra tremia sem propósito.

O pistoleiro pisou de novo. E de novo.

Removeu o pedregulho com dificuldade, deixando escapar um gemido, e andou pelo lado direito do corpo da monstruosidade, pisando-a metodicamente com a bota esquerda, esmagando sua carapaça, forçando para fora as tripas esbranquiçadas sobre a areia cinza-escura. Estava morta, mas, mesmo assim, ele queria exterminá-la ao máximo; nunca, em todo o seu longo e estranho tempo de vida, tinha sido tão drasticamente ferido, e tudo fora tão inesperado.

Continuou até ver a ponta de um de seus próprios dedos na gosma suja da coisa morta, um dedo que tinha debaixo da unha a poeira branca do gólgota onde ele e o homem de preto haviam travado sua longa confabulação. Então se virou para o lado e vomitou.

O pistoleiro recuou para a água como se estivesse embriagado, apertando a mão ferida contra a camisa, às vezes olhando para trás para certificar-se de que a criatura não estava mais viva, que não era como uma vespa teimosa em que você bate e bate mas ela continua se mexendo, atordoada mas não morta; para certificar-se de que a coisa não estava vindo atrás dele, fazendo suas estranhas perguntas naquele tom de desespero mortal.

Parou a meio caminho da água, oscilante, contemplando o lugar onde estivera, recordando. Aparentemente adormecera pouco abaixo da linha da maré alta. Pegou a bolsa e a bota cortada.

À luz opaca da lua, viu outras criaturas do mesmo tipo e, no hiato entre uma onda e outra, ouviu suas vozes questionadoras.

O pistoleiro foi recuando um passo de cada vez, recuou até atingir o contorno de mato verde da praia. Ali se sentou e fez o que sabia fazer: salpicou os cotos dos dedos da mão e do dedo do pé com o resto do tabaco para deter o sangramento. Salpicou bastante, aguentando a nova sensação de ardência (agora o dedão perdido do pé se juntava ao coro) e depois apenas ficou sentado, suando entre tremores de frio, perguntando-se se teria uma infecção, sem saber como ia se virar naquele mundo sem dois dedos da mão direita (quando sacava os revólveres, ambas as mãos tinham a mesma agilidade, mas em todas as outras coisas a direita era a dominante), sem saber se a mordida da criatura teria algum veneno que já pudesse estar agindo dentro dele, sem saber se a manhã de algum dia chegaria.

O PRISIONEIRO

1. A PORTA

1

Três. Este é o número do seu destino.

Três?

Sim, o três é místico. O três fica no centro de sua jornada.

Quais três?

O primeiro é jovem, de cabelo escuro. Está próximo do roubo e do homicídio. Um demônio tomou conta dele. O nome do demônio é HEROÍNA.

Que demônio é esse? Nunca ouvi falar nele, nem mesmo nas lições de meu tutor.

Ele tentou falar, mas a voz sumira, a voz do oráculo também, Puta-Estrela, Puta dos Ventos, ambas tinham sumido; viu uma carta flutuando de lugar nenhum para lugar nenhum, girando e girando na escuridão. Nela um babuíno sorria de cima do ombro de um rapaz de cabelo escuro; seus dedos de aparência incomodamente humana estavam enterrados com tanta força no pescoço do rapaz que as pontas desapareciam na carne. Olhando mais de perto, o pistoleiro viu que o babuíno segurava também um chicote com uma de suas mãos tensas, estranguladoras. A cara do homem parecia contorcida num terror mudo.

O Prisioneiro, o homem de preto (que um dia fora um homem em quem o pistoleiro confiara, um homem chamado Walter) murmurara com intimidade: *Um pouco perturbador, não é? Um pouco perturbador… um pouco perturbador… um pouco…*

2

O pistoleiro despertou assustado, sacudindo a mão mutilada para alguma coisa, certo de que a qualquer momento uma daquelas monstruosas criaturas de carapaça do mar Ocidental cairia sobre ele, fazendo perguntas desesperadas em sua língua desconhecida enquanto lhe arrancava o rosto do crânio.

Em vez disso uma ave marinha, atraída pela cintilação do sol da manhã nos botões da sua camisa, rodopiou e foi embora com um grasnido assustado.

Roland se sentou.

Sua mão latejava miseravelmente, sem parar. O pé direito fazia o mesmo. Ambos os dedos da mão e o dedo do pé continuavam a insistir que estavam lá. A parte de baixo da camisa havia desaparecido; o que sobrava se assemelhava a uma camiseta esfarrapada. Ele havia usado um pedaço para enfaixar a mão, outro para enfaixar o pé.

Vão embora, disse ele para as partes ausentes de seu corpo. *Vocês são fantasmas agora. Vão embora.*

Isso ajudou um pouco. Não muito, mas um pouco. Eram fantasmas, tudo bem, mas fantasmas agitados.

O pistoleiro comeu charque. A boca não o queria muito, o estômago ainda menos, mas ele se forçou. Quando a carne se assentou, sentiu-se um pouco mais forte. Mas não havia mais muita carne sobrando; estava quase no fim.

Porém havia coisas a serem feitas.

Levantou-se um tanto cambaleante e olhou em volta. Pássaros subiam, mergulhavam, o mundo parecia só pertencer a ele e aos pássaros. As monstruosidades tinham ido embora. Talvez fossem noturnas; talvez seguissem as marés. Naquele momento, isso não parecia fazer diferença.

O mar era enorme, encontrando o horizonte num enevoado ponto azul que era impossível de determinar. Por um longo instante, em sua contemplação, o pistoleiro esqueceu a agonia. Nunca vira tamanha extensão de água. Ouvira falar nela nas histórias para crianças, lógico, e os professores — pelo menos alguns — garantiam que existia, mas ver aquilo de verdade, aquela imensidão, aquele prodígio de água após anos de terra árida, era difícil de acreditar… difícil até mesmo de *ver*.

Ficou olhando por um bom tempo, extasiado, *obrigando-se* a ver aquilo, temporariamente esquecendo a dor em seu assombro.

Mas era de manhã e ainda havia coisas a serem feitas.

Tateou pelo maxilar no bolso de trás. Tomou cuidado para apalpar com a palma da mão direita, não querendo que os cotos dos dedos o encontrassem se ele ainda estivesse lá. Isso transformaria em gritos o incessante palpitar da mão.

Estava lá.

Tudo bem.

Próximo.

Desatou desajeitadamente os cinturões e estendeu-os numa pedra ensolarada. Pegou os revólveres, puxou os tambores e removeu as balas inutilizadas. Atirou-as longe. Um pássaro pousou sobre o brilho cintilante lançado por uma delas; pegou-a no bico, depois a deixou cair e saiu voando.

Os revólveres precisavam ser limpos, já deveriam ter sido limpos, mas como naquele mundo, ou em qualquer outro, um revólver sem munição não passava de um porrete, ele colocou os cinturões no colo antes de fazer qualquer outra coisa e passou cuidadosamente a mão esquerda no couro.

Cada cinturão estava úmido desde o fecho e a fivela até o lugar onde o couro cruzava seus quadris; daí para baixo pareciam secos. Tirou devagar cada bala das áreas secas dos cinturões. A mão direita continuava tentando fazer seu trabalho, insistia em esquecer sua redução a despeito da dor, e ele se viu levando-a repetidas vezes ao joelho, como um cachorro estúpido ou rebelde demais para se sentar quando mandado. Distraído pela dor, ele quase chegou a dar-lhe um tapa uma ou duas vezes.

Prevejo sérios problemas à frente, tornou a pensar.

Colocou as balas secas, com sorte ainda boas, numa pilha desanimadoramente pequena. Vinte. Dessas, era quase certo que algumas iriam falhar. Não podia confiar em nenhuma. Removeu as outras e fez uma nova pilha. Trinta e sete.

Bem, você não andava mesmo com muita munição, pensou ele, mas admitindo a diferença entre cinquenta e sete balas em bom estado e o que talvez não passasse agora de vinte utilizáveis. Ou dez. Ou cinco. Ou uma. Ou nenhuma.

Colocou as balas duvidosas em outra pilha.

Ainda tinha a bolsa. Uma coisa positiva. Colocou-a no colo e lentamente desmontou os revólveres e executou o ritual de limpeza. Quando acabou, duas horas haviam se passado e a dor era tão intensa que dava vertigem; era difícil pensar. Ele queria dormir. Nunca na vida quisera tanto fazer isso. Mas no exercício do dever nunca havia qualquer razão aceitável para ceder a fraquezas.

— Frase de Cort — disse ele numa voz que foi incapaz de reconhecer, e riu secamente.

Devagar, bem devagar, foi montando os revólveres e carregando-os com as balas que presumia estarem secas. Quando o trabalho foi concluído, pegou o revólver que estava ao alcance da mão esquerda, engatilhou-o ... e lentamente tornou a baixar o cão da arma. Queria saber, sim. Queria saber se haveria uma detonação satisfatória quando apertasse o gatilho ou apenas um daqueles cliques inúteis. Mas um clique não significaria nada, e uma detonação apenas reduziria vinte balas utilizáveis a dezenove... ou nove... ou três... ou nenhuma.

Rasgou outro pedaço da camisa, pegou as outras balas — as que haviam sido molhadas — e as amarrou no pedaço de pano usando a mão esquerda e os dentes. Colocou-as na bolsa.

Durma, seu corpo exigia. *Durma, você precisa dormir agora, antes do anoitecer, não falta mais nada para fazer, você está esgotado...*

Colocou-se de pé tropegamente e olhou de cima a baixo a praia deserta. Era da cor de uma roupa branca que tivesse ficado um longo tempo sem lavar, coberta de conchas do mar descoradas. Aqui e ali grandes pedras se projetavam da areia grossa, e as pedras estavam cobertas de guano cujas camadas mais antigas lembravam o amarelo de dentes velhos, e as mais novas eram borrões esbranquiçados.

A linha da maré alta estava marcada com algas que começavam a ressecar. Perto dessa linha ele viu pedaços de sua bota direita e os seus cantis. Achou que era quase um milagre que eles não tivessem sido levados para o mar pela forte arrebentação. Caminhando devagar, mancando muito, o pistoleiro andou até lá. Pegou um dos cantis e o sacudiu perto do ouvido; ainda tinha um pouco de água. O outro estava vazio. A maioria das pessoas não seria capaz de notar a diferença entre os dois, mas o pistoleiro conhecia cada um tão bem quanto uma mãe reconhece os próprios filhos gêmeos idênticos. Estava viajando com aqueles cantis havia muito, muito tempo. A água se sacudindo dentro de um deles era algo bom — uma dádiva. A criatura que o atacara ou qualquer uma das outras podia ter rasgado os cantis com uma simples mordida ou movimento de garra, mas nenhuma delas o fizera. E a maré também poupara os cantis. Aliás, da criatura que ele matara já não havia qualquer sinal, embora os dois houvessem terminado sua batalha bem acima da linha da maré. Talvez outros predadores a tivessem levado; talvez sua própria espécie tivesse lhe dado um enterro no mar, assim como os *elefauntes*, criaturas gigantes de que ouvira falar nas histórias para crianças, costumavam enterrar seus mortos.

Ergueu o cantil com o cotovelo esquerdo, bebeu em goles demorados e sentiu que alguma energia retornava ao seu corpo. A bota direita estava, é claro, destroçada... mas ele sentiu uma centelha de esperança. A sola permanecia intacta — muito arranhada, mas intacta — e talvez fosse possível cortar a outra bota para as duas combinarem, fazendo algo que duraria pelo menos um certo tempo...

A fraqueza foi tomando conta do pistoleiro. Tentou resistir, mas seus joelhos oscilaram e ele precisou se sentar, mordendo sem jeito a língua.

Não perca os sentidos, disse severamente para si mesmo. *Não aqui, não onde outra daquelas coisas pode voltar à noite para acabar o trabalho.*

Então ficou de pé e amarrou o cantil vazio na cintura, mas só conseguiu andar vinte metros na direção do lugar onde deixara os revólveres e a bolsa. Caiu outra vez, semidesmaiado. Ficou deitado um pouco ali, um lado do rosto apertado contra a areia, a ponta de uma concha machucando a ponta do queixo quase a ponto de tirar sangue. Conseguiu beber do cantil e depois rastejou para o lugar onde havia despertado. Havia uma Árvore-de--Josué vinte metros encosta acima — era mirrada, mas ao menos ofereceria um pouco de sombra.

Para Roland, os vinte metros pareciam o mesmo que vinte quilômetros.

Mesmo assim, ele empurrou penosamente o que sobrava de suas posses para aquele pequeno resquício de sombra. Ficou lá com a cabeça na grama, já fraquejando no que poderia ser sono, inconsciência ou morte. Deu uma olhada no céu e tentou ter noção da hora. Não era exatamente meio-dia, mas o resquício de sombra em que estava se deitando dizia que era algo perto disso. Continuou mais um instante naquela posição, virando o braço direito e trazendo-o para perto dos olhos, procurando as marcas vermelhas indicativas de infecção, de algum veneno avançando com determinação para suas entranhas.

A palma da mão exibia um vermelho mortiço. Não era um bom sinal.

Eu toco punheta com a mão esquerda, pensou ele, *pelo menos isso já é alguma coisa.*

Então a escuridão tomou conta do pistoleiro e ele dormiu pelas dezesseis horas seguintes com o som do mar Ocidental batendo sem parar nos seus ouvidos sonhadores.

3

Quando o pistoleiro acordou, o mar estava escuro, mas havia uma luminosidade fraca no céu nascente. A manhã não estava longe. Ele se sentou e quase foi subjugado por ondas de vertigem.

Abaixou a cabeça e esperou.

Quando a fraqueza passou, olhou para a mão. Estava mesmo infectada — filetes vermelhos inchando, tomando conta da palma e subindo pelo pulso. Paravam aí, mas ele já podia ver os primeiros indícios de outras linhas vermelhas, que acabariam levando ao coração e o matando. Sentia-se quente, febril.

Preciso de um remédio, pensou. *Mas não há remédios aqui.*

Será que teria chegado tão longe apenas para morrer? Ele se recusava. E se tivesse mesmo de morrer a despeito de sua determinação, morreria a caminho da Torre.

Como você é incrível, pistoleiro!, dizia debochado o homem de preto dentro de sua cabeça. *Como é indomável! Como é romântico em sua tola obsessão!*

— Vá se foder — resmungou ele, e bebeu água. Mas não sobrara muita. Havia todo um mar à sua frente, mas de nada lhe servia; água, água por todo lado, mas nenhuma gota para beber. Que seja.

Afivelou os cinturões, amarrou-os — um processo que levou tanto tempo que, antes de ser concluído, a primeira fraca luminosidade da aurora já anunciava o verdadeiro início do dia — e tentou se levantar. Só teve certeza de que ia conseguir quando terminou o movimento.

Segurando-se na Árvore-de-Josué com a mão esquerda, arrebatou o cantil ainda não de todo vazio com o braço direito e passou-o por cima do ombro. Depois pegou a bolsa. Quando se levantou, foi tomado novamente pela fraqueza, que o fez baixar a cabeça, esperando, conformado.

A fraqueza passou.

Caminhando com os passos oscilantes, hesitantes de um homem nos últimos estágios de embriaguez, o pistoleiro foi descendo a praia. Em certo ponto, parou contemplando um oceano escuro como vinho de amora e depois pegou na bolsa o resto do charque. Comeu metade e dessa vez tanto a boca quanto o estômago aceitaram a carne com um pouco menos de relutância. Virou-se e comeu a outra metade enquanto acompanhava o sol brotando sobre as montanhas onde Jake havia morrido: primeiro parecendo se agarrar nos dentes áridos e cruéis dos picos, depois se erguendo sobre eles.

Roland manteve o rosto voltado para o sol, fechou os olhos e sorriu. Comeu o resto do charque.

Pensou: *Muito bem. Agora sou um homem sem comida, com dois dedos a menos na mão e um a menos no pé do que tinha quando nasci; sou um pistoleiro com balas que talvez não disparem; estou passando mal por causa da mordida de um monstro e não tenho medicamentos; tenho água para um dia, com sorte; posso conseguir andar talvez uns vinte quilômetros se fizer uso de todas as minhas últimas forças. Sou, em suma, um homem à beira de tudo.*

Para que lado deveria andar? Tinha vindo do leste; não poderia andar sobre o mar a oeste sem os poderes de um santo ou de um messias. Sobravam, então, norte e sul.

Norte.

Foi essa a resposta de seu coração. Não havia dúvida. Norte.

O pistoleiro começou a andar.

4

Andou por três horas. Caiu duas vezes e na segunda achou que não conseguiria mais se levantar. Então uma onda veio em sua direção. Chegou tão perto que ele se lembrou dos revólveres e estava em pé antes de perceber, apoiado em pernas que tremiam como pernas de pau.

Achou que conseguira andar uns seis quilômetros naquelas três horas. Agora o sol estava ficando mais quente, mas não o bastante para explicar o martelar em sua cabeça ou o suor escorrendo pelo rosto; nem a brisa marinha era forte o bastante para explicar os acessos de tremedeira que vez por outra tomavam conta dele, fazendo seu corpo ficar arrepiado e seus dentes baterem.

Febre, pistoleiro, disse rindo o homem de preto. *O que sobrou dentro de você acabou de se incendiar.*

Os traços vermelhos da infecção estavam mais pronunciados agora; vindo do pulso direito, tinham marchado para cima e se encontravam a meio caminho do cotovelo.

Completou outro quilômetro e meio e esvaziou o cantil, que amarrou na cintura junto com o outro. A paisagem era monótona, desagradável. O mar à sua direita, montanhas à esquerda, a areia cinzenta e coberta de conchas sob as solas das botas cortadas. As ondas indo e vindo. Procurou as lagostrosidades e não viu nenhuma. Caminhava de lugar nenhum para lugar nenhum, um homem de outro tempo que, ao que tudo indicava, tinha alcançado um final que não tinha sentido.

Pouco antes do meio-dia, tornou a cair e mais uma vez achou que não conseguiria mais se levantar. O lugar era ali, então. Ali. Chegara ao seu final.

Apoiado nas mãos e nos joelhos, ergueu a cabeça como um lutador atordoado... e a alguma distância à sua frente, talvez um quilômetro e meio, talvez cinco (era difícil avaliar as distâncias com aquelas extensões de praia que pareciam sempre as mesmas e a febre agindo dentro dele, fazendo as pálpebras pulsarem para cima e para baixo), viu algo novo. Algo que estava em pé na praia.

O que seria?

(*três*)

Não tinha importância.

(*três é o número do seu destino*)

O pistoleiro conseguiu se levantar com esforço. Resmungou alguma coisa, algum lamento que apenas as aves marinhas que o circundavam ouviram (*e como elas gostariam de arrancar os meus olhos*, pensou, *como gostariam de um petisco tão saboroso!*), e foi em frente, oscilando mais agora, deixando atrás de si estranhas marcas em forma de curvas e arcos.

Manteve os olhos fixos no que estava parado na areia. Quando o cabelo caía em seu rosto, tirava-o. A imagem parecia não estar se aproximando. O sol alcançou o ponto mais alto do céu, onde pareceu ficar por tempo demais. Roland achou estar outra vez no deserto, em algum lugar entre a última cabana de colono

(*a fruta musical quanto mais você come mais você toca*)

e o posto de parada onde o garoto

(*o seu Isaque*)

tinha esperado a sua chegada.

Os joelhos vergaram, se endireitaram, vergaram novamente, tornaram a se endireitar. Quando o cabelo caiu outra vez em seus olhos, ele não se deu ao trabalho de tirá-lo; não tinha a energia necessária. Olhou para o objeto, que agora lançava uma sombra estreita em direção ao interior, e continuou andando.

Então, com ou sem febre, pôde ver o que era.

Era uma porta.

A menos de quatrocentos metros dela, os joelhos de Roland fraquejaram de novo, e dessa vez ele não conseguiu impedir. Caiu; a mão direita se arrastando com força pela areia e pelas conchas, as pontas dos dedos esbravejando quando as cascas recentes das feridas eram raspadas. Os tocos voltaram a sangrar.

Então ele rastejou. Rastejou com o ímpeto constante, o rugido e o recuo do mar Ocidental em seus ouvidos. Usou os cotovelos e os joelhos, abrindo sulcos na areia, avançando sobre montinhos de limo verde das algas que marcavam a linha da maré alta. Imaginou que o vento ainda devesse estar soprando — só podia estar, pois os calafrios não paravam de lhe fustigar o corpo —, mas o único vento que conseguia ouvir era o sopro áspero que entrava e saía veloz de seus próprios pulmões.

A porta foi ficando mais perto. Mais perto.

Finalmente, por volta das três horas daquele dia longo e delirante, com sua sombra começando a se alongar para a sua esquerda, ele a alcançou. Manteve-se agachado e olhou-a com ar desconfiado.

Tinha dois metros de altura e parecia feita de carvalho sólido, embora o carvalho mais próximo devesse estar a mil ou mais quilômetros dali.

A maçaneta parecia feita de ouro e estava filigranada com um desenho que o pistoleiro enfim reconheceu: era a face sorridente de um babuíno.

Não havia buraco de fechadura na maçaneta, nem em cima nem embaixo.

A porta tinha dobradiças, mas fixadas a nada — *ou é o que parece*, pensou o pistoleiro. *Isto é um mistério, um mistério absolutamente incrível, mas que importância realmente tem? Você está morrendo. Seu próprio mistério — o único que realmente importa para qualquer homem ou mulher, no final das contas — está se aproximando.*

Mesmo assim, parecia que importava.

Aquela porta. Aquela porta onde nenhuma porta deveria estar. Ela simplesmente estava ali, na areia cinzenta, seis metros acima da linha da maré alta, parecendo eterna como o próprio mar, agora lançando a sombra oblíqua de sua espessura para o leste, enquanto o sol se encaminhava para o oeste.

Gravadas nela, em letras pretas, a dois terços da distância até o alto, escritas na Fala Superior, havia duas palavras:

O PRISIONEIRO

Um demônio tomou conta dele. O nome do demônio é HEROÍNA.

O pistoleiro conseguia escutar um zumbido baixo. A princípio achou que devia ser o vento ou algum som em sua cabeça febril, mas foi ficando cada vez mais convencido de que era o barulho de motores... e de que estava vindo de trás da porta.

Abra então. Ela não está trancada. Você sabe que não está.

Em vez de abrir, ele cambaleou desajeitadamente até ficar em pé e se aproximou mais da porta, contornando-a para o outro lado.

Não *havia* outro lado.

Apenas a praia cinza-escura, se estendendo para cada vez mais longe. Só as ondas, as conchas, a linha da maré alta, as marcas da própria chegada do pistoleiro — marcas de botas e buracos feitos por seus cotovelos. Tornou a olhar e os olhos se arregalaram um pouco. A porta não estava lá, mas a sombra dela sim.

Começou a estender a mão direita — ah, era tão complicado descobrir seu novo lugar no que restava da vida dele —, deixou-a cair e ergueu a esquerda. Tateou, na expectativa de encontrar uma forte resistência.

Se eu sentir que estou batendo no vazio, pensou o pistoleiro, *seria uma coisa interessante para fazer antes de morrer!*

Sua mão encontrou ar puro passando bem no lugar onde a porta — mesmo que invisível — deveria estar.

Nada para bater.

E o som dos motores — se era mesmo isso — cessara. Agora havia apenas o vento, as ondas e o mórbido zumbido dentro de sua cabeça.

O pistoleiro voltou devagar para o outro lado do que não estava lá, já acreditando que não passara de uma alucinação, uma...

Parou.

Estava olhando para oeste, para a imagem contínua de uma onda cinzenta quebrando, e de repente sua visão foi interrompida pela espessura da porta. Viu a placa da fechadura, que parecia de ouro, com a maçaneta se projetando como uma atarracada língua metálica. Roland moveu um centímetro a cabeça para o norte e a porta desapareceu. Moveu-a de novo para o ponto anterior e a porta estava novamente lá. Ela não *apareceu*; apenas estava lá.

Contornou outra vez a porta e encarou-a, cambaleando.

Podia contorná-la pelo lado do mar, mas estava convencido de que aconteceria a mesma coisa, só que dessa vez ele cairia.

Será que posso atravessá-la *partindo do lado que não tem nada*?

Ah, havia tantas perguntas, mas a verdade era simples: lá estava a porta sozinha numa interminável extensão de praia e ela só servia para duas coisas: ser aberta ou ser deixada fechada.

O pistoleiro percebeu com humor sombrio que talvez não estivesse morrendo tão depressa quanto pensara. Se estivesse, estaria se sentindo tão assustado?

Estendeu o braço e segurou a maçaneta com a mão esquerda. Nem o frio glacial do metal nem o calor rápido, mas intenso, das runas gravadas sobre ele o surpreenderam.

Girou a maçaneta. A porta se abriu em sua direção quando ele puxou. De todas as coisas que poderia ter esperado, aquela não era uma delas.

O pistoleiro olhou, estacou, proferiu o primeiro grito de terror de sua vida adulta e bateu a porta. Não havia nada em que a porta pudesse bater, mas ela bateu do mesmo jeito, fazendo as aves marinhas esvoaçarem aos gritos das rochas em que tinham estado empoleiradas a observá-lo.

5

O que tinha visto fora o mundo de alguma grande, impossível distância no céu — quilômetros acima, parecia. Vira a sombra das nuvens deitadas sobre aquele mundo, flutuando sobre ele como sonhos. Vira o que uma águia poderia ver se fosse capaz de voar muito mais alto do que voa uma águia.

Atravessar aquela porta significaria cair, gritando, talvez durante minutos, até mergulhar de cabeça no solo.

Não, você viu mais do que isso.

Pensou no assunto sentado sem se mexer na areia, diante da porta fechada, a mão ferida no colo. Os primeiros vestígios de vermelho apareciam agora sobre seu cotovelo. A infecção logo atingiria o coração, não havia dúvida.

E a voz de Cort em sua cabeça.

Prestem atenção, seus vermes. Escutem pelo amor que têm à vida, pois é isso que um dia pode estar em jogo. A pessoa nunca vê tudo o que vê. Uma das razões pelas quais vocês foram confiados a mim é que devo mostrar a vocês o que não estão vendo no que veem — o que não estão vendo quando estão com medo, brigando, correndo ou fodendo. Nenhum homem vê tudo o que vê, mas antes de vocês se tornarem pistoleiros — isto é, aqueles que não forem para o oeste — aprenderão a ver, numa única olhadela, mais do que alguns homens levam toda uma existência para enxergar. E um pouco do que não virem nessa olhada verão mais tarde, no olho da memória — isto é, se viverem tempo suficiente para recordar. Porque a diferença entre ver e não ver pode ser a diferença entre viver e morrer.

Ele vira o mundo daquela enorme altitude (e de alguma forma isso fora uma imagem mais vertiginosa e perturbadora do que a visão do desenvolvimento das coisas que aparecera para ele pouco antes do final de seu contato com o homem de preto, pois o que vira através da porta não fora uma visão), e o pouco que sobrava de sua atenção havia registrado o fato de que o mundo que ele estava vendo não era nem deserto nem coberto por mar, mas um lugar verde de incrível exuberância com veios de água que o fizeram pensar num pântano, mas…

Como ficou pobre sua atenção, arremedou brutalmente a voz de Cort. *Você viu mais!*

Sim.

Ele vira branco.

Molduras brancas.

Bravo, Roland!, gritou Cort em sua mente, e Roland pareceu sentir o tapa daquela mão áspera, calejada. Estremeceu.

Estivera olhando por uma janela.

O pistoleiro se levantou com esforço, estendeu a mão, sentiu frio e linhas ardentes de um calor concentrado em sua palma. Tornou a abrir a porta.

6

A visão que ele esperava — o mundo de uma altitude horrenda, inimaginável — sumira. Ele estava olhando para palavras que não entendia. *Quase* as entendia; era como se as Grandes Letras tivessem sido deturpadas...

Sobre as palavras havia a imagem de um veículo sem cavalos, um carro a motor do tipo que supostamente havia em grande número no mundo antes de ele seguir adiante. De repente o pistoleiro se lembrou das coisas que Jake tinha dito quando ele o hipnotizara no posto de parada.

Aquele veículo sem cavalos, com a mulher parada do lado usando uma estola de peles e rindo, podia ser aquilo que atropelara Jake naquele estranho outro mundo.

Isso é aquele outro mundo, pensou o pistoleiro.

De repente a vista...

Ela não se alterou; ela se *moveu*. O pistoleiro oscilou, sentindo vertigem e um pouco de náusea. As palavras e a imagem desceram e agora ele via um corredor com uma dupla fileira de assentos no final. Alguns estavam vazios, mas na maioria deles havia homens com roupas estranhas. Imaginou que eram túnicas, mas nunca vira nada do tipo. As coisas em volta dos pescoços podiam ser tanto laços quanto cachecóis, mas ele nunca vira nenhum parecido com aqueles. E, ao que parecia, ninguém estava armado — não via punhais nem espadas, muito menos revólveres. Que espécie de gente dócil e ingênua era aquela? Alguns liam papéis cobertos de minúsculas palavras — palavras interrompidas aqui e ali com figuras — enquanto outros escreviam em outros papéis com penas de um tipo que o pistoleiro jamais vira. Mas as penas não o interessavam. O impressionante era o *papel*. Ele vivia num mundo onde papel e ouro valiam praticamente a mesma coisa.

Nunca vira tanto papel na vida. Naquele exato momento um dos homens rasgava uma folha do bloco amarelo que tinha sobre o colo e fazia uma bola com ela, embora só tivesse escrito na metade superior de um lado e o outro estivesse completamente em branco. O pistoleiro não estava doente demais para não sentir uma pontada de horror e afronta com aquela prodigalidade tão antinatural.

Atrás dos homens havia uma parede branca curva e uma fileira de janelas. Algumas estavam tapadas por algum tipo de persiana, mas através das outras ele podia ver o céu azul.

Então uma mulher se aproximou da porta, uma mulher usando o que parecia ser um uniforme militar, embora Roland jamais tivesse visto um daquele tipo. Era muito vermelho e em parte formado por *calças*. Ele podia ver o lugar onde as pernas dela se encontravam. Era algo que nunca vira numa mulher que não estivesse sem roupa.

A moça chegou tão perto da porta que Roland achou que ela iria atravessá-la e, cambaleante, ele recuou um passo, quase caindo. Ela o olhou com a experiente solicitude de alguém que é ao mesmo tempo prestativa e dona de si mesma. Não foi isso que chamou a atenção do pistoleiro. O que despertou o seu interesse foi que a expressão dela não se alterou. Não era assim que se esperava que uma mulher — ou qualquer pessoa — olhasse para um homem sujo, cambaleante e exausto, com revólveres cruzados na cintura, um trapo encharcado de sangue enrolado na mão direita e uma camisa que parecia ter sido cortada por uma serra.

— O senhor gostaria de... — perguntou a mulher de vermelho. Ela disse mais, só que o pistoleiro não entendeu exatamente o significado. Comida ou bebida, pensou. Aquela roupa vermelha... não era algodão. Seda? Parecia um pouco com seda, mas...

— Gim — respondeu alguém, e o pistoleiro entendeu aquilo. De repente entendeu muito mais.

Não era uma porta. Eram *olhos*.

Por mais louco que aquilo pudesse parecer, ele estava olhando para o interior de uma carruagem que voava pelo céu. E estava olhando através dos olhos de alguém.

De quem?

Mas ele sabia. Estava olhando através dos olhos do prisioneiro.

2. EDDIE DEAN

1

Como se para confirmar essa ideia, por mais maluca que ela fosse, o que o pistoleiro contemplava através da porta de repente se ergueu e deslizou para o lado. A visão *girou* (novamente aquela sensação de vertigem, uma sensação de estar parado numa plataforma com rodas, uma plataforma com mãos que ele não podia ver e que a moviam de um lado para o outro) e então o corredor foi ultrapassando as beiradas de uma porta. Ele passou por um lugar onde se encontravam várias mulheres, todas usando o mesmo uniforme vermelho. Era um lugar de coisas de aço e ele teria gostado de fazer a visão em movimento parar, a despeito da dor e da exaustão que sentia, para ver o que eram os objetos de aço — algum tipo de máquina. Um deles lembrava um pouco um fogão. A mulher de uniforme militar que ele vira antes estava servindo o gim que a voz tinha pedido. A garrafa da bebida era muito pequena. Era de vidro. O recipiente onde o gim estava sendo derramado *parecia* ser de vidro, mas o pistoleiro achava que na verdade era de outra coisa.

O que a imagem mostrava se deslocou antes que ele pudesse ver mais. Foi mais uma daquelas viradas atordoantes, e ele se viu olhando para uma porta de metal. Havia um letreiro iluminado num pequeno entalhe oblongo. Aquela palavra o pistoleiro conseguiu ler: LIVRE, dizia.

A visão deslizou um pouco para baixo. A mão de alguém surgiu da direita da porta através da qual o pistoleiro estava olhando e agarrou a maçaneta da porta para a qual o pistoleiro estava olhando. Ele viu o punho de uma camisa azul, ligeiramente repuxado deixando à vista finos pelos pretos. Dedos compridos. Em um deles havia um anel com uma joia incrustada que poderia ser um rubi, forgoturvo ou alguma porcaria de pouco valor.

O pistoleiro suspeitava ser a terceira hipótese — a pedra era grande e vulgar demais para ser verdadeira.

A porta de metal se abriu e o pistoleiro se deparou com a mais estranha privada que jamais vira. Era toda de metal.

As bordas da porta também de metal ultrapassaram as bordas da porta na praia. O pistoleiro ouviu o barulho da porta sendo fechada e trancada. Ele foi poupado de outra daquelas viradas vertiginosas, então supôs que o homem através de cujos olhos estava olhando devia ter estendido a mão para trás do próprio corpo para se trancar ali.

Então a visão se deslocou — não uma volta completa, mas uma meia-volta — e ele estava olhando para um espelho, vendo um rosto que já vira antes... numa carta de tarô. Os mesmos olhos escuros e os fios de cabelo preto caídos na testa. O rosto estava calmo, mas pálido, e nos olhos — olhos agora refletidos, olhando para ele — Roland viu um pouco do medo, do terror da criatura cavalgada pelo babuíno na carta de tarô.

O homem estava tremendo.

Ele também está doente.

Então se lembrou de Nort, o comedor de erva de Tull.

Pensou no Oráculo.

Um demônio tomou conta dele.

De repente o pistoleiro achou que talvez soubesse o que, afinal, era a HEROÍNA: algo como a erva-do-diabo.

Um pouco perturbador, não é?

Sem pensar, com a simples atitude que o transformara no último de todos, o último a continuar marchando em frente, muito tempo depois de Cuthbert e os outros terem morrido, desistido, cometido suicídio, traição ou simplesmente abandonado toda a ideia da Torre; com a determinada e brava resolução que o impelira pelo deserto, e pelos anos antes do deserto, na busca pelo homem de preto, o pistoleiro atravessou a porta.

2

Eddie pediu um gim-tônica — talvez não fosse a melhor das ideias passar pela alfândega de Nova York bêbado, e ele sabia que, uma vez que houvesse começado, não pararia, mas ele precisava de *alguma coisa.*

Quando você precisar descer e não encontrar o elevador, dissera Henry um dia, *arranje qualquer coisa que te leve para baixo. Mesmo que seja com uma pá.*

Então, depois de ter feito o pedido e visto a comissária de bordo se afastar, achou que talvez fosse vomitar. Não que *soubesse* que ia vomitar, parecia só uma possibilidade, mas o seguro morreu de velho. Passar pela alfândega com meio quilo de cocaína pura embaixo de cada axila e com o hálito cheirando a gim não era lá muito bom; passar pela alfândega desse jeito e ainda com vômito seco na calça seria um desastre. Por isso era melhor garantir. Provavelmente, a sensação iria passar, em geral passava, mas o seguro morreu de velho.

O problema era que a fissura estava começando. Uma fissurinha. Mais palavras de sabedoria de Henry Dean, o tremendo sábio e viciado de primeira.

Eles estavam sentados na varanda da cobertura da Torre Regency, não exatamente cochilando, mas quase isso, com o sol cálido em seus rostos, em uma onda tão boa... os velhos tempos, quando Eddie tinha acabado de começar a cheirar a parada e o próprio Henry ainda não tinha pegado na primeira agulha.

Todo mundo fala de ficar na fissura, tinha dito Henry, *mas antes de chegar lá você passa pela fissurinha.*

E Eddie, chapadíssimo, tinha rido loucamente, pois sabia muito bem do que Henry estava falando. Henry, porém, nem chegara a sorrir.

De uma maneira, a fissurinha é pior do que a fissura, disse Henry. *Pelo menos na fissura você* SABE *que vai vomitar,* SABE *que vai tremer,* SABE *que vai suar até sentir como se estivesse se afogando em suor. A fissurinha é, tipo, o tormento da espera.*

Eddie se lembrava de ter perguntado a Henry como se dizia quando um cara que se picava (algo em que, naqueles tempos remotos e idos que não deviam ter ocorrido mais de dezesseis meses antes, eles haviam jurado solenemente jamais se transformar) tinha um pico fatal.

Você diz que o cara virou um peru fissurado, Henry respondera prontamente, e logo ficara com cara de espanto, como fica uma pessoa quando o que disse foi muito mais engraçado do que achou que iria ser. Eles se olharam e de repente estavam urrando de rir e agarrando o braço um do outro. Peru fissurado, muito engraçado, não tão engraçado agora.

Eddie andou pelo corredor, passou pela cozinha em direção à frente do avião, verificou o sinal — LIVRE — e abriu a porta.

Ei Henry, ó tremendo sábio & grande irmão viciado de primeira, já que estamos falando de duplo sentido, quer saber minha definição de pato cozido? Pato é quando o cara da alfândega do aeroporto John F. Kennedy chega à conclusão de que tem alguma coisa meio estranha na sua cara ou quando é um daqueles dias em que levam para lá os cachorros com nariz de especialistas ao invés de deixá-los no porto e todos começam a latir e a mijar no chão e ficam quase se estrangulando nas coleiras de agitação e depois de os caras da alfândega mexerem em toda a sua bagagem eles levam você para uma salinha e perguntam se você não se importa de tirar a camisa e você diz claro, claro que sim, eu me importo pra cacete porque peguei uma gripezinha nas Bahamas e o ar-condicionado aqui dentro está forte demais e tenho medo que isso vire pneumonia e eles dizem ah, então é isso, e o senhor sempre sua desse jeito quando o ar-condicionado está alto demais, sr. Dean, é mesmo, bem, desculpe pra cacete e agora tire, e você tira e eles dizem que talvez fosse melhor tirar também a camiseta, porque está parecendo que você tem algum tipo de problema médico, cara, esse inchaço embaixo dos sovacos pode ser um tipo de tumor linfático ou coisa assim, e você nem se dá ao trabalho de falar mais nada, é como um meio de campo que já nem se dá ao trabalho de ir atrás da bola quando ela chega de um certo jeito, ele só vira pra trás e fica vendo a bola sumir, porque o que está feito, está feito, aí você tira a camiseta e ei, olha isso aqui, você deu sorte moleque, não são tumores, a não ser que sejam o que poderíamos chamar de tumores no corpus da sociedade, he he he, essas coisas parecem mais um par de saquinhos colados aí com fita adesiva, e aliás não se preocupe com o cheiro, filho, é só cheiro de pato. Pato cozido.

Ele colocou a mão para trás e puxou a tranca. A luz se acendeu sobre a privada. O barulho dos motores era um zumbido baixo. Virou-se para o espelho, querendo ver até que ponto sua aparência estava ruim, e de repente uma sensação terrível, dominante, passou sobre ele: a sensação de estar sendo vigiado.

Ei, sério, esqueça isso, pensou, um tanto nervoso. *Você deveria ser o cara menos paranoico do mundo. Foi por isso que o escolheram. Foi por isso...*

Mas então pareceu que aqueles olhos no espelho não eram os seus, não os olhos castanho-claros, quase verdes de Eddie Dean, os mesmos que derreteram tantos corações e lhe permitiram abrir tantos lindos pares de pernas durante a última terça parte de seus vinte e três anos, não os seus olhos, mas os olhos de um estranho. Não castanhos mas com um azul da cor de uma calça jeans desbotada. Olhos frios, precisos, inesperados prodígios de mira. Olhos de artilheiro.

Refletida neles ele viu — viu claramente — uma gaivota mergulhando sobre uma onda que rolava, pescando alguma coisa.

Teve tempo de pensar *Mas o que em nome de Deus é* esta *porra*? e então soube que o enjoo não ia passar; ele ia vomitar mesmo.

No meio segundo antes de fazê-lo, no meio segundo em que continuou a se olhar no espelho, viu aqueles olhos azuis desaparecerem... mas antes disso acontecer teve a súbita sensação de ser duas pessoas... de estar sendo *possuído*, como a menininha em *O exorcista*.

Sentiu com nitidez outra mente dentro da sua e ouviu um pensamento não como seu próprio pensamento, mas como a voz de um rádio: *Atravessei. Estou na carruagem no céu.*

Havia mais alguma coisa, mas Eddie não ouviu. Estava ocupado demais vomitando o mais silenciosamente possível no vaso.

Quando acabou, antes mesmo de ter limpado a boca, aconteceu algo que nunca lhe acontecera antes. Por um momento assustador, não houve nada — apenas um intervalo vazio. Como se uma linha numa coluna de jornal tivesse sido cuidadosa e completamente apagada.

O que é isto?, pensou Eddie desamparado. *Que merda é essa?*

Então precisou vomitar de novo e talvez isso tenha sido para o melhor. Por mais críticas que se possa fazer ao ato de vomitar, ele tem pelo menos este ponto a seu favor: enquanto se está vomitando não se consegue pensar em mais nada.

3

Atravessei. Estou na carruagem no céu, pensou o pistoleiro. E um segundo depois: *Ele está me vendo no espelho!*

Roland recuou — não saiu, mas recuou, como uma criança se retirando para o canto mais distante de uma sala muito comprida. Estava dentro da carruagem no céu; estava também dentro de um homem que não era ele próprio. Dentro do Prisioneiro. Naquele primeiro momento, quando esteve próximo *do front* (não pensou em outra maneira de descrever a coisa), tinha estado mais do que dentro; tinha quase sido o homem. Sentiu o mal-estar dele, fosse lá qual fosse, e sentiu que ia vomitar. Roland percebeu que, se precisasse, poderia assumir o controle do corpo do homem. Teria que sofrer suas dores, ser cavalgado por qualquer demônio-macaco que viajasse com ele, mas se precisasse *podia* tomar as rédeas.

Ou poderia ficar ali atrás, despercebido.

Quando o acesso de vômito do prisioneiro passou, o pistoleiro saltou para a frente — desta vez indo direto para *o front*. Compreendia muito pouco daquela estranha situação e agir numa situação que não se compreende é abrir caminho para as mais terríveis consequências, mas havia duas coisas que ele precisava saber — e tinha que sabê-las tão desesperadamente que a necessidade era mais importante que quaisquer consequências que pudessem advir.

Será que a porta que ele havia atravessado vindo de seu próprio mundo ainda estava lá?

E se estivesse, será que seu eu físico continuava no mesmo lugar, desmaiado, oco, morrendo ou já morto sem sua própria consciência para fazer funcionar automaticamente pulmões, coração e nervos? Mesmo se seu corpo ainda vivesse, só poderia continuar assim até a noite cair. Então as lagostrosidades apareceriam para fazer suas perguntas e procurar jantares à beira-mar.

Girou a cabeça, que era por agora a cabeça do homem, numa rápida olhada para trás.

A porta ainda estava lá, atrás dele. Continuava aberta para aquele mundo, onde as dobradiças se enterravam no aço daquele peculiar banheiro. E sim, lá estava ele, Roland, o último pistoleiro, deitado de lado, com a mão direita enfaixada em cima da barriga.

Estou respirando, pensou Roland. *Vou precisar voltar e me mexer. Mas primeiro há coisas a fazer. Coisas…*

Soltou-se da mente do prisioneiro e recuou, observando, esperando para ver se o prisioneiro sabia que ele estava ali ou não.

4

Quando parou de vomitar, Eddie continuou curvado sobre o vaso, com os olhos fechados com força.

Tive um apagão momentâneo. Não sei o que foi. Será que olhei em volta?

Tateou à procura da torneira e abriu a água fria. Com os olhos ainda fechados, molhou o rosto e a testa.

Quando não pôde mais evitar, tornou a erguer os olhos para o espelho.

Seus próprios olhos o encaram de volta.

Não havia vozes estranhas em sua cabeça.

Nenhuma sensação de estar sendo observado.

Você teve uma fuga dissociativa, Eddie, advertiu-o o grande sábio e viciado de primeira. *Um fenômeno não incomum em alguém que está ficando com fissurinha.*

Eddie olhou para o relógio. Uma hora e meia até Nova York. A aterrissagem do avião estava prevista para as 4h05, horário da Costa Leste, mas na verdade seria ao meio-dia. Hora do show.

Voltou para a poltrona. A bebida estava na bandeja. Tomou dois goles e a comissária voltou para perguntar se ele precisava de mais alguma coisa. Abriu a boca para dizer não… e então houve mais um daqueles estranhos momentos de apagão.

5

— Eu gostaria de algo para comer, por favor — pediu o pistoleiro pela boca de Eddie Dean.

— Vamos servir um lanche quente daqui a…

— Estou realmente morrendo de fome — disse o pistoleiro com perfeita sinceridade. — Qualquer coisa serve, até um popquim…

— Popquim? — a mulher de uniforme militar franziu a testa e o pistoleiro de repente olhou para dentro da mente do prisioneiro. *Sanduíche*… a palavra parecia distante como o murmúrio numa concha.

— Até um sanduíche — disse o pistoleiro. A mulher militar pareceu em dúvida.

— Bem… Tenho um pouco de atum…

— Está ótimo — disse o pistoleiro, embora nunca tivesse ouvido falar naquela coisa em toda a sua vida. Cavalo dado não se olha os dentes.

— O senhor parece mesmo um pouco pálido — disse a mulher militar. — Achei que talvez fosse enjoo.

— Pura fome.

— Vou ver o que posso arranjar — disse ela com um sorriso profissional.

Arranjar?, pensou o pistoleiro meio atordoado. Em seu mundo arranjar era uma gíria que significava pegar uma mulher a força. Não importava. A comida estava a caminho. Não tinha ideia se poderia levá-la pela porta até o corpo que precisava tão urgentemente dela, mas uma coisa de cada vez, uma coisa de cada vez.

Arranjar, pensou, e a cabeça de Eddie Dean balançou, como se ele não pudesse acreditar.

Então o pistoleiro se retirou de novo.

6

Nervosismo, garantiu-lhe o grande oráculo e viciado de primeira. Apenas nervosismo. *Tudo parte da fissurinha, maninho.*

Mas se era mesmo nervosismo, como explicar aquela estranha sonolência tomando conta dele — estranha porque ele deveria estar sentindo coceira, agitação, sensações que fazem o sujeito se retorcer e se coçar antes de enfrentar os verdadeiros tremores. Mesmo que ainda não estivesse de todo no estado de "fissurinha" de Henry, era melhor ter cuidado, pois tentaria passar com um quilo de cocaína pela alfândega dos Estados Unidos, um crime punido com pelo menos dez anos em uma prisão federal. Para piorar, parecia que estava tendo também apagões.

E, ainda, aquela sensação de sonolência.

Tomou outro gole da bebida e deixou os olhos se fecharem.

Por que você apagou?

Não apaguei, ou a comissária estaria correndo atrás de toda a tralha de emergência que carregam.

Saiu do ar, *então. Seja como for, não é bom. Você nunca teve isso na vida. Ficou* aéreo, *sim, mas nunca* saiu completamente *do ar.*

Havia algo estranho em sua mão direita também. Era como se latejasse um pouco, como se tivesse sido acertada por um martelo.

Flexionou-a sem abrir os olhos. Nenhuma dor. Nenhum latejar. Nada de olhos azuis de artilheiro. Quanto aos apagões, eram apenas uma combinação de estar sem a droga e um bom exemplo do que o grande oráculo e sei lá o que de primeira chamaria de estresse do contrabandista.

Mas mesmo assim vou dormir, pensou. *O que acha disso?*

A cara de Henry flutuou para ele como um balão solto. *Não se preocupe*, dizia Henry. *Você vai ficar bem, maninho. Vai voar para Nassau e se registrar no Aquinas, onde um homem vai encontrá-lo sexta à noite. Um dos caras maneiros. Ele vai te dar uma dose, vai te deixar com coisa o suficiente para você aguentar o fim de semana. No domingo à noite, ele traz a coca e você entrega a chave do cofrinho no banco. Segunda de manhã você cumpre a rotina exatamente como Balazar mandou. O cara vai entrar no jogo; ele sabe como as coisas devem acontecer. Segunda ao meio-dia você viaja e com essa sua cara honesta vai passar de fininho pela alfândega e vai estar comendo bife no Sparks antes de o sol se pôr. Vai ser suave, maninho, um piscar de olhos.*

Mas acabou não sendo tão suave assim.

O problema com ele e Henry era serem como Charlie Brown e Lucy. A única diferença era que, de vez em quando, Henry dava chance na quadra para que Eddie pudesse *chutar* a bola — não com frequência, mas de vez em quando. Numa de suas viagens com heroína, Eddie chegara a pensar que devia escrever uma carta a Charles Schultz. *Caro sr. Schultz*, diria ele. *Está perdendo uma parada por deixar* SEMPRE *a Lucy tirando a bola no último segundo. Ela devia deixar a bola lá de vez em quando. Nada que Charlie Brown pudesse prever, sabe como é. Às vezes ela poderia dar-lhe a chance de chutar três, até mesmo quatro vezes, uma atrás da outra, depois ficaria um mês sem lhe dar nada, depois mais uma chance, depois nada por três ou quatro dias, e então, sabe como é, o senhor está entendendo a ideia. Isso iria foder* MESMO *com a cabeça do garoto, não é?*

Eddie *sabia* que isso iria foder com a cabeça do garoto.

Sabia por experiência própria.

Um dos caras maneiros, Henry tinha dito, mas o sujeito que apareceu fora uma coisa de pele descorada e sotaque inglês, um bigode fino que parecia saído de um filme noir dos anos 1940, e dentes amarelos inclinados para dentro como os de uma velhíssima armadilha para animais.

— Está com a chave, *Señor?* — perguntou, só que com um sotaque inglês elitista, e a palavra soou como sênior.

— A chave está segura — disse Eddie —, se é isso que quer saber.

— Então me dê.

— Não é assim que funciona. Você deveria ter alguma coisa para eu passar o fim de semana. E domingo à noite você me traz outra coisa. Aí eu lhe dou a chave. Segunda você vai até a cidade e usa a chave para conseguir uma terceira coisa. Não sei o quê, porque não é do meu departamento.

De repente surgiu uma pequena e ligeiramente azulada pistola automática na mão da criatura de pele descorada.

— Por que não me dá logo a chave, *Señor*? Eu pouparia tempo e esforço; o senhor pouparia sua vida.

Havia uma firmeza em Eddie Dean, viciado ou não. Henry sabia disso; melhor ainda, Balazar sabia. Por isso ele fora mandado. A maioria deles achava que ele fora escolhido por estar amarrado pela dependência da droga. Ele sabia disso, Henry sabia, Balazar também. Mas apenas ele e Henry sabiam que teria ido mesmo se fosse careta como uma beata. Por Henry. Balazar ainda não tinha chegado tão longe em sua avaliação, mas foda-se Balazar.

— Por que não guarda essa coisa, seu merdinha? — perguntou Eddie. — Ou está querendo que Balazar mande alguém aqui para arrancar os olhos da sua cabeça com uma faca enferrujada?

A coisa descorada sorriu. O revólver desapareceu como mágica; em seu lugar surgiu um pequeno envelope. Ele o entregou a Eddie.

— Só uma brincadeirinha, você sabe.

— Se você diz…

— A gente se vê domingo à noite. — Ele se virou para a porta.

— Acho melhor você esperar.

A coisa descorada virou para trás, de sobrancelhas erguidas.

— Acha que não vou se quiser ir?

— Acho que se for e isto aqui se mostrar ser uma merda, eu terei me mandado amanhã. Então você terá se metido numa *tremenda* merda.

A coisa descorada fechou a cara. Sentou-se na única poltrona da sala enquanto Eddie abria o envelope e derramava uma pequena quantidade de pó marrom. Parecia maligna. Olhou para a coisa descorada.

— Sei qual é a aparência, parece uma merda, mas isso é apenas uma amostra — disse a coisa descorada. — É ótima.

Eddie tirou uma folha de papel do bloco na escrivaninha e separou uma pequena quantidade do pó marrom. Passou o dedo nele e esfregou-o no céu da boca. Um segundo depois, cuspiu na cesta de lixo.

— Você quer morrer? É isso? Está com um desejo de morte?

— Era o que tínhamos. — A coisa descorada pareceu ainda mais rabugenta.

— Tenho uma reserva amanhã — disse Eddie. Era mentira, mas não achava que a coisa descorada tivesse meios de verificar. — Pela companhia aérea TWA. Fiz por minha conta, para o caso de o contato ser um escroto como você. Não me importa. Na realidade vai ser um alívio. Não fui feito para este tipo de trabalho.

A coisa descorada sentou-se e refletiu. Eddie também se sentou e concentrou-se em não se mexer. Tinha vontade de se mexer; vontade de escorregar e deslizar, correr e bater, dançar e pular, arranhar seus arranhões, esfolar as feridas. Até mesmo sentiu os olhos querendo resvalar para a pilha de pó marrom, embora soubesse que era veneno. Tinha tomado uma dose às dez daquela manhã; o mesmo número de horas tinha transcorrido desde então. Mas se fizesse qualquer daquelas coisas, a situação mudaria. A coisa descorada estava fazendo mais do que refletir; estava observando-o, tentando avaliar suas profundezas.

— Talvez eu consiga achar alguma coisa — disse ela por fim.

— Por que não tenta? — disse Eddie. — Mas na hora que baterem as onze horas eu vou desligar a luz e colocar o NÃO PERTURBE na porta. Se alguém bater depois que eu fizer isso, ligo para a recepção e digo que estão me incomodando, para chamarem um segurança.

— Você é um babaca — disse a coisa descorada com seu impecável sotaque inglês.

— Não — disse Eddie —, um babaca era o que você *esperava* encontrar. Eu vim com minha antena de alerta. Você vai estar aqui antes das onze com alguma coisa que eu possa usar... não precisa ser nenhuma maravilha, só alguma coisa que eu possa usar... ou você vai ser um merdinha morto.

7

A coisa descorada voltou bem antes das onze; chegou às nove e meia. Eddie imaginou que a outra parada estivera o tempo todo no carro dele.

Um pouco mais de pó dessa vez. Não era branco, mas pelo menos tinha uma opaca cor de marfim que dava certa esperança.

Eddie provou. Parecia bom. Na verdade mais do que bom. Muito bom. Enrolou uma nota e cheirou.

— Bem, então até domingo — disse a coisa descorada bruscamente, levantando-se.

— Espera aí — disse Eddie, como se ele é que estivesse com o revólver. E era mesmo, de certa forma. O revólver era Balazar. Emilio Balazar, um traficante de alto calibre no maravilhoso mundo das drogas de Nova York.

— *Espera aí?* — A coisa descorada se virou e olhou para Eddie como se achasse que ele tinha perdido a cabeça. — Esperar o quê?

— Bem, eu estou só pensando em você — disse Eddie. — Se eu ficar doente com o que vou pôr no meu corpo, você está frito. Se eu morrer, *é claro*, você está frito. Estava só pensando que se eu só ficar um *pouco* mal, posso lhe dar outra chance. Você sabe, como aquela história em que um garoto esfrega uma lâmpada e ganha três desejos.

— Isso não vai deixar você doente. É China Branca.

— Se isso é China Branca — disse Eddie —, eu sou campeão de beisebol.

— O quê?

— Deixa pra lá.

A coisa descorada se sentou. Eddie sentou-se em frente à escrivaninha do quarto de hotel com a pequena pilha de pó branco perto dele (o pó de merda, ou o que quer que fosse aquilo, fora privada abaixo muito tempo atrás). A televisão transmitia uma partida de beisebol, cortesia de um canal por assinatura e da grande antena receptora de satélite no telhado do Hotel Aquinas. Eddie teve uma breve sensação de calma que pareceu vir dos fundos de sua mente... Só que ela na verdade vinha — ele sabia pelo que lera nas revistas médicas — do aglomerado de tendões na base de sua espinha dorsal, aquele lugar onde a heroína, ao provocar um engrossamento não natural da ramificação nervosa, cria a dependência.

Quer uma cura rápida do vício?, perguntara ele um dia a Henry. *Quebre sua espinha, Henry. Suas pernas param de trabalhar, assim como o seu pau, mas você também para na hora de precisar do pico.*

Henry não tinha achado isso engraçado.

Na verdade, Eddie também não tinha achado graça. Quando o único meio rápido de se livrar do vício era romper sua medula acima daquele feixe de nervos, era um vício realmente pesado. Pesado como um macaco empoleirado no seu ombro. Não um mico, não um macaquinho engraçadinho que servia de mascote; um grande, velho e mau babuíno.

Eddie começou a fungar.

— Tudo bem — disse por fim. — Dá para o gasto. Pode se mandar, merdinha.

A coisa descorada se levantou.

— Tenho amigos — disse ele. — Eles poderiam entrar aqui e fazer alguma coisa com você. Você iria implorar para me dizer onde está essa chave.

— Eu não, campeão — disse Eddie. — Não este garoto aqui. — E ele sorriu. Não sabia como o sorriso saíra, mas não deve ter sido exatamente simpático, pois a coisa descorada se mandou, se mandou rápido, se mandou sem olhar para trás.

Quando Eddie Dean teve certeza de que ele fora embora, pôs mãos à obra.

Tomou a sua dose.

Dormiu.

8

Como estava dormindo agora.

O pistoleiro, alojado de alguma forma dentro da mente daquele homem (um homem cujo nome ainda não sabia; sem dúvida o sujeito a quem o prisioneiro se referira como "coisa descorada" também não fora informado do nome, porque jamais o pronunciara), acompanhou aquilo como assistia a jogos quando era criança, antigamente, antes de o mundo seguir adiante… ou pelo menos achou que era assim que havia acompanhado a cena, pois nunca assistira a qualquer outra coisa além de jogos. Se já tivesse visto um filme, teria pensado nisso primeiro. Fora capaz de arrancar da mente do prisioneiro as coisas que não chegara a entender, pois entre a sua mente e a dele as associações eram próximas. Parecia estranha, no entanto, aquela história do nome. Ele sabia o nome do irmão do prisioneiro, mas não o nome do próprio prisioneiro. Mas naturalmente nomes eram coisas secretas, cheias de poder.

E o nome do homem não estava entre as coisas que interessavam. Uma delas era sua fraqueza, a dependência da droga. A outra era a fibra escondida nessa fraqueza, como um bom revólver enterrado em areia movediça.

Aquele homem fazia o pistoleiro se recordar com tristeza de Cuthbert.

Alguém estava chegando. O prisioneiro, dormindo, não ouvia. O pistoleiro, acordado, ouviu, e mais uma vez tomou a frente.

9

Ótimo, Jane pensou. *Ele diz que está morrendo de fome, eu preparo alguma coisa porque ele é bonitinho, e aí ele pega no sono.*

Então o passageiro — um cara de uns vinte anos, alto, usando uma calça jeans azul ligeiramente desbotada, mas limpa, e uma camisa de malha estampada — abriu um pouco os olhos e sorriu.

— Obrigado, sai — disse ele, ou assim pareceu. Algo quase arcaico... ou estrangeiro. *Falando dormindo, nada mais*, Jane pensou.

— De nada. — Ostentou seu melhor sorriso de comissária, certa de que ele cairia novamente no sono e o sanduíche ainda estaria lá, intacto, quando chegasse a hora do verdadeiro serviço de bordo.

Bem, foi isso que você foi ensinada a esperar, certo?

Ela voltou à cozinha para pegar um cigarro.

Riscou o fósforo, levou-o a meia distância do cigarro e o deixou parado ali, distraída, pois aquilo não fora tudo que a haviam ensinado a *esperar*.

Achei ele bonitinho. Principalmente por causa dos olhos. Os olhos castanhos.

Mas um momento antes, quando o homem da poltrona 3A tinha aberto os olhos, eles *não* eram mais castanhos; eram azuis. Não de um azul levemente sensual como os olhos de um Paul Newman, mas do tom de icebergs. Eles...

— *Ai!*

O fogo tinha alcançado seus dedos. Ela sacudiu o fósforo e jogou fora.

— Jane? — perguntou Paula. — Tudo bem com você?

— Tudo ótimo. Estava apenas devaneando.

Acendeu outro fósforo e dessa vez fez direito. Tinha dado apenas uma tragada quando uma explicação perfeitamente razoável lhe ocorreu. Ele usava lentes de contato. Lógico. Do tipo que muda a cor dos olhos. Havia entrado no banheiro. Demorara o tempo suficiente para ela achar que pudesse estar enjoado e vomitando — tinha aquele tom pálido, o ar de alguém que não estava se sentindo muito bem. Mas ele só fora ao banheiro tirar as lentes de contato para poder cochilar com mais conforto. Perfeitamente razoável.

Você pode sentir alguma coisa, disse de repente uma voz de seu não--tão-distante passado. *Uma cosquinha. Pode ver que há alguma coisa que está estranha.*

Lentes de contato coloridas.

Jane Dorning conhecia pessoalmente umas vinte e poucas pessoas que usavam lentes de contato. A maioria trabalhava na companhia aérea. Ninguém jamais falou nada, mas ela achava que isso se devia à percepção de que os passageiros não gostavam de ver a equipe de voo usando óculos — óculos os deixavam nervosos.

De todas aquelas pessoas, conhecia talvez umas quatro que usavam lentes coloridas. Lentes de contato comuns eram caras; lentes coloridas custavam uma fortuna. Dentre os conhecidos de Jane, quem se dispunha a gastar tanto dinheiro assim eram mulheres, e todas extremamente vaidosas.

Mas e daí? Caras podem ser vaidosos, também. Por que não? Ele é bonito.

Não. Bonito, não. Atraente, talvez, mas era o máximo que ela podia dizer, e com aquele ar pálido ele só não chegava a ser feio por um triz. Então por que as lentes coloridas?

Passageiros muitas vezes tinham medo de voar.

Num mundo onde sequestros e tráfico de drogas haviam se transformado em fatos corriqueiros, a equipe da companhia aérea muitas vezes tinha medo dos passageiros.

A voz que introduzira esses pensamentos em sua mente fora a de uma instrutora da escola de voo, uma veterana durona que parecia ter voado nos primeiros teco-tecos. Ela dizia: *Não ignorem suas suspeitas. Mesmo se esquecerem de tudo que aprenderam sobre como lidar com terroristas reais ou potenciais, lembrem-se disto:* não ignorem suas suspeitas. *Em certos casos, vocês farão parte de uma tripulação que, durante o inquérito, dirá que não fazia a menor ideia do que iria acontecer até o sujeito puxar uma granada e falar vire à esquerda para Cuba ou todo mundo nesta aeronave vai pelos ares. Mas na maioria das vezes haverá duas ou três pessoas — em geral comissárias de bordo, que vocês, meninas, serão em menos de um mês — que dizem que sentiram alguma coisa. Uma cosquinha. Uma sensação de que havia alguma coisa errada com o cara da 91C ou com a moça da 5A. Sentiram alguma coisa, mas não fizeram nada. Será que elas deveriam ser despedidas por isso? Nossa, não! Você não pode amarrar um sujeito na cadeira porque não gostou do modo como ele coçava o rosto. O verdadeiro problema é que elas sentiram alguma coisa... e depois esqueceram.*

A velha matrona tinha erguido um dedo firme. Jane Dorning, juntamente com as colegas de turma, embevecida, a ouvira dizer: *Se você sentir essa cosquinha, não faça nada... mas também não se esqueça. Porque existe sempre aquela mínima chance de você conseguir impedir alguma coisa antes que ela aconteça... alguma coisa como uma escala não programada de doze dias no pátio do aeroporto de algum país árabe cheio de problemas.*

Só lentes coloridas, mas...

Obrigado, sai.

Ele tinha falado dormindo? Ou isso havia sido um lapso confuso que revelava algum outro idioma?

Jane decidiu que ficaria de olho.

E não se esqueceria.

10

Agora, o pistoleiro pensou. *Agora vamos ver, não é?*

Conseguira vir de seu mundo para aquele corpo através da porta na praia. O que precisava descobrir era se poderia reverter as coisas. Ah, não reverter a si mesmo; tinha certeza de que poderia voltar pela porta e tornar a entrar no próprio corpo envenenado, doente, quando quisesse. Estava se referindo a outras coisas. Coisas *físicas*. Ali, por exemplo, na frente dele, havia comida: algo que a mulher uniformizada chamara de sanduíche de tantum. O pistoleiro não fazia ideia do que fosse tantum, mas sabia reconhecer um popquim, embora aquele parecesse curiosamente malcozido.

Seu corpo precisava comer e precisava beber, mas, antes de mais nada, seu corpo precisava de algum tipo de remédio. Sem isso, ele morreria da mordida da lagostrosidade. Poderia haver um medicamento desses naquele mundo; num mundo onde aparelhos voam pelo ar muito acima do ponto onde mesmo as águias mais fortes conseguiriam voar, qualquer coisa parecia possível. Mas não faria diferença quanta medicação poderosa houvesse ali se ele não conseguisse carregar nada físico através da porta.

Você poderia viver neste corpo, pistoleiro, murmurou a voz do homem de preto bem no fundo de sua cabeça. *Deixe aquele pedaço de carne lá para as coisas-lagosta. De qualquer forma, é apenas uma casca.*

Ele não faria isso. Em primeiro lugar, seria o mais criminoso tipo de furto, pois não se contentaria em ser apenas um passageiro daquele corpo, alguém olhando pelos olhos do homem como um viajante olhando pela janela de um vagão para a paisagem que passa.

Em segundo lugar, ele era Roland. Se tivesse de morrer, pretendia morrer como Roland. Morreria se *arrastando* para a Torre, se era o que exigiam dele.

Então o singular e frio senso prático que convivia com o romantismo em sua natureza, como um tigre com uma corça, se fez novamente presente. Não havia necessidade de pensar em morrer antes de fazer o experimento.

Pegou o popquim. Ele havia sido cortado em duas metades. Pôs cada uma numa das mãos. Abriu os olhos do prisioneiro e olhou por eles. Ninguém o estava observando (embora, na cozinha, Jane Dorning estivesse *pensando* nele, e com muita concentração).

Roland se virou para a porta e a atravessou, levando as metades do popquim nas mãos.

11

Primeiro ouviu o barulho áspero de uma onda se aproximando, em seguida a balbúrdia de muitos albatrozes esvoaçando nas rochas mais próximas e disputando um lugar para pousar (*os merdinhas covardes estavam chegando mais perto*, pensou, *e muito em breve estariam me dando bicadas, estivesse eu ainda respirando ou não — não passavam de abutres com uma camada de tinta*); então tomou consciência de que a metade de um popquim — a que estava em sua mão direita — tinha caído na dura areia cinza porque ele o estivera segurando com a mão inteira quando atravessou a porta e agora estava — ou *havia* estado — segurando-o com a mão que tinha sofrido uma redução de quarenta por cento.

Pegou-o sem jeito, apertou-o entre o polegar e o anular, tirou o máximo de areia que pôde do popquim e deu uma mordida cautelosa. Um instante depois o estava devorando, sem sequer reparar em alguns grãos de areia que triturava entre os dentes. Segundos depois, voltou sua atenção para a outra metade. Ela desapareceu em três dentadas.

O pistoleiro não fazia ideia do que fosse tantum — só sabia que era delicioso. Aparentemente só isso importava.

12

No avião, ninguém viu o sanduíche de atum desaparecer. Ninguém viu as mãos de Eddie Dean agarrarem as duas metades com força suficiente para deixar profundas marcas de polegar no pão branco.

Ninguém viu o sanduíche ficar transparente, depois sumir, restando apenas alguns farelos.

Cerca de vinte segundos após isso ter acontecido, Jane Dorning apagou seu cigarro e cruzou a frente da cabine. Tirou seu livro da bolsa, mas o que realmente queria era dar outra espiada na 3A.

Ele parecia estar dormindo profundamente… mas o sanduíche havia desaparecido.

Meu Deus, pensou Jane. *Ele não comeu; engoliu. E agora estava dormindo de novo? É sério?*

O que quer que a houvesse intrigado em relação ao ocupante da 3A, o sr. Ora-Castanhos-Ora-Azuis continuava a lhe dar cócegas. Alguma coisa sobre ele não estava certa.

Alguma coisa.

3. CONTATO E ATERRISSAGEM

1

Eddie foi acordado pela voz do copiloto dizendo que dali a cerca de quarenta e cinco minutos eles pousariam no aeroporto internacional Kennedy, onde a visibilidade era boa, os ventos sopravam em direção ao oeste a dezesseis quilômetros por hora e a temperatura era de agradáveis 21 graus Celsius. Disse que, se não tivesse outra oportunidade de falar com eles, gostaria de agradecer a todos e a cada um por terem escolhido voar pela Delta.

Olhando em volta, Eddie viu as pessoas pegando as declarações de bagagem e documentos de identificação — vindo de Nassau, até a carteira de motorista e o cartão de crédito de um banco americano serviam, mas a maioria também estava com passaporte. Ele sentiu um fio de aço começando a apertar em sua barriga. Ainda não podia acreditar que pegara no sono, e tão profundamente.

Levantou-se e foi até o banheiro. Os saquinhos de coca pareciam estar bem firmes debaixo dos braços. Tinham sido ajustados ao contorno de seu corpo por um americano que falava baixo chamado William Wilson, que os amarrara cuidadosamente no quarto do hotel. Depois da operação de amarrar, o homem cujo nome havia sido imortalizado por Poe (Wilson apenas olhara sem entender para Eddie quando este fez alusão ao fato) entregou-lhe a camisa. Era apenas uma camisa estampada comum, um pouco desbotada, o tipo de roupa que um estudante universitário usaria num avião depois do feriadão e antes das provas finais... só que aquela camisa fora especialmente confeccionada para esconder volumes fora do comum.

— Dê uma checada antes de desembarcar, só para ter certeza — disse Wilson —, mas vai dar tudo certo.

Eddie não sabia se ia dar tudo certo ou não, mas tinha outro motivo para querer usar o banheiro antes de a luz de APERTEM OS CINTOS acender. Apesar de toda a tentação — e na maior parte da noite não fora bem uma tentação, mas uma necessidade louca —, ele conseguira segurar o último grãozinho do que a coisa descorada tivera a temeridade de chamar de China Branca.

Passar pela alfândega vindo de Nassau não era como passar pela alfândega vindo do Haiti, de Quincon ou de Bogotá, mas mesmo assim havia gente de olho. Gente treinada. Ele precisaria de toda e qualquer vantagem que fosse capaz de ter. Se pudesse chegar lá um pouco chapado, só um pouco, poderia ser o detalhe que se mostraria fundamental para fazê-lo passar.

Cheirou o pó, jogou a trouxinha de papel que o continha na privada e lavou as mãos.

É claro que, se conseguir, você nunca vai saber se tem razão, não é?, pensou ele. Não. Não saberia. E não se importava.

Voltando à sua poltrona, viu a comissária que havia trazido a bebida que ele não terminara. Ela deu um sorriso. Ele retribuiu o sorriso, sentou-se, pôs o cinto, pegou a revista de bordo, folheou as páginas e deu uma olhada nas imagens e nas palavras. Nada chamou a sua atenção. Aquele fio de aço continuava apertando sua barriga e, quando o APERTEM OS CINTOS *realmente* se acendeu, o fio deu duas voltas e se enroscou com mais força.

A heroína bateu — as fungadas provavam isso —, mas ele certamente não podia *senti-la*.

O que ele certamente sentiu pouco antes de aterrissar foi outro daqueles desagradáveis períodos de branco… curto, mas sem a menor dúvida real.

O 727 fez a curva sobre a água do estreito de Long Island e começou a descida.

2

Jane Dorning estava na cozinha da classe executiva, ajudando Peter e Anne a guardarem os últimos copos das bebidas servidas após a refeição, quando o sujeito que parecia um universitário entrou no banheiro da primeira classe. Quando ele estava voltando para sua poltrona, Jane cruzou a cortina entre a classe executiva e a primeira e, sem perceber o que estava fazendo, apressou o passo, atraindo a atenção dele com um sorriso, fazendo-o olhar para cima e retribuir.

Seus olhos estavam novamente castanhos.

Tudo bem, tudo bem. Ele entrou no banheiro e tirou as lentes antes de cochilar; agora entrou no banheiro e as colocou de novo. Pelo amor de Deus, Jane! Você está fazendo um papel ridículo!

Mas não estava. Não havia nada que pudesse realmente definir, mas não estava sendo ridícula.

Ele está pálido demais.

E daí? Milhares de pessoas são pálidas demais, incluindo sua própria mãe desde que aquela vesícula biliar começou a infernizá-la.

Ele tinha olhos azuis muito atraentes — talvez não tão bonitinhos quanto as lentes castanhas —, mas sem dúvida atraentes. Então por que se dar ao trabalho de gastar para trocar de cor?

Porque ele gosta de mudar a cor dos olhos. Isso não basta?

Não.

Pouco antes do APERTEM OS CINTOS e dos procedimentos finais, ela fez uma coisa que nunca tinha feito antes; executou-a com a instrutora matrona e durona na cabeça. Encheu uma garrafa térmica com café quente e pôs a tampa de plástico vermelho sem primeiro tampar o gargalo da garrafa. Girou a tampa até sentir o encaixe no final da rosca.

Susy Douglas estava comunicando a aproximação final, mandando os passageiros apagarem os cigarros, pedindo que deixassem as cadeiras na posição vertical, dizendo que haveria um funcionário da Delta à sua disposição no portão de desembarque, pedindo que tivessem à mão as declarações de bagagem e os documentos de identificação, informando que agora todas as xícaras, copos e fones de ouvido teriam de ser devolvidos.

Incrível que não se tenha de pedir para verificarem se estão vestidos, pensou Jane distraidamente, sentindo seu próprio fio de aço se enrolar ao redor das tripas, apertando com força.

— Fique na minha poltrona — disse Jane, quando Susy pousou o microfone.

Susy olhou para a garrafa térmica, depois para o rosto de Jane.

— Jane? Você está bem? Está branca como…

— Não estou sentindo nada. Fique na minha poltrona. Depois eu explico. — Jane indicou brevemente o assento ao lado da porta de emergência do lado esquerdo. — Quero ficar na frente.

— Jane...

— *Fique no meu lugar.*

— Tudo bem — disse Susy. — Tudo bem, Jane. Sem problema.

Jane Dorning sentou-se na poltrona mais próxima do corredor. Segurava a garrafa térmica e não fez qualquer gesto para apertar o cinto. Queria ter total controle sobre a garrafa, e isso significava não deixar um só instante de segurá-la com ambas as mãos.

Susy está achando que surtei.

Jane torcia para que fosse esse o caso.

Se o capitão McDonald aterrissar de mau jeito e a garrafa se abrir, vou ficar com as mãos cobertas de bolhas.

Iria arriscar.

O avião estava baixando. O homem na 3A, o homem com os olhos de duas cores e rosto pálido, se abaixou e tirou a mala de mão de baixo da poltrona.

É agora, Jane pensou. *É agora que ele vai pegar a granada, a arma automática ou seja lá o que for.*

E no instante em que visse a coisa, no exato instante, ela tiraria a tampa vermelha da garrafa com as mãos ligeiramente trêmulas e deixaria um Amigo de Alá muito espantado, se debatendo pelo chão do corredor do voo 901 da Delta enquanto a pele do seu rosto queimava.

O 3A puxou o zíper da sacola.

Jane se preparou.

3

O pistoleiro achou que aquele homem, prisioneiro ou não, era provavelmente melhor na fina arte da sobrevivência do que qualquer um dos outros homens que ele vira na carruagem aérea. Os outros eram, em geral, umas coisas gordas, e mesmo os que estavam razoavelmente em forma pareciam indefesos, desprotegidos, tinham cara de crianças mimadas e caprichosas, cara de homens que até poderiam — como último recurso — lutar, mas que reclamariam sem parar antes de fazê-lo; você poderia pôr suas tripas para fora em cima dos sapatos e suas últimas expressões não seriam de raiva ou agonia, mas sim de estúpida surpresa.

O prisioneiro era melhor... mas não o bastante. Nem de longe.

A mulher militar. Ela viu alguma coisa. Não sei o quê, mas viu alguma coisa errada. Ela concede uma atenção a ele que sem dúvida não concede aos outros.

O prisioneiro se sentou. Olhava para um livro de capa mole no qual pensava como "re-vista", embora as coisas que estava vendo ou o fato de não ser a primeira vez que as via não significassem nada para Roland. O pistoleiro não queria olhar para um livro, por mais que o que ele continha fosse impressionante; queria olhar para a mulher de uniforme militar. O impulso de se adiantar e assumir o controle era muito grande. Mas ele resistiu... pelo menos por agora.

O prisioneiro tinha ido a algum lugar e conseguido uma droga. Não a droga que ele próprio usava, nem nada capaz de ajudar a curar o corpo doente do pistoleiro, mas uma droga que custava muito dinheiro porque era ilegal. Ele daria essa droga ao irmão, que por sua vez a daria a um homem chamado Balazar. O pacto se completaria quando Balazar desse a eles o tipo de droga que os *dois* usavam — se, é claro, o prisioneiro conseguisse executar corretamente um ritual desconhecido para o pistoleiro (e um mundo tão estranho quanto aquele devia necessariamente ter muitos rituais estranhos); o ritual se chamava Passar pela Alfândega.

Mas a mulher o está vendo.

Será que ela poderia impedi-lo de Passar pela Alfândega? Roland achou que a resposta provavelmente era sim. E depois? Prisão. E se o prisioneiro fosse preso, não haveria como conseguir o tipo de droga de que seu corpo infectado, moribundo, precisava.

Ele precisa Passar pela Alfândega, pensou Roland. Precisa conseguir. *E* precisa *ir com o irmão ao encontro desse tal de Balazar. Não está no plano, o irmão não vai gostar, mas ele precisa fazer isso.*

Porque um homem que lida com drogas ou conhece alguém ou *é* alguém que também cura doenças. Um homem capaz de descobrir o que estava errado com seu corpo e então... talvez...

Ele precisa Passar pela Alfândega, pensou o pistoleiro.

A resposta era tão luminosa e simples, mas estava tão próxima que ele quase não conseguiu de fato enxergá-la. Era a *droga* que o prisioneiro pretendia contrabandear que tornava o Passar pela Alfândega tão difícil, lógico; talvez houvesse algum tipo de Oráculo que pudesse ser consultado no caso de pessoas que parecessem suspeitas. Sem isso, deduziu Roland, a cerimônia de Passar seria absolutamente banal, como cruzar uma fronteira amistosa em seu próprio mundo. O sujeito fazia o gesto de fidelidade para o monarca daquele Reino — um simples sinal de dedos — e recebia autorização para passar.

Ele *era* capaz de levar coisas do mundo do prisioneiro para seu próprio mundo. O popquim de peixe havia provado isso. Poderia pegar os saquinhos de droga como pegara o popquim. O prisioneiro poderia Passar pela Alfândega. E então Roland traria de volta os sacos de droga.

Será que você consegue?

Ah, ali estava um problema suficientemente perturbador para distrair sua atenção da vista da água lá embaixo... Eles tinham atravessado o que parecia ser um enorme oceano e agora estavam voltando para o litoral. Enquanto o faziam, a água ia ficando cada vez mais perto. A carruagem aérea estava descendo (o olhar de Eddie foi breve, distraído; o do pistoleiro, extasiado como o de uma criança vendo sua primeira nevasca). Ele conseguia *tirar* coisas daquele mundo, isso sabia. Mas trazê-las de volta? Era algo que ainda não sabia. Precisaria descobrir.

O pistoleiro estendeu a mão para o bolso do prisioneiro e fechou os dedos sobre uma moeda.

Roland voltou através da porta.

4

Os pássaros saíram voando quando ele se sentou. Dessa vez não haviam tido coragem de chegar tão perto. Ele estava com dor, tonto, febril... mas era impressionante como mesmo tão pouco alimento conseguira revivê-lo.

Olhou para a moeda que trouxera consigo. Parecia de prata, mas o tom avermelhado na borda sugeria que era feita de algum metal menos nobre. De um lado havia o perfil de um homem cuja expressão sugeria nobreza, coragem, obstinação. O cabelo, crespo na cabeça e espetado na nuca, indicava também um pouco de vaidade. Virou a moeda do outro lado e viu uma coisa tão espantosa que o fez soltar uma exclamação com voz trêmula e rouca.

Atrás havia uma águia, o ornamento que havia decorado seu próprio pavilhão, naqueles nebulosos dias em que ainda havia reinos e pavilhões que os simbolizavam.

O tempo é curto. Volte. Rápido.

Mas ele se demorou mais um instante, pensando. Era mais difícil pensar dentro da própria cabeça — a do prisioneiro estava longe de ser clara, mas, pelo menos periodicamente, parecia um recipiente mais arejado que a sua.

Transportar a moeda em ambos os sentidos era apenas metade do experimento, certo?

Ele tirou uma das balas de seu cinturão e segurou-a junto à moeda.

Roland voltou através da porta.

5

A moeda do prisioneiro ainda estava lá, firmemente guardada dentro da mão fechada no bolso. Não precisava *tomar a frente* para saber se a bala viera também; sabia que ela não fizera a viagem.

O pistoleiro *tomou a frente* de qualquer modo, brevemente, pois havia uma coisa que precisava saber. Precisava ver.

Virou-se, como se quisesse ajustar a pequena coisa de papel nas costas de sua poltrona (por todos os deuses conhecidos, havia papel por *todos os lados* naquele mundo), e olhou através da porta. Viu seu corpo, caído como antes, agora com um filete de sangue escorrendo de um corte no rosto — uma pedra devia ter feito aquilo quando ele saiu do corpo e simplesmente deixou-o cair.

A cápsula que ele tentara levar junto com a moeda estava embaixo da porta, na areia.

Bom, muita coisa fora respondida. O prisioneiro podia Passar pela Alfândega. Os guardas encarregados do controle poderiam revirá-lo da cabeça aos pés, do traseiro à barriga, quantas vezes quisessem.

Não encontrariam nada.

O pistoleiro se recostou, satisfeito, sem saber, pelo menos por enquanto, que ainda não apreendera toda a extensão de seu problema.

6

O 727 foi descendo lenta e suavemente sobre o pântano de Long Island, deixando atrás de si rastros cinzentos do combustível gasto. O trem de pouso desceu com um zumbido e um baque.

7

O 3A, o homem dos olhos de duas cores, se endireitou na poltrona, e Jane viu — realmente chegou a ver — uma Uzi de cano reto em suas mãos antes de perceber que era apenas a ficha de declaração de bagagem e uma pequena bolsa de zíper do tipo que, às vezes, os homens usavam para levar os passaportes.

O avião desceu como seda.

Sem conseguir controlar um profundo suspiro nervoso, ela apertou a tampa vermelha da garrafa térmica.

— Pode me chamar de babaca — disse em voz baixa para Susy, passando, agora que era tarde demais, o cinto sobre o peito. Durante a entrada na descida final, contara a Susy de suas suspeitas, para que Susy estivesse alerta. — Você tem todo o direito.

— Não — disse Susy. — Você fez a coisa certa.

— Eu tive uma reação exagerada. E eu pago o jantar.

— Não vai pagar nada. E não olhe para ele. Olhe para mim. *Sorria*, Jane.

Jane sorriu. Assentiu. Perguntou-se o que, em nome de Deus, aconteceria *agora*.

— Você estava olhando para as mãos dele — disse Susy, e riu. Jane riu também. — Eu estava vendo o que acontecia com a camisa quando ele se curvou para pegar a sacola. Lá debaixo tem coisa suficiente para encher um balcão de miudezas de uma loja de departamentos. Só que não acho que ele esteja carregando o tipo de coisa que se pode comprar em lojas.

Jane atirou a cabeça para trás e riu de novo, se sentindo como uma marionete.

— O que vamos fazer? — Susy era uma veterana com cinco anos de serviço a mais que Jane, que um minuto antes achara que tinha a situação sob o mais desesperado tipo de controle, e agora dava graças a Deus por ter Susy ao seu lado.

— Nós, nada. Conte ao comandante quando estivermos taxiando. O comandante fala com a alfândega. Seu amigo ali entra na fila como todo mundo, só que vai ser tirado dela por uns homens que vão escoltá-lo até uma salinha. Acho que para ele vai ser a primeira de uma sucessão bastante longa de salinhas.

— Meu Deus! — Jane estava sorrindo, mas calafrios alternadamente quentes e frios varavam seu corpo.

Ela mexeu na fivela do cinto para soltá-lo quando a reversão dos motores começou a arrefecer, passou a garrafa térmica para Susy, levantou-se e correu para a cabine.

Não era um terrorista, era um traficante. Graças a Deus por isso. Mesmo assim, de certa forma, ela odiava o que ia fazer. Ele *era* bonitinho.

Não muito, mas um pouco.

8

Ele ainda não percebeu, pensou o pistoleiro com raiva e um início de desespero. *Deuses!*

Eddie se curvara para pegar os papéis de que precisava para o ritual e quando levantou a cabeça a mulher militar o encarava de olhos arregalados, o rosto branco como as coisas de papel nas costas das poltronas. O tubo de prata com a tampa vermelha, que o pistoleiro a princípio tomara por algum tipo de cantil, era sem dúvida uma arma. Ela agora a segurava entre os seios. Roland achou que dali a poucos instantes ela iria jogar aquilo em cima dele ou girar a tampa vermelha e alvejá-lo.

Então ela relaxou e prendeu seus arreios, embora o baque seco tivesse informado ao pistoleiro e ao prisioneiro que a carruagem aérea já havia pousado. Ela se virou para a outra mulher militar que estava sentada a seu lado e falou alguma coisa. A outra mulher riu e concordou com a cabeça, mas se aquilo era uma risada sincera, o pistoleiro era um sapo de rio. O pistoleiro se perguntou como o homem cuja mente abrigava temporariamente o seu próprio ka podia ser tão estúpido. Parte da estupidez era devida ao que ele havia posto no próprio corpo, é claro, uma das versões da erva do diabo existentes naquele mundo. Parte, mas não toda. Ele não era tão fraco e distraído como os outros, mas com o tempo poderia se tornar.

Eles são como são porque vivem na luz, pensou o pistoleiro de repente. *Aquela luz da civilização que você é ensinado a adorar acima de todas as outras coisas. Eles vivem num mundo que não seguiu adiante.*

Se era nisso que as pessoas se transformavam em um mundo desses, Roland talvez preferisse as trevas. "Isso foi antes de o mundo seguir adiante", diziam as pessoas em seu próprio mundo, e sempre num tom de tremenda tristeza... mas talvez fosse tristeza sem pensamento, sem reflexão.

Ela pensou que eu/ele pretendíamos pegar uma arma quando (eu/ele) nos abaixamos para pegar os papéis. Relaxou quando viu os papéis e agiu da mesma maneira que os outros agiram antes de a carruagem descer novamente para o solo. Agora ela e sua amiga estão falando e rindo mas seus rostos — especialmente o rosto dela, *o rosto da mulher com o tubo de metal — têm alguma coisa errada. Elas estão conversando, verdade, mas estão apenas fingindo rir... e isso acontece porque o assunto da conversa é ele/eu.*

A carruagem aérea estava agora se movendo pelo que parecia ser uma longa estrada de concreto, uma dentre muitas. Embora estivesse concentrado principalmente nas mulheres, o pistoleiro via pelo canto do olho outras carruagens aéreas se movendo aqui e ali ao longo de outras estradas. Algumas andavam devagar; outras se deslocavam com incrível velocidade, não como carruagens, mas como projéteis atirados de revólveres ou canhões. Preparavam-se para se lançar no ar. Por mais desesperada que sua própria situação tivesse se tornado, parte dele queria muito *tomar a frente* e virar a cabeça para ver aqueles veículos que se lançavam para os céus. Eram feitos pelo homem, mas cada detalhe parecia tão fabuloso quanto as histórias do Grande Emplumex que supostamente teria vivido no distante (e provavelmente mítico) reino de Garlan — talvez *mais* fabuloso, pois aqueles veículos eram *feitos pelo homem*.

A mulher que trouxera o popquim desapertou os arreios (menos de um minuto depois de tê-los apertado) e se dirigiu para uma pequena porta. *É lá que fica o condutor*, pensou o pistoleiro, mas quando a porta foi aberta e ela entrou, o pistoleiro viu que, ao que parecia, eram necessários três condutores para operar a carruagem aérea, e mesmo o relance que pôde dar nos milhares de mostruários, alavancas e luzes o fez entender o motivo.

O prisioneiro tudo olhava, mas nada via... Cort teria primeiro dado um riso de deboche, depois o atirado na parede mais próxima. A mente do prisioneiro estava completamente concentrada em pegar a sacola sob a poltrona e a jaqueta de uma arca sobre sua cabeça e... enfrentar a prova do ritual.

O prisioneiro não via nada; o pistoleiro via tudo.

A mulher achou que ele fosse um ladrão ou um louco. Ele — ou talvez tenha sido eu, sim, é bastante provável — fez alguma coisa para fazê-la pensar assim. Ela mudou de ideia, mas agora a outra mulher a fez repensar... e acho que elas já sabem o que está realmente errado. Sabem que ele vai tentar profanar o ritual.

Então, como num estouro de trovão, viu o resto de seu problema. Primeiro, não era apenas uma questão de levar os saquinhos para o seu mundo como tinha feito com a moeda; a moeda não estava presa no corpo do prisioneiro com o cordão grudento que este último havia passado repetidas vezes ao redor do peito para manter os sacos apertados contra a pele. Aquele cordão grudento era só parte do problema. O prisioneiro não se dera conta do desaparecimento temporário de uma moeda entre tantas outras, mas quando percebesse que a coisa pela qual estava arriscando a vida tinha sumido de repente, *certamente* criaria sérios problemas... e aí?

Era mais que possível que o prisioneiro começasse a se comportar de um modo tão irracional que acabaria trancafiado mais depressa do que se fosse apanhado no ato de profanação. A perda dos saquinhos já seria ruim o suficiente; mas os saquinhos simplesmente terem desaparecido provavelmente o faria pensar que ele tinha *realmente* ficado maluco.

A carruagem aérea, pesada como um carro de boi agora que estava pousada, ia abrindo caminho com lentidão por um desvio à esquerda. O pistoleiro percebeu que não tinha mais tempo para se dar ao luxo de novas considerações. Tinha de fazer mais do que *tomar a frente*; tinha de fazer contato com Eddie Dean.

Imediatamente.

9

Eddie enfiou a declaração de bagagem e o passaporte no bolso da camisa. O fio de aço estava agora revirando sem parar ao redor de suas tripas, afundando cada vez mais, fazendo seus nervos faiscarem, ferverem. E de repente uma voz falou em sua cabeça.

Não um pensamento; uma *voz*.

Preste atenção no que vou dizer, companheiro. Preste muita atenção. Se quiser continuar em segurança, não deixe transparecer nada que possa despertar ainda mais as suspeitas daquelas mulheres militares. Deus sabe que elas já estão bastante desconfiadas.

Primeiro Eddie pensou que ainda estivesse usando os fones do avião e captando alguma estranha transmissão da cabine de comando. Mas os fones haviam sido recolhidos cinco minutos antes.

Seu segundo pensamento foi que alguém devia estar parado do seu lado, falando. Quase virou abruptamente a cabeça para a esquerda, mas não fazia sentido. Gostasse ele ou não, a verdade nua e crua era que a voz tinha vindo de *dentro* de sua cabeça.

Talvez estivesse recebendo algum tipo de transmissão — AM, FM ou VHF — pelas obturações dos dentes. Já tinha ouvido falar nis…

Endireite esse corpo, seu verme! Não precisa aumentar as suspeitas das duas agindo como se tivesse ficado maluco!

Eddie se aprumou rapidamente na poltrona, como se tivesse levado um tapa. Aquela voz não era de Henry, mas lembrava muito a de Henry quando os dois eram apenas dois garotos criados num bairro humilde. Henry era oito anos mais velho do que ele, e sua irmã do meio agora era apenas um fantasma da memória; Selina fora atropelada e morta por um carro quando Eddie tinha dois anos e Henry dez. Aquele áspero tom de comando brotava sempre que Henry o via fazendo alguma coisa que pudesse fazê-lo ocupar uma caixa de pinho antes do tempo… como acontecera com Selina.

Mas que porra está acontecendo aqui?

Você não está ouvindo vozes que não existem, retornou a voz dentro de sua cabeça. Não, não era a voz de Henry — era mais velha, mais seca… mais forte. Mas *como* a voz de Henry… e era impossível não acreditar nela. *Essa é a primeira coisa. Você não está ficando maluco. Eu SOU outra pessoa.*

Isto é telepatia?

Eddie estava vagamente consciente de que seu rosto permanecia completamente sem expressão. Pensou que, naquelas circunstâncias, aquilo deveria qualificá-lo para ser indicado ao Oscar de Melhor Ator. Olhou pela janela e viu o avião estacionando na área que a Delta ocupava no terminal de desembarque do aeroporto internacional Kennedy.

Não conheço essa palavra. Mas sei que aquelas mulheres militares sabem que você está carregando...

Houve uma pausa. Uma sensação — cuja estranheza escapava às palavras — de dedos fantasmagóricos folheando seu cérebro como se ele fosse um catálogo vivo.

... heroína ou cocaína. Não sei exatamente qual, mas acho... acho que deve ser cocaína porque está carregando aquela que você não usa para comprar aquela que você usa.

— Que mulheres militares? — murmurou Eddie em voz baixa, completamente inconsciente de que estava falando em voz alta. — De que diabo você está falan...

Mais uma vez a sensação de ser esbofeteado... tão real que ele sentiu a cabeça retinir.

Feche a boca, seu imbecil!

Tá bom, tá bom! Nossa!

Novamente a sensação de dedos folheando.

Comissárias do exército, respondeu a voz estranha. *Está me entendendo? Não tenho tempo para mastigar cada pensamento, prisioneiro!*

— Do que você... — começou Eddie, mas logo parou. *Do que você me chamou?*

Não interessa. Só escute. O tempo é muito, muito curto. Elas sabem. As comissárias do exército sabem que você está carregando esta cocaína.

Como poderiam saber? Isso é um absurdo!

Não sei como adquiriram este conhecimento e também não importa. Uma delas contou aos condutores. Os condutores vão contar aos sacerdotes encarregados dessa cerimônia, dessa tal Passagem pela Alfândega...

A linguagem da voz em sua cabeça parecia completamente enigmática, os termos tão fora de órbita que quase chegavam a ser engraçados... mas a mensagem chegou nítida e clara. Embora seu rosto continuasse impassível, os dentes de Eddie se cerraram com um doloroso clique e ele puxou o ar por entre eles produzindo um assobiozinho.

A voz estava dizendo que o jogo havia acabado. Ele ainda nem saíra do avião e o jogo já estava acabado.

Mas aquilo não era real. Não tinha como ser real. Era apenas sua mente fazendo um pequeno exercício de paranoia de última hora, só isso. Ele iria ignorá-la. Simplesmente ignorar e desemb...

Você NÃO vai ignorar ou vai para a prisão e eu vou morrer!, ressoou a voz.

Pelo amor de Deus, quem é você?, perguntou Eddie relutante, temeroso, ouvindo alguém ou alguma coisa dentro de sua cabeça deixar escapar um profundo e barulhento suspiro de alívio.

10

Ele acredita, pensou o pistoleiro. *Graças a todos os deuses que existem ou já existiram, ele* acredita*!*

11

O avião parou. A luz do APERTEM OS CINTOS se apagou. A passarela se esticou e se acoplou à porta da frente com um baque suave.

Eles tinham chegado.

12

Há um lugar onde você pode deixar isso enquanto executa a Passagem pela Alfândega, disse a voz. Um lugar seguro. Depois, quando estiver lá fora, pode pegar novamente a coisa e levá-la para esse tal de Balazar.

Agora as pessoas estavam em pé, tirando as coisas das arcas sobre as cabeças e tentando lidar com casacos que, segundo o anúncio da cabine, eram quentes demais para serem usados com aquela temperatura.

Pegue sua mala. Pegue sua jaqueta. Depois torne a entrar na casinha.

Cas...

Ah. Banheiro. Privada.

Se acharem que estou com drogas vão pensar que estou tentando jogá-las fora.

Mas Eddie percebeu que esse detalhe não importava. Eles não chegariam exatamente a arrombar a porta, para não assustar os passageiros. E eles deviam saber que não se pode jogar um quilo de cocaína numa privada de avião e dar a descarga sem deixar rastro. A não ser que a voz estivesse realmente dizendo a verdade... que houvesse um lugar mais seguro. *Mas como poderia haver?*

Não interessa, droga! MEXA-SE!

Eddie se mexeu. Porque tinha finalmente se dado conta da situação. Não estava enxergando tudo que Roland, com seus muitos anos e seu treinamento de movimentos drásticos e precisos, podia enxergar, mas conseguiu perceber as expressões das comissárias — suas *verdadeiras* expressões, aquelas por trás dos sorrisos e do manuseio prestativo de malas de roupas e caixas guardadas no bagageiro da frente. Podia ver o modo como elas relanceavam o olhar em sua direção, rápido como chicote, repetidas vezes.

Pegou sua mala. Pegou sua jaqueta. A porta para a passarela fora aberta e as pessoas já avançavam pelo corredor. A porta da cabine estava aberta e lá estava o comandante, também sorrindo... mas também observando os passageiros da primeira classe que ainda juntavam suas coisas até olhar para Eddie — ou melhor, *localizá-lo* — e em seguida disfarçar afastando novamente os olhos, assentindo com a cabeça para alguém, afagando a cabeça de uma criança.

Ele estava ligado agora. Não por causa da droga, apenas ligado. Não precisava da voz em sua cabeça para ficar ligado. Ligado — algumas vezes isso não tinha problema. Só precisava ter cuidado para não entrar em curto-circuito.

Eddie se moveu para a frente, atingiu o ponto onde um giro para a esquerda o faria pisar na passarela — e de repente levou a mão à boca.

— Não estou me sentindo bem — murmurou. — Perdão. — Empurrou a porta da cabine, o que bloqueou ligeiramente a entrada da primeira classe, e abriu a porta do banheiro à sua direita.

— Sinto muito, mas terá de deixar o avião — disse asperamente o piloto quando Eddie abriu a porta do banheiro. — É...

— Acho que vou vomitar e não quero fazer isso nos seus sapatos — disse Eddie —, nem nos meus.

Um segundo mais tarde, estava com a porta trancada. O comandante estava dizendo alguma coisa. Eddie não conseguia saber o que era, não queria saber. O fundamental era que ele estava falando normalmente, não berrando, como ele previra; ninguém começaria a berrar com uns duzentos e cinquenta passageiros esperando para desembarcar pela única porta da frente. Ele estava lá dentro, temporariamente seguro... mas de que isso ia lhe servir?

Se estiver aí, pensou, *quem quer que você seja, é melhor fazer alguma coisa bem depressa.*

Durante um terrível instante, não houve absolutamente nada. Foi um instante breve, mas na cabeça de Eddie Dean pareceu se estender como se para sempre, como o puxa-puxa que Henry às vezes lhe comprava no verão quando eram garotos. Se ele criava problemas, Henry acabava com ele na porrada; se era bonzinho, Henry comprava o puxa-puxa. Era assim que Henry lidava com suas graves responsabilidades durante as férias de verão.

Meu Deus, ai meu Jesus Cristo, eu imaginei tudo isso, ai Jesus, até que ponto fiquei completamente malu...

Se prepare, disse uma voz severa. *Não consigo fazer isso sozinho. Posso* TOMAR A FRENTE, *mas não posso fazer você* ATRAVESSAR. *Você precisa agir junto comigo. Vire-se.*

Eddie estava de repente vendo através de dois pares de olhos, sentindo com dois conjuntos de nervos (mas nem todos os nervos daquela outra pessoa estavam ali; partes do outro tinham sido cortadas, cortadas recentemente, e ainda gritavam de dor), sentindo com dez sentidos, pensando com dois cérebros, o sangue batendo com dois corações.

Ele se virou. Havia um buraco na parede do banheiro, um buraco que parecia uma porta. Do outro lado podia ver uma praia cheia de areia cinza e ondas quebrando com a cor de meias encardidas.

Podia ouvir as ondas.

Podia sentir o gosto do sal, um gosto amargo como lágrimas em seu nariz.

Atravesse.

Alguém estava batendo na porta do banheiro, mandando que ele saísse, que era preciso desembarcar de imediato.

Atravesse, porra!

Eddie, gemendo, deu um passo em direção à porta... tropeçou... e caiu no outro mundo.

13

Ficou lentamente de pé, consciente de que cortara a palma da mão direita na beira de uma concha. Contemplou pasmo o sangue correndo pela sua linha da vida, depois viu outro homem se levantando devagar à sua direita.

Eddie recuou, as sensações de desorientação e vago desequilíbrio subitamente suplantadas por intenso terror: o homem estava morto e não sabia. Seu rosto era esquálido, sua pele esticada sobre os ossos da face lembrava tiras de pano repuxadas em volta de arestas pontudas, de aspecto metálico, quase a ponto de rasgar o pano. A pele do homem era lívida, salvo por manchas vermelhas no alto de cada face e no pescoço, à esquerda e direita da mandíbula. Havia também uma solitária marca circular entre seus olhos, como resultado de uma tentativa infantil de reproduzir um símbolo hindu de casta.

Seus olhos, no entanto — azuis, firmes, sadios —, estavam vivos, cheios de terrível e tenaz vitalidade. Ele vestia roupas escuras de algum tecido feito à mão; a camisa, de mangas arregaçadas, era de um preto desbotado quase cinza, a calça parecia ser um jeans azul. Cinturões de revólveres cruzavam sua cintura, mas as cartucheiras estavam quase todas vazias. Os coldres guardavam revólveres que lembravam os de calibre .45, mas de um modelo incrivelmente antigo. A suave madeira dos cabos parecia brilhar com uma luz interior própria.

Eddie, que não sabia que tinha intenção alguma de falar — ou qualquer coisa para falar —, acabou se ouvindo fazer uma pergunta:

— Você é um fantasma?

— Ainda não — resmungou o homem com os revólveres. — A erva-do--diabo. A cocaína. Seja lá como você chame. Tire a camisa.

— Seus braços... — Eddie os vira. Os braços do homem, que lembrava o tipo extravagante de pistoleiro que a pessoa veria num faroeste italiano, brilhavam com marcas de um vermelho vivo, maléfico. Eddie sabia muito bem o que marcas daquele tipo significavam. Significavam sangue envenenado. Significavam que o demônio estava fazendo mais do que bafejando no seu cangote; já estava subindo pelos esgotos que levavam ao seu sangue.

— Esqueça a porra dos meus braços! — disse a pálida aparição. — *Tire sua camisa e livre-se disso!*

Ouvia as ondas; ouvia o silvo solitário de um vento que não conhecia obstrução; via aquele moribundo maluco e nada mais que desolação; atrás dele, no entanto, ouvia as vozes murmurantes dos passageiros desembarcando e um martelar contínuo, abafado.

— Sr. Dean! — *Essa voz*, pensou, *está em outro mundo*. Sem duvidar disso; apenas tentando fazer a ideia entrar na sua cabeça como faria passar um prego por uma grossa peça de mogno. — O senhor realmente vai ter...

— Deixe isto aqui, pegue depois — disse o pistoleiro num tom áspero. — Pelos deuses, você não entende que estou tendo que *falar*? Falar dói! *E não há tempo, seu idiota!*

Eddie teria matado alguns por usarem aquela expressão... mas teve a impressão de que daria trabalho matar aquele sujeito, mesmo que, a julgar por sua aparência, matá-lo pudesse ser uma ajuda.

Mas ele sentiu verdade naqueles olhos azuis; todas as questões foram apagadas por seu brilho enfurecido.

Eddie começou a desabotoar a camisa. Seu primeiro impulso foi simplesmente rasgá-la, como fazia Clark Kent quando Lois Lane estava amarrada num trilho de trem ou algo assim, mas aquilo não funcionava na vida real: mais cedo ou mais tarde você teria de explicar os botões perdidos. Então Eddie os fez deslizar pelas casas enquanto as batidas continuavam atrás dele.

Tirou a camisa de dentro da calça e deixou-a cair, revelando a fita adesiva que atravessava o peito. Parecia alguém nos últimos estágios da recuperação de uma severa fratura das costelas.

Lançou um olhar para trás e viu uma porta aberta... a beirada da porta havia desenhado um leque ao se arrastar na areia cinza da praia quando alguém — presumivelmente o moribundo — a abrira. Viu pela abertura o toalete da primeira classe, a privada, o espelho... e nele seu próprio rosto desesperado, o cabelo escuro caindo na testa e nos olhos castanhos. Ao fundo via o pistoleiro, a praia e aves marinhas voando alto, gritando e brigando sobre só Deus sabe o quê.

Começou a tocar na fita, perguntando-se por onde começar, como descobrir uma ponta solta, e foi tomado por uma espécie de angústia. Era assim que um cervo ou um coelho deviam se sentir quando, na metade da travessia de uma estrada, viravam a cabeça e viam o clarão de faróis vindo em sentido contrário.

William Wilson, o homem cujo nome Poe tornara famoso, levara vinte minutos para amarrá-lo. A porta do toalete da primeira classe seria aberta em cinco, sete minutos no máximo.

— Não consigo tirar esta merda — disse ele ao homem que oscilava na sua frente. — Não sei quem você é nem onde estou, mas garanto que há fita demais e tempo de menos.

14

Deere, o copiloto, sugeriu que o comandante McDonald parasse de bater na porta, como continuava fazendo em sua frustração pela falta de resposta do homem da 3A.

— Para onde ele pode ir? — perguntou Deere. — O que ele pode fazer? Dar a descarga em si mesmo na privada? Ele é grande demais.

— Mas se estiver carregando… — começou McDonald.

— Se estiver, está carregando muito — disse Deere, ele próprio já tendo usado cocaína em mais do que algumas ocasiões. — Não vai conseguir se livrar de tudo.

— Desligue a água — ordenou McDonald bruscamente.

— Já desligamos — disse o navegador (que também já havia cheirado bastante na vida). — Mas acho que isso não tem importância. Você pode dissolver o que entra nos tanques de contenção, mas não pode fingir que não está lá. — Estavam todos agrupados ao redor da porta do banheiro com o letreiro OCUPADO brilhando em tom de deboche, todos falando em voz baixa. — Os caras da Entorpecentes drenam o tanque, tiram uma amostra, e o sujeito está frito.

— Ele sempre pode dizer que alguém entrou antes e jogou a coisa lá — respondeu McDonald.

Sua voz adquiria um timbre agudo. Ele não queria conversar sobre o assunto; queria tomar alguma providência, embora tivesse total consciência de que os passageiros ainda estavam desembarcando, muitos deles observando com mais do que curiosidade passageira a tripulação da cabine reunida com as comissárias em torno da porta do banheiro. De sua parte, a tripulação tinha total consciência de que uma reação que fosse... realmente direta poderia evocar os protótipos de terrorismo que agora se emboscavam no fundo da mente de cada passageiro aéreo. McDonald sabia que seu copiloto e seu navegador estavam certos, sabia que a coisa muito provavelmente estava dentro de sacos plásticos com as impressões do indivíduo neles, e mesmo assim sentia um alarme disparar em sua cabeça. Alguma coisa não estava certa. Alguma coisa dentro dele continuava gritando *Depressa! Depressa!*, como se o sujeito da 3A fosse um jogador com uma trinca de ases que estava pronta para ser baixada.

— Ele não está tentando dar a descarga — disse Susy Douglas. — Não está nem abrindo as torneiras da pia. Ouviríamos o vácuo se estivesse. Estou escutando alguma coisa, mas...

— Saia daqui — disse McDonald, ríspido. Seus olhos se voltaram para Jane Dorning. — Você também. Nós cuidamos disto.

Jane se virou para ir embora, o rosto vermelho de raiva.

Susy falou em voz baixa:

— Foi Jane quem percebeu que tinha alguma coisa errada com esse cara e eu que vi os volumes embaixo da camisa. Eu acho que vamos ficar, comandante McDonald. Se o senhor quiser prestar uma queixa por insubordinação, tem todo o direito. Mas eu quero lembrar que talvez o senhor esteja complicando *demais* o que pode ser uma apreensão realmente grande da delegacia de entorpecentes.

Os olhares duros dos dois se esbarraram e faíscas saltaram.

— Eu já voei setenta, oitenta vezes com você, Mc — disse Susy. — Estou tentando ser sua amiga.

McDonald contemplou-a por mais um instante e aquiesceu.

— Fiquem, então. Mas quero que as duas recuem um passo, para perto da cabine.

Ele se empertigou, olhou para trás e viu o final da fila emergindo da classe econômica para a executiva. Dois minutos, talvez três.

Virou-se para o agente de desembarque na entrada da passarela, que os observava com atenção. O homem devia ter percebido que havia algum problema, pois tirara do cinto o radiotransmissor e estava com ele na mão.

— Diga a ele que quero agentes da alfândega aqui — disse McDonald em voz baixa para o navegador. — Três ou quatro. Armados. Agora.

O navegador abriu caminho pela fila de passageiros, desculpando-se com um sorriso simpático, e conversou em voz baixa com o agente de desembarque. O homem levou o rádio à boca e transmitiu o pedido.

McDonald — que nunca na vida pusera em seu corpo nada mais forte do que aspirina, e mesmo assim apenas raramente — virou-se para Deere. Seus lábios apertados formavam uma fina linha branca, como uma cicatriz.

— Assim que o último passageiro saltar, vamos arrombar a porra desta porta — disse ele. — Não me interessa se os agentes da alfândega estarão aqui ou não. Entendeu?

— Perfeitamente — disse Deere, observando o final da fila avançar para a primeira classe.

15

— Pegue minha faca — disse o pistoleiro. — Está na bolsa.

Ele gesticulou para uma bolsa de couro descascado pousada na areia. Parecia mais uma grande mochila do que uma bolsa, o tipo de coisa que você espera que os hippies carreguem em sua viagem pela Trilha dos Apalaches, embriagando-se de natureza (e talvez, de vez em quando, de um enorme baseado). Aquilo, porém, parecia de verdade, não o acessório de alguma idealização de um maluco beleza, mas algo que suportara anos a fio de dura — talvez desesperada — viagem.

Ele gesticulou, mas não apontou. *Não conseguia* apontar. Eddie percebeu por que o homem tinha uma tira de camisa suja enrolada na mão direita: alguns de seus dedos haviam sido arrancados.

— Pegue — disse o pistoleiro. — Corte a fita. Tente não se cortar. É fácil. Vai ter de tomar cuidado, mas também vai precisar agir depressa. Não há tempo a perder.

— Eu sei — disse Eddie se ajoelhando na areia. Nada daquilo era real. Era isso, era essa a resposta. Como teria dito Henry Dean, o tremendo sábio e viciado de primeira: *Um, dois, três, quatro, vamos ficar muito doidos, de fato, a vida é uma farsa, o mundo um esculacho, então ponha um Creedence e chape.*

Nada daquilo era real, não passava de um delírio extraordinariamente nítido, portanto o melhor a fazer era aceitar e seguir o fluxo.

Certamente era um delírio nítido. Ele estava estendendo a mão para o zíper — ou talvez fosse um cordão de puxar — na "bolsa" do homem quando viu que ela havia sido costurada num padrão axadrezado de tiras de couro cru, algumas das quais tinham se rompido e sido cuidadosamente unidas — um conserto suficientemente cuidadoso para que elas continuassem deslizando pelos precários ilhoses.

Eddie puxou a alça, abriu bem a bolsa e encontrou a faca debaixo de uma trouxa ligeiramente úmida, o pedaço de camisa amarrado em volta das balas. Só o cabo já bastou para deixá-lo sem fôlego… era a verdadeira e suave mistura do cinza-branco da prata pura, gravada com um complexo emaranhado de desenhos que atraíam o olhar, levavam a …

Sua orelha explodiu em dor, ressoando na cabeça e momentaneamente tampando sua visão com uma nuvem vermelha. Sem equilíbrio, ele caiu sobre a bolsa aberta, bateu na areia e ergueu os olhos para o homem pálido com botas gastas. Não era um blefe. Os olhos azuis cintilando na cara do moribundo eram os olhos da mais pura verdade.

— Admire mais tarde, prisioneiro — disse o pistoleiro. — Por ora trate apenas de usar.

Eddie sentiu a orelha latejando, inchando.

— *Por que você fica me chamando disso?*

— Corte a fita — disse o pistoleiro severamente. — Se arrombarem aquele banheiro enquanto você ainda estiver com a coisa, tenho a impressão de que vai ter de ficar aqui por um tempo muito longo. E, mais rápido do que você imagina, na companhia de um cadáver.

Eddie tirou a faca da bainha. Não era velha; era mais do que velha, mais do que antiga. A lâmina, amolada quase ao ponto da invisibilidade, parecia ter captado no metal toda a força da idade.

— É, parece afiada — disse, e sua voz não estava firme.

16

Os últimos passageiros iam se enfileirando na passarela. Um deles, uma senhora de uns setenta anos com aquele singular ar de confusão que só passageiros de primeiro voo com muitos anos de vida, ou muito pouco inglês, parecem capazes de exibir, parou para mostrar sua passagem para Jane Dorning.

— Como é que eu vou conseguir achar meu voo para Montreal? — perguntou ela. — E minha bagagem? Vou passar pela alfândega aqui ou lá?

— Há um agente de desembarque no final da passarela que vai lhe dar todas as informações de que a senhora precisa — disse Jane.

— Bem, não vejo *por que* você não pode me dar todas as informações de que eu preciso — disse a senhora. — Aquela passarela ainda está cheia de gente.

— Siga a fila, por favor, senhora — disse o comandante McDonald. — Temos um problema.

— Bem, perdão por incomodar — disse a mulher, ofendida. — Devo ser velha demais para alguém me escutar!

E avançou com passos largos, o nariz empinado como focinho de cachorro sentindo cheiro de fogo mais adiante, a bolsa agarrada numa das mãos, o envelope com as passagens na outra (era possível ver tantos cartões de embarque que a pessoa ficava tentada a acreditar que aquela senhora estava concluindo a volta ao mundo com troca de aviões em cada escala ao longo do trajeto).

— Aí está uma senhora que talvez nunca mais queira voar nas grandes aeronaves da Delta — murmurou Susy.

— Não dou a mínima nem se ela voar socada na cueca do Super-Homem — disse McDonald. — Foi a última?

Jane passou rápido por eles, deu uma olhada nas poltronas da classe executiva e enfiou a cabeça na cabine principal. Deserta.

Voltou e informou que o avião estava vazio.

McDonald se virou para a passarela e viu dois agentes uniformizados da alfândega abrindo caminho à força pela multidão. Eles se desculpavam, mas não se preocupavam em olhar para quem empurravam. O último esbarrão atingiu a velha senhora, que deixou cair o envelope com as passagens. Papéis voaram e se espalharam por todo lado e ela saiu gritando atrás deles como uma gralha furiosa.

— Tudo bem — disse McDonald —, podem parar aí mesmo.

— Senhor, somos agentes federais da alfândega…

— Está certo. Fui eu quem os chamei e estou feliz que tenham chegado tão depressa. Agora fiquem aí mesmo porque este avião é meu e o sujeito que está lá dentro é um dos meus passageiros. Depois que ele sair do avião e entrar na passarela, passa a ser de vocês e podem fazer o que quiserem com ele. — Fez sinal para Deere. — Vou dar mais uma chance ao filho da puta e depois vamos arrombar a porta e entrar.

— Por mim ótimo — disse Deere.

McDonald bateu na porta do banheiro com o nó dos dedos e gritou:

— Saia daí, meu amigo! Cansei de pedir!

Não houve resposta.

— Tudo bem — disse McDonald. — Vamos lá.

17

Eddie escutou ao longe uma senhora dizer: "Bem, perdão por incomodar! Devo ser velha demais para alguém me escutar!".

Já conseguira cortar metade da fita adesiva. Quando a mulher falou, sua mão tremeu um pouco e ele viu um filete de sangue descer pela barriga.

— Merda — disse Eddie.

— Agora não tem jeito — disse o pistoleiro com sua voz áspera. — Acabe o trabalho. Ou será que passa mal vendo sangue?

— Só quando é meu — disse Eddie. A fita começava logo acima de sua barriga. Quanto mais alto ele cortava, mais justa a fita ficava. Soltou mais uns seis ou sete centímetros e quase tornou a se cortar quando ouviu McDonald falando com os agentes aduaneiros: "Tudo bem, podem parar aí mesmo".

— Se continuar, acho que vou cortar metade do meu corpo. Por que você não tenta? — disse Eddie. — Não consigo ver o que estou fazendo. A porra do queixo fica atrapalhando.

O pistoleiro pegou a faca com a mão esquerda. A mão estava tremendo. Observar aquela lâmina, amolada de forma suicida, oscilando daquele jeito, deixava Eddie extremamente nervoso.

— Talvez eu mesmo devesse…

— Espere.

O pistoleiro olhava atentamente para a mão esquerda. Eddie não chegava exatamente a duvidar da telepatia, mas também nunca chegara exatamente a *acreditar* nela. Mesmo assim, sentiu alguma coisa naquele momento, algo real e palpável como o calor saindo de um forno. Após alguns segundos, percebeu o que era: a concentração da força de vontade daquele homem estranho.

Como diabos ele pode estar morrendo se consigo sentir tão intensamente a sua força?

A mão que tremia começou a se firmar. Daí a pouco não trepidava mais. Depois de no máximo uns dez segundos, ficara firme como rocha.

— Agora — disse o pistoleiro. Deu um passo à frente, ergueu a faca e Eddie sentiu mais alguma coisa emanando do homem: uma febre doentia.

— Você é canhoto? — perguntou Eddie.

— Não — disse o pistoleiro.

— Ai, meu Deus — disse Eddie, e achou que talvez se sentisse melhor fechando um instante os olhos. Ouviu o áspero sussurro da fita adesiva se rasgando.

— Pronto — disse o pistoleiro, recuando. — Agora puxe o máximo que puder. Vou ajudá-lo nas costas.

Não eram mais batidinhas educadas na porta do banheiro; agora um punho martelava. *Os passageiros saíram*, pensou Eddie. *É o fim das gentilezas. Ah, merda.*

— Saia daí, meu amigo! Cansei de pedir!

— *Arranque* isso! — rosnou o pistoleiro.

Eddie enrolou uma grossa ponta de fita adesiva em cada mão e puxou o mais forte que pôde. Doeu, doeu demais. *Pare de reclamar*, pensou ele. *As coisas poderiam ser piores. Você poderia ter o peito peludo*, como Henry.

Olhou para baixo e viu a faixa vermelha de pele irritada com quase vinte centímetros de largura cruzando seu esterno. Logo acima do plexo solar ficava o ponto onde ele havia se cortado. O sangue brotava de uma cavidade e descia para o umbigo num fio escarlate. Sob as axilas, os saquinhos de droga balançavam agora como alforjes mal-amarrados.

— Tudo bem — disse a voz abafada atrás da porta do banheiro para outra pessoa. — Vamos l…

Eddie perdeu o resto por causa do surto inesperado de dor nas suas costas quando o pistoleiro arrancou sem cerimônia o resto do cinturão de fita. Ele trincou os dentes para não gritar.

— Vista a camisa — disse o pistoleiro, cujo rosto, que Eddie achou que tinha o máximo de palidez admissível numa pessoa viva, apresentava agora o tom de cinzas ancestrais. O pistoleiro pegou as sobras da fita (transformada num emaranhado caótico, onde os grandes saquinhos de coisa branca lembravam estranhos casulos) com a mão esquerda e atirou tudo de lado. Eddie viu sangue fresco vertendo da bandagem improvisada na mão direita do pistoleiro. — Vista logo.

Houve um ruído surdo. Não era mais alguém batendo e pedindo para ele sair. Eddie ergueu os olhos a tempo de ver a porta do banheiro estremecer e as luzes piscarem. Estavam tentando arrombá-la.

Pegou a camisa com dedos que, de repente, pareciam grandes e desajeitados demais. A manga esquerda estava do avesso. Tentou ajeitá-la pelo buraco, deixou a mão parada um instante, depois puxou-a com tanta força que arregaçou de novo a manga para trás.

Pam, e a porta do banheiro tremeu mais uma vez.

— Deuses, como você consegue ser tão enrolado? — queixou-se o pistoleiro, enfiando o próprio punho na manga esquerda da camisa de Eddie, que agarrou a ponta da manga quando o pistoleiro puxou a mão. Agora o pistoleiro segurava a camisa para Eddie como um mordomo seguraria um casaco para o patrão. Eddie a vestiu e procurou o botão mais baixo.

— Ainda não! — o pistoleiro bradou e rasgou outro pedaço da própria camisa, uma camisa cada vez menor. — Limpe a barriga!

Eddie fez o melhor que pôde. Do lugar onde a faca cortara a pele continuava brotando sangue. A lâmina era realmente afiada. Bem afiada.

Eddie jogou na areia o novo pedaço da camisa do pistoleiro, agora manchado de sangue, e abotoou a própria camisa.

Pam. Dessa vez a porta fez mais do que tremer; vergou na moldura. Olhando através da porta da praia, Eddie viu o recipiente de sabonete líquido da pia cair do suporte. Ele aterrissou em cima da sua mala de zíper. Pensou em enfiar a camisa, que agora estava abotoada (e abotoada direito, por milagre), por dentro da calça. De repente uma ideia melhor lhe ocorreu. Soltou o cinto.

— Não temos tempo para isso! — O pistoleiro percebeu que estava tentando gritar e não conseguia. — Mais um golpe e aquela porta cai!

— Eu sei o que estou fazendo — disse Eddie, esperando estar sendo sincero. Recuou através da passagem entre os mundos, soltando o botão da calça jeans e puxando o fecho para baixo.

Após um desesperado, angustiante instante, o pistoleiro foi atrás dele. Num momento continuou fisicamente presente, e cheio de abrasadora dor física, depois se tornou apenas um frio ka na cabeça de Eddie.

18

— Mais uma — disse severamente McDonald, e Deere assentiu. Agora que todos os passageiros tinham saído do avião e até da passarela, os agentes da alfândega puxaram as armas.

— *Agora*!

Os dois se lançaram para a frente e atacaram juntos a porta. Ela se escancarou, ainda que uma parte tenha ficado, por um segundo, presa à fechadura, antes de cair no chão.

E lá estava o sr. 3A, com a calça nos joelhos e as pontas da desbotada camisa estampada escondendo — mal — o pau. *Bem, é o que se pode chamar de pegar o sujeito em ação*, pensou o comandante McDonald, fatigado. *Mas o problema é que a ação em que foi apanhado, pelo menos até onde eu saiba, ainda não é contra a lei.* De repente pôde sentir o latejar do ombro no ponto onde ele atingira a porta… quantas vezes? Três? Quatro? Clamou em voz alta:

— Mas que porra o senhor está fazendo aí?

— Bem, eu *estava* cagando — disse o 3A —, mas se *todos* vocês estão mal da barriga, acho que posso me limpar no terminal…

— E aposto que não nos ouviu bater, espertinho?

— Não consegui alcançar a porta. — O 3A estendeu a mão para demonstrar e, embora a porta estivesse agora caída na parede à esquerda, McDonald pôde entender o que ele queria dizer. — Talvez pudesse ter me levantado, mas, acreditem, eu estava em uma situação desesperada. Só que não estava exatamente nas minhas *mãos*, se é que vocês me entendem. Nem eu *queria* que ficasse nas minhas mãos, se é que me entendem *mais* ainda. — O 3A exibiu um sorriso vitorioso, com um ar ligeiramente tolo, que pareceu ao comandante McDonald mais ou menos tão real quanto uma nota de nove dólares. Ouvindo o rapaz, a pessoa se perguntaria se ninguém jamais lhe havia ensinado o simples truque de inclinar o corpo para a frente.

— Levante-se — disse McDonald.

— Claro. Se puder pedir para as senhoras recuarem um pouco… — O 3A exibiu um sorriso simpático. — Sei que é antiquado agir assim nos dias de hoje, mas não posso evitar. Sou meio tímido. A verdade é que tenho uma grande razão para ficar meio envergonhado. — Levantou a mão esquerda, polegar e indicador separados por pouco mais de um centímetro, e piscou os olhos para Jane Dorning, que ficou muito vermelha e sumiu de imediato na passarela, seguida de perto por Susy.

Você não parece tímido, pensou o comandante McDonald. *Você parece muito satisfeito consigo mesmo, é isso que você parece.*

Depois que as comissárias desapareceram, o 3A se levantou e puxou a cueca e o jeans. Depois estendeu a mão para a descarga, mas o comandante McDonald imediatamente a desviou com um tapa, agarrou-o pelos ombros e o fez girar na direção do corredor. Para segurá-lo, Deere o segurou pelo cós da calça, nas costas.

— Olha onde coloca as mãos — disse Eddie. O tom era leve e perfeito (pelo menos ele acreditava que fosse), mas por dentro tudo estava em queda livre. Podia sentir aquele outro, senti-lo de forma nítida. Ele estava dentro de sua cabeça, vigiava-o com atenção, permanecia firme, pronto para assumir o controle se Eddie fizesse alguma merda. Meu Deus, tudo aquilo tinha de ser um sonho, não é? *Não* é?

— Fique quieto — disse Deere.

O comandante McDonald espreitou o toalete.

— Nenhum cocô — disse, e quando o navegador deixou escapar um início de riso involuntário, McDonald fulminou-o com o olhar.

— Bem, você sabe como é — disse Eddie. — Às vezes você dá sorte e é alarme falso. Mas soltei pelo menos uns dois peidos de rasgar a cueca. Verdadeiros gases do pântano. Três minutos atrás, se você riscasse um fósforo, poderia assar um peru de Natal, acredite. Deve ter sido alguma coisa que comi antes de entrar no avião…

— Livre-se dele — disse McDonald, e Deere, ainda segurando Eddie pelos fundilhos da calça, jogou-o para fora do avião, em plena passarela, onde cada agente da alfândega o segurou por um dos braços.

— Ei! — gritou Eddie. — Quero minha mala! E a minha jaqueta!

— Ah, queremos que você esteja com *todas* as suas coisas — disse um dos agentes. O hálito, impregnado do cheiro de antiácido e gases estomacais, bafejou contra a cara de Eddie. — Estamos muito interessados nas suas coisas. Agora vamos, amiguinho.

Eddie continuou a dizer para que fossem devagar, tranquilos, ele era perfeitamente capaz de andar sozinho. Depois, no entanto, concluiria que as pontas de seus pés só tocaram o chão da passarela três ou quatro vezes entre a porta do 727 e a saída para o terminal, onde havia mais três agentes da alfândega e meia dúzia de policiais da segurança do aeroporto, os da alfândega esperando por Eddie, os policiais fazendo recuar uma pequena multidão que o encarava com inquieto, ávido interesse enquanto ele era levado dali.

4. A TORRE

1

Eddie Dean estava sentado numa cadeira. A cadeira estava numa salinha branca. Era a única cadeira na salinha branca. A salinha branca estava cheia de gente. A salinha branca estava cheia de fumaça. Eddie estava de cueca. Eddie queria um cigarro. Os outros seis — não, sete — homens na salinha branca estavam vestidos. Eles estavam de pé em volta dele, o cercando. Três — não, quatro — estavam fumando cigarros.

Eddie queria correr e bater. Eddie queria dançar e pular.

Eddie estava sentado quieto, relaxado, olhando para os homens à sua volta com interesse educado, como se não estivesse surtando por uma dose, como se não estivesse surtando por simples claustrofobia.

A razão disso era o *outro* em sua mente. A princípio ficara apavorado com o outro. Agora dava graças a Deus que o *outro* estivesse ali.

O *outro* podia estar doente, morrendo até, mas a fibra que sobrava dentro dele era suficiente para aquele viciado assustado de vinte e três anos pegar um pouco emprestado.

— Essa marca vermelha no seu peito é muito interessante — dizia um dos homens da alfândega, o cigarro pendurado no canto da boca. Ele tinha um maço no bolso da camisa. Eddie se imaginou tirando uns cinco cigarros daquele maço, enchendo a boca com eles de lado a lado, acendendo todos, tragando fundo e sentindo a mente mais leve. — Parece uma listra. É como se você tivesse alguma coisa amarrada aí, Eddie, e de uma hora para outra tivesse achado uma boa ideia rasgar a fita e jogar tudo fora.

— Peguei uma alergia nas Bahamas — disse Eddie. — Já falei isso. Olhe, já falamos tudo muitas vezes. Estou tentando não perder a paciência, mas está ficando cada vez mais difícil.

— *Foda-se* a sua paciência — disse um outro num tom descontrolado, e Eddie reconheceu o tom. Era o modo como a sua própria voz soava quando passava metade de uma noite no frio esperando pelo homem e o homem não vinha. Porque aqueles caras também eram viciados. A única diferença era que caras como ele e Henry eram a droga deles.

— E esse corte na sua barriga? De onde veio isso, Eddie? Algum trabalhinho amador de limpeza de vidros? — Um terceiro agente apontava para o lugar onde Eddie havia se cortado. Finalmente tinha parado de sangrar, mas ainda era possível ver uma bolha muito roxa, que parecia mais do que pronta a se abrir ao menor toque.

Eddie indicou a faixa vermelha onde a fita estivera.

— Está coçando — disse ele. Não era mentira. — Acabei pegando no sono no avião... pergunte à comissária se não acredita em mim...

— Por que não acreditaríamos em você, Eddie?

— Não sei — disse Eddie. — Estão acostumados a pegar grandes traficantes que cochilam na descida? — Fez uma pausa, deu a eles um segundo para pensar e estendeu as mãos. Algumas unhas estavam sujas. Outras roídas. Ele havia descoberto que, quando a fissurinha começava, as unhas se tornavam sua goma de mascar favorita. — Tentei não ficar coçando, mas devo ter me arranhado pra burro enquanto estava dormindo.

— Ou enquanto estava chapado. Isto poderia ser uma marca de agulha. — Eddie percebeu que os dois sabiam que não era. Se o sujeito se pica assim tão perto do plexo solar, que é o painel de controle do sistema nervoso, nunca mais vai se picar de novo.

— Me dá um tempo — disse Eddie. — Você chegou tão perto da minha cara pra ver minhas pupilas que eu achei que ia levar um beijo de língua. Sabe que eu não estava chapado.

O terceiro agente da alfândega pareceu enojado.

— Para um inocente rapaz de família, você está muito bem informado sobre drogas, Eddie.

— O que não vi no *Miami Vice* estava na *Reader's Digest*. Agora me diga a verdade... quantas vezes vamos repetir isto?

Um quarto agente suspendeu uma pequena sacola de plástico. Nela havia diversas fibras.

— São filamentos. Queremos confirmação de laboratório, mas sabemos de que tipo são. São filamentos de fita adesiva.

— Não tomei banho antes de sair do hotel — disse Eddie pela quarta vez. — Estive na piscina, pegando um pouco de sol. Tentando me livrar da erupção. Da erupção *alérgica*. Acabei dormindo. Tive muita sorte em conseguir pegar o avião. Tive de correr pra cacete. O vento estava soprando. Não sei o que ficou na minha pele e o que não ficou.

Um outro estendeu a mão e um dedo correu pelos sete centímetros de carne na curva interior do cotovelo esquerdo de Eddie.

— E isto não são marcas de agulha.

— Picadas de mosquito — disse Eddie afastando a mão do outro. — Já falei. Quase cicatrizadas. Meu Deus, vocês podem ver com os próprios olhos!

Podiam. O arranjo não fora feito da noite para o dia. Eddie havia parado de se picar no braço um mês antes. Henry não conseguiria fazer isso e esse foi um dos motivos da escolha de Eddie para levar a droga, *precisava* ser Eddie. Quando ele *precisava muito* de um pico, injetava bem no alto da coxa esquerda, onde o testículo esquerdo esbarrava na pele da perna... como havia feito na outra noite, quando a coisa descorada finalmente lhe dera uma parada que estava o.k. Na maioria das vezes, ele apenas cheirava, algo com que Henry já não conseguia se contentar. A relativa resistência de Eddie lhe causava sensações que ele não conseguia exatamente definir... um misto de orgulho e vergonha. Se olhassem ali, se empurrassem seus testículos, ele poderia ter alguns problemas sérios. Um exame de sangue poderia causar problemas ainda mais sérios, mas o exame era um passo maior do que poderiam dar sem algum tipo de prova — e prova era algo que eles simplesmente não tinham. Sabiam tudo, mas não podiam provar nada. Toda a diferença entre querer e poder, como teria dito a velha e querida mãe de Eddie.

— Picadas de mosquito.

— Sim.

— E a marca vermelha é uma reação alérgica.

— É. Começou quando eu estava nas Bahamas; no início não pareceu tão ruim.

— Começou quando ele chegou lá — um dos homens disse para outro.

— Aham — disse o segundo. — Você acredita?

— Com certeza.

— E em Papai Noel?

— Com certeza. Quando eu era criança cheguei a tirar uma foto com ele. — E continuou, olhando para Eddie. — Você tem uma foto desta famosa marca vermelha antes de fazer sua viagenzinha, Eddie?

Eddie não respondeu.

— Se está limpo, por que não faz um exame de sangue? — Era de novo o primeiro cara, o que estava com o cigarro no canto da boca. Que já queimara quase até o filtro.

Eddie ficou subitamente irritado — tremendamente irritado. Ouviu seu interior.

Tudo bem, a voz respondeu de imediato, e Eddie sentiu mais que concordância, era um tipo de aprovação. Isso o fez se sentir como se sentia quando Henry o abraçava, afagava seu cabelo, batia no seu ombro e dizia: *Você mandou bem, moleque… não deixe isso lhe subir à cabeça, mas você mandou bem.*

— Vocês *sabem* que estou limpo. — Ele se levantou de repente… tão de repente que os homens recuaram. Olhou para o fumante que estava mais próximo. — E vou te dizer uma coisa, docinho, se não tirar essa fumaça da minha cara o seu nariz vai voar com ela.

O cara recuou.

— Vocês já esvaziaram o tanque da porra daquele avião. Meu Deus, tiveram tempo de sobra para revirar três vezes aquela coisa. A minha mala foi revirada. Eu me curvei e deixei um de vocês enfiar o dedo mais comprido deste mundo no meu cu. Se toque retal é um exame, aquilo foi uma porra de um safári. Fiquei com medo de olhar pra baixo. Achei que ia ver a unha do cara saindo do meu *pau*.

Ele olhou em volta, irado.

— Vocês subiram pelo meu rabo, mexeram nas minhas coisas e eu continuo sentado aqui com uma sunguinha enquanto sopram fumaça na minha cara. Querem um exame de sangue? Valeu. Tragam alguém aqui para fazer.

Eles murmuraram, trocando olhares. Surpresa. Agitação.

— Mas se querem fazer o exame sem uma ordem judicial — disse Eddie —, quem vier que traga um monte de seringas e frascos, porque não vai ser só meu sangue. Quero um oficial de justiça aqui, quero que cada um de vocês faça a mesma porra de exame, quero o nome e a identidade de cada um em cada frasco e quero que fique tudo sob custódia da justiça federal. E não importa o exame que façam em mim... cocaína, heroína, anfetamina, maconha, não interessa... quero que façam os mesmos exames nas amostras de vocês todos. Depois quero os resultados entregues ao meu advogado.

— Ah, nossa, SEU ADVOGADO — gritou um deles. — Vocês, seus merdinhas, sempre fazem isso, não é, Eddie? Você vai ouvir falar no MEU ADVOGADO. Vou soltar o MEU ADVOGADO atrás de você. Essa porra me dá vontade de *vomitar*!

— Para ser honesto atualmente eu nem tenho advogado — disse Eddie, e era verdade. — Não achei que iria precisar. Vocês me fizeram mudar de ideia. Não conseguiram nada porque eu não *tenho* nada, mas o rock and roll simplesmente não para, não é? Então vocês querem que eu dance? Valeu. Vou dançar. Mas não vou fazer isso sozinho. Vocês também vão ter de dançar.

Houve um silêncio denso, difícil.

— Gostaria que tirasse de novo a cueca, por favor, sr. Dean — disse um deles. Um cara mais velho. Um cara que parecia ser o encarregado das coisas. Eddie achou que talvez... só talvez... o cara tivesse finalmente percebido onde as picadas mais recentes poderiam estar. Até aquele momento não tinham verificado. Verificaram os braços, os ombros, as pernas... mas não ali. Tinham estado seguros demais da apreensão.

— Estou cansado de tirar as coisas, arriar as coisas, e de lidar com esta merda — disse Eddie. — Tragam alguém aqui para fazermos um punhado de exames de sangue ou vou cair fora. O que vocês preferem?

De novo aquele silêncio. E quando começaram a olhar um para o outro, Eddie soube que tinha vencido.

NÓS vencemos, ele emendou. *Qual é o seu nome, companheiro?*

Roland. O seu é Eddie. Eddie Dean.

Você escuta bem.

Escuto e observo.

— Deem as roupas dele — disse o homem mais velho num tom irritado. E olhando para Eddie:

— Não sei o que você tinha ou como conseguiu se livrar da parada, mas fique certo de que vamos descobrir.

O mais velho o olhou atentamente.

— E assim ficamos. Você aí, quase sorrindo. O que você diz não me dá vontade de vomitar. O que você *é* sim.

— Eu deixo *você* com vontade de vomitar.

— Positivo.

— Ah, rapaz — disse Eddie. — Adoro isso. Estou sentado aqui numa salinha, só de cueca, com sete caras em volta de mim com revólveres na cintura e eu deixo *você* com vontade de vomitar? Cara, você tem algum problema.

Eddie deu um passo na direção dele. O cara da alfândega manteve por um instante a posição, mas alguma coisa no olhar de Eddie — uma cor maluca que parecia meio castanha, meio azul — o fez recuar, mesmo contra a vontade.

— NÃO ESTOU CARREGANDO NADA! — berrou Eddie. — DESISTAM! SIMPLESMENTE DESISTAM! ME DEIXEM EM PAZ!

De novo o silêncio. Então o homem mais velho se virou e gritou com alguém:

— Não ouviu o que eu falei? *Pegue as roupas dele!*

E foi o que fizeram.

2

— Acha que estamos sendo seguidos? — perguntou o taxista. Parecia estar se divertindo.

Eddie se virou para a frente.

— Por que diz isso?

— Você não para de olhar pelo vidro de trás.

— Nem me passou pela cabeça estar sendo seguido — disse Eddie. Era a mais pura verdade. Vira os homens que o estavam seguindo da primeira vez que olhara em volta. *Homens*, no plural. Não precisava continuar olhando em volta para confirmar a presença deles. Até pacientes de folga de uma clínica para deficientes intelectuais não achariam difícil perder o táxi de Eddie de vista naquela tarde de fins de maio; o tráfego era muito pequeno.

— Eu estudo os padrões de tráfego, nada mais.

— Ah — disse o taxista. Em certos círculos uma afirmação tão estranha teria provocado perguntas, mas os motoristas de táxi de Nova York raramente perguntam alguma coisa; em vez disso confirmam, em geral de modo enfático. A maioria dessas confirmações começa com a frase *Esta cidade!*, como se as palavras fossem uma evocação religiosa precedendo um sermão... o que, aliás, em geral são. Aquele motorista, no entanto, disse:

— Porque se você *realmente* acha que estamos sendo seguidos, não estamos. Eu saberia. Esta cidade! Meu Deus! Tenho seguido muita gente nas minhas horas de serviço. Você nem imagina a quantidade de pessoas que entram no meu táxi e dizem "Siga aquele carro". Eu sei, parece algo que só se escuta nos filmes, não é? É. Mas como se costuma dizer, a arte imita a vida e a vida imita a arte. Isso realmente acontece! E se livrar de um perseguidor não é difícil depois que você aprende a enganar o cara. Você...

Eddie sintonizou o motorista como um ruído de fundo, ouvindo apenas o suficiente para balançar a cabeça nas horas certas. E, vista de determinado ângulo, a ladainha do motorista era realmente bem divertida. Um dos carros que o estava seguindo era um sedã azul-escuro. Eddie desconfiou de que pertencesse à alfândega. O outro era uma van fechada com GINELLI'S PIZZA escrito dos lados. Havia também o desenho de uma pizza, só que a pizza era um sorridente rosto de garoto, e o garoto sorridente estava saboreando os próprios lábios. Embaixo da imagem havia a legenda: HUMMMMM! Que DELÍCIA de pizza! Infelizmente algum jovem artista urbano, com uma lata de spray e um grosseiro senso de humor, tinha passado tinta sobre *pizza* e escrito PICA por cima.

Ginelli. Só havia um Ginelli que Eddie conhecesse; ele comandava um restaurante chamado Quatro Irmãos. A pizzaria era um quebra-galho, um fundo falso, uma vinheta de otário. Ginelli e Balazar. Os dois andavam juntos como cachorro-quente e mostarda.

No plano original, uma limusine estaria à espera na frente do terminal com um motorista pronto para levá-lo rapidamente ao local onde Balazar fazia os seus negócios, um bar no centro da cidade. Mas evidentemente o plano original não incluía duas horas numa salinha branca, duas horas de implacável interrogatório por um punhado de agentes aduaneiros enquanto outro grupo drenava e depois revirava o conteúdo dos tanques de dejetos do voo 901, procurando o grande carregamento de cuja existência suspeitavam, o grande carregamento que não sumiria nem se dissolveria numa descarga.

Quando ele saiu, não havia limusine, lógico. O motorista com certeza tinha as próprias instruções: se a mula não sair do terminal cerca de quinze minutos depois da saída do último passageiro, abandonar rapidamente o local. O motorista da limusine sem dúvida não usaria o telefone do carro, que não passava de um rádio que poderia ser facilmente monitorado. Balazar, no entanto, depois de alguns telefonemas, descobriria que Eddie se metera em encrenca e ficaria preparado para se meter em encrenca também. Balazar podia ter reconhecido a fibra de Eddie, mas isso não mudava o fato de que Eddie era um viciado. Não se podia achar que um viciado fosse um sujeito firme. O que significava que havia uma possibilidade de a van da pizza simplesmente parar no meio da rua, ao lado do táxi, com alguém apontando uma arma automática pela janela, e o banco traseiro do táxi se transformar numa coisa parecida com um sangrento ralador de queijo. Eddie, contudo, estaria mais preocupado se o tivessem detido por quatro horas em vez de duas e seriamente preocupado se fossem seis horas em vez de quatro. Mas só duas... Achava que Balazar confiaria que ele teria ficado de boca fechada pelo menos durante esse tempo. Mas iria querer saber do destino da mercadoria.

A verdadeira razão de Eddie não parar de olhar para trás era a porta. Ela o fascinava.

Enquanto os agentes da alfândega o conduziam semiarrastado pelos degraus da área administrativa do aeroporto Kennedy, ele olhara por cima do ombro e lá estava ela, uma visão improvável mas indubitável, indiscutivelmente real, flutuando a uma distância de cerca de um metro dele. Podia ver as ondas batendo sem parar, chegando na areia; viu que lá o dia começava a escurecer.

A porta era como uma daquelas gravuras com uma imagem oculta; de início a pessoa não consegue ver a parte escondida, mas depois que a descobre fica impossível deixar de enxergá-la, por mais que tente.

Ela desaparecera nas duas ocasiões em que o pistoleiro voltara sem ele, e isso tinha sido assustador — Eddie havia se sentido como uma criança cuja lâmpada noturna queimou. A primeira vez fora durante o interrogatório na alfândega.

Preciso ir, a voz de Roland irrompera nitidamente no meio da pergunta que naquele momento atiravam contra ele. *Só vou levar alguns minutos. Não tenha medo.*

Por quê?, Eddie perguntou. *Por que precisa ir?*

— Qual é o problema? — um dos caras da alfândega havia perguntado. — Por que essa cara de assustado de repente?

De repente ele *ficara* assustado, mas por nenhuma razão que aquele idiota pudesse compreender.

Ele olhou por cima do ombro, e os homens da alfândega também olharam. A única coisa que viram foi uma parede completamente branca coberta de compensados também brancos e cheios de buracos para abafar o som; Eddie viu a porta, a seu habitual metro de distância (agora estava encravada na parede da sala, uma saída de emergência que nenhum dos seus interrogadores conseguia ver). Ele viu mais. Viu *coisas* saindo das ondas, *coisas* que pareciam saídas de algum filme de terror onde os efeitos fossem um pouco mais especiais do que você gostaria, especiais o bastante para tudo parecer real. Lembravam um horrendo cruzamento de camarões da malásia, lagostas e aranhas. Estavam fazendo um som estranho.

Está na fissura? — perguntara um dos sujeitos. — Está vendo uns insetos rastejando pela parede, Eddie?

Aquilo chegara tão perto da verdade que Eddie quase riu. Compreendia, sem dúvida, por que o homem chamado Roland precisava voltar; a mente de Roland estava realmente em segurança — ao menos por ora —, mas as criaturas se moviam em direção a seu corpo, e Eddie suspeitava que se Roland não o movesse rapidamente do local, talvez não sobrasse mais qualquer corpo para o qual pudesse voltar depois.

De repente ouviu David Lee Roth cantando alto na sua cabeça: *Oh Iiii... ain't got nobody...* e dessa vez ele de fato riu. Não pôde evitar.

— Qual é a graça? — perguntou o mesmo agente da alfândega que queria saber se ele estava vendo insetos.

— Toda esta situação — respondera Eddie. — Só no sentido de curiosa, não hilariante. Quero dizer, se isto fosse um filme seria mais tipo Fellini do que Woody Allen, se entende o que estou dizendo.

Você vai ficar bem?, perguntou Roland.

Claro, muito bem. VCN, cara.

Não entendi.

Vá cuidar de seus negócios.

Ah. Tudo bem. Não vou demorar.

E de repente aquele *outro* tinha ido embora. Simplesmente ido. Como um farrapo de fumaça tão fino que o menor capricho do vento poderia dispersar. Eddie olhou de novo ao redor, não viu nada além dos compensados brancos com furos, nenhuma porta, nenhum oceano, nenhuma monstruosidade bizarra, e sentiu a barriga começando a dar um nó. Sem dúvida não tinha mais como acreditar que tudo não passasse de alucinação; a droga sumira e isso era toda a prova de que precisava. E Roland havia... ajudado, de alguma forma. Tornado as coisas mais fáceis.

— Quer que eu pendure um quadro ali? — perguntou um dos caras da alfândega.

— Não — disse Eddie, deixando escapar um suspiro. — Quero que me deixe sair daqui.

— Assim que nos contar o que fez com a heroína... — disse outro.

— Ou seria coca? — E daí começou tudo de novo: uma vez e outra e só Deus sabia onde ia parar.

Dez minutos mais tarde — dez minutos muito *longos* — Roland voltou de repente à sua cabeça. De um instante para o outro estava em sua mente. Eddie sentiu que ele estava profundamente exausto.

Fez o que tinha de fazer?, perguntou.

Sim. Desculpe se demorou tanto tempo. Uma pausa. *Precisei me arrastar.*

Eddie olhou de novo ao redor. A porta tinha voltado, mas agora oferecia uma vista ligeiramente diferente daquele mundo e ele percebeu que, ao mesmo tempo que se movia com ele aqui, a porta se movia com Roland lá. A ideia o fez estremecer um pouco. Era como ter sido amarrado àquele outro por algum estranho cordão umbilical. O corpo do pistoleiro estava caído na frente da porta como antes, mas agora ele podia ver uma longa extensão de praia até a linha recortada da maré alta, por onde os monstros perambulavam, rosnando e zumbindo. Cada vez que uma onda quebrava, todos levantavam as garras. Lembravam as massas humanas naqueles antigos documentários em que Hitler falava e todos faziam a infame saudação do *Sieg Heil!*, como se suas vidas dependessem disso... o que provavelmente era verdade, se pensarmos melhor no assunto. Eddie pôde ver as torturadas marcas do avanço do pistoleiro na areia.

Enquanto Eddie observava, um dos horrores se empinou, rápido como um relâmpago, e agarrou uma ave marinha que esvoaçara perto demais da praia. O corpo caiu na areia em dois pedaços, espirrando sangue. As partes foram cobertas pelos horrores de carapaça antes mesmo que tivessem parado de se contorcer. Uma única pena branca subiu no ar. Uma garra puxou-a para baixo.

Pelo amor de Deus, Eddie pensou atônito. *Olhe esses bichos.*

— Por que continua olhando para trás? — havia perguntado o sujeito que chefiava a turma.

— De vez em quando preciso de um antídoto — disse Eddie.

— Contra o quê?

— A sua cara.

3

O taxista deixou Eddie no prédio em Co-Op City, agradeceu pela gorjeta de um dólar e foi embora. Eddie ficou um instante parado, a bolsa de viagem com zíper numa das mãos, a jaqueta enganchada num dedo da outra e jogada sobre o ombro. Ali ele dividia um apartamento de dois quartos com o irmão. Ficou parado olhando para o prédio, um monolito com todo o gosto e estilo de um muro de concreto. Eddie achava que as muitas janelas o deixavam parecido com um pavilhão penitenciário e julgou a visão tão deprimente quanto Roland — o *outro* — a julgou impressionante.

Nunca, nem mesmo quando criança, vi um prédio tão alto, disse Roland. *E há tantos assim!*

Pois é, concordou Eddie. *Somos um monte de formigas num formigueiro. Isso pode parecer bom para você, mas vou te dizer, Roland, não tem a menor graça. Logo vai encher o saco.*

O carro azul seguiu; a van da pizza fez a volta e se aproximou. Eddie ficou tenso e sentiu Roland fazer o mesmo. Será que tinham decidido dar um sumiço nele?

A porta?, perguntou Roland. *Devemos atravessar? Quer atravessar?* Eddie sentiu que Roland estava pronto — para qualquer coisa —, mas sua voz era calma.

Ainda não, disse Eddie. *Talvez eles só queiram conversar. Mas fique alerta.*

Sentiu que fora desnecessário dizer aquilo; mesmo no sono mais profundo, Roland estaria mais preparado para se mover e agir do que Eddie em seu instante mais desperto.

A van da pizza com o garoto sorridente na lataria encostou. O vidro do carona desceu e Eddie ficou parado diante da entrada do prédio, sua sombra partindo da ponta do tênis e se estendendo bastante à frente dele. Não sabia o que ia surgir — um rosto ou um revólver.

4

A segunda vez que Roland se ausentou acontecera no máximo cinco minutos depois de o pessoal da alfândega finalmente desistir e liberar Eddie.

O pistoleiro havia comido, mas não o bastante; precisava de água; mais do que tudo, precisava de um remédio. Eddie não tinha como fornecer o remédio de que Roland tanto necessitava (embora suspeitasse que o pistoleiro tivesse razão: Balazar poderia ajudar... se quisesse ajudar). Uma simples aspirina, no entanto, talvez fizesse pelo menos baixar a febre que Eddie sentira quando o pistoleiro se aproximara para cortar a parte de cima do cinturão de fita. Deu uma parada na frente do quiosque de jornais do terminal principal.

Não existe aspirina no lugar de onde você veio?

Nunca ouvi falar. É magia ou remédio?

Acho que as duas coisas.

Eddie entrou no quiosque e comprou um envelope de aspirina superforte. Depois foi até a lanchonete e comprou dois megacachorros-quentes e uma Pepsi de 800 ml. Estava colocando mostarda e ketchup nos sanduíches (Henry chamava os megacachorros de Godzilla) quando, de repente, se lembrou de que a coisa não era para ele. Roland poderia não *gostar* de mostarda e ketchup. Roland poderia ser vegetariano. Aquela porra poderia matar Roland.

Bem, agora é tarde demais, pensou Eddie. Quando Roland falava — quando Roland *agia* —, Eddie percebia que estava tudo realmente acontecendo. Quando Roland ficava quieto, a vertiginosa sensação de que tudo não passava de um sonho — um sonho extraordinariamente nítido que estava tendo enquanto dormia no voo 901 da Delta, com destino ao aeroporto Kennedy — insistia em voltar.

Roland dissera que podia carregar comida para seu próprio mundo. Dissera que já tinha feito algo parecido uma vez, quando ele, Eddie, estava dormindo. Eddie achava impossível acreditar naquilo, mas Roland garantiu que era verdade.

Bem, ainda precisamos tomar muito cuidado, disse Eddie. *Colocaram dois caras da alfândega para me vigiar. Ou a nós dois. Não sei quantas pessoas eu sou agora.*

Sim, precisamos tomar cuidado, respondeu Roland. *Não são dois; são cinco.* Eddie de repente sentiu uma das mais estranhas sensações de toda a sua vida. Não mexeu os olhos, mas os *sentiu se mexerem*. *Roland* os mexera.

Um cara numa camiseta apertada falando ao telefone.

Uma mulher sentada num banco, mexendo na bolsa.

Um jovem negro que seria espetacularmente atraente se não fosse pelo lábio leporino cuja cirurgia só consertara em parte. Ele examinava as camisetas expostas no quiosque de onde Eddie saíra havia pouco.

Não havia nada em nenhuma daquelas pessoas que chegasse a chamar a atenção, mas Eddie as reconheceu. Foi como descobrir aquelas imagens ocultas em quebra-cabeças infantis, imagens que, uma vez percebidas, jamais desaparecem. Sentiu que ficava vermelho, porque o *outro* é que havia mostrado o que ele devia ter percebido de imediato. Identificara apenas dois. O disfarce daqueles três era um pouco melhor, mas nem tanto. O que falava ao telefone não estava olhando para o nada, imaginando o rosto da pessoa com quem falava, mas atento, realmente *olhando*, e o lugar onde Eddie estava... era o ponto para onde os olhos do sujeito insistiam em se voltar. A mulher da bolsa, contudo, não encontrava o que queria, mas nunca desistia; continuava remexendo sem parar. E o interessado nas camisas teve a chance de examinar pelo menos uma dúzia de vezes cada peça do mostruário giratório.

De repente Eddie se sentiu novamente com cinco anos, com medo de atravessar a rua sem Henry para segurar sua mão.

Não importa, disse Roland. *E também não se preocupe com a comida. Já comi insetos suficientemente vivos para alguns descerem correndo pela minha garganta.*

É, Eddie respondeu, *mas isto aqui é Nova York.*

Levou os cachorros e o refrigerante para a ponta do balcão e ficou de costas para o principal saguão do terminal. Então deu uma olhada no canto à sua esquerda. Um espelho convexo se projetava como um olho hipertenso. Pôde ver todos que o seguiam, mas nenhum estava suficientemente próximo para ver a comida e o copo de papel com o refrigerante. Isso era bom, porque Eddie não tinha a menor ideia do que iria acontecer.

Ponha a asmina nas coisas com carne. Depois segure tudo com as mãos.

Aspirina.

Bom. Chame como bem entender, prisio... Eddie. Mas faça o que pedi.

Ele tirou o frasco de remédio do envelope fechado que enfiara no bolso e, quando ia colocá-lo no meio de um dos sanduíches, percebeu que Roland poderia ter problemas para abrir o lacre de segurança do frasco, ou até para abrir o próprio frasco.

Fez isso ele mesmo, colocando três comprimidos num dos guardanapos, virou uma aba, depois acrescentou mais três.

Três agora, três mais tarde, disse. *Se houver um mais tarde.*

Certo. Obrigado.

E então?

Segure tudo.

Eddie tornara a olhar para o espelho convexo. Dois agentes já caminhavam com ar distraído para a lanchonete, talvez não gostando da maneira como Eddie ficara de costas para eles, talvez suspeitando de algum truque em andamento e querendo ver mais de perto. Se alguma coisa ia acontecer, melhor que acontecesse logo.

Eddie pôs as mãos ao redor da comida e do refrigerante, sentindo o calor dos cachorros-quentes dentro dos macios guardanapos brancos e o frio da Pepsi. Naquele momento parecia um sujeito se preparando para transportar o lanche das crianças... e então tudo começou a *derreter*.

Eddie olhou para baixo, os olhos se arregalando, se arregalando, até parecer que iam saltar das órbitas e ficar balançando.

Podia ver os cachorros-quentes através dos guardanapos. Podia ver a Pepsi através do copo de papel, o líquido gelado se curvando sobre si mesmo, assumindo uma nova forma até não poder mais ser visto.

Então pôde ver o balcão de fórmica vermelha através dos cachorros e uma parede branca através da Pepsi. Suas mãos se aproximavam uma da outra, a resistência entre elas ficando cada vez menor... De repente as mãos se fecharam uma na outra, palma contra palma. A comida... os guardanapos... a Pepsi... os seis comprimidos... todas as coisas que tinham estado entre as suas mãos haviam desaparecido.

Isso mais parece um milagre, pensou Eddie atônito, piscando os olhos para o espelho convexo.

A porta sumira... exatamente como Roland sumira de sua mente.

Coma pra valer, meu amigo, pensou Eddie... Mas *será* que aquela estranha presença alienígena que se chamava Roland era seu amigo? Isso parecia longe de ser uma certeza, não é? Roland havia salvado Eddie, não havia dúvida, mas isso não significava que fosse um escoteiro bonzinho.

Mesmo assim, Eddie *gostava* de Roland. Tinha medo dele... mas também gostava dele.

Suspeitava que, no devido tempo, poderia amar Roland, assim como amava Henry.

Coma com vontade, forasteiro, pensou. *Coma com vontade, não morra... e volte.*

Do seu lado havia alguns guardanapos sujos de mostarda, deixados por outro freguês. Eddie fez uma bola com eles, começou a sair da lanchonete, atirou a bola dos guardanapos numa cesta de lixo e simulou uma mastigada, como se estivesse acabando o último pedaço de alguma coisa. Ao se aproximar do homem negro na direção das placas BAGAGEM e TRANSPORTE URBANO, conseguiu até fabricar um arroto.

— Não gostou de nenhuma camisa? — perguntou Eddie.

— Como disse? — o rapaz negro afastou os olhos do quadro de partidas da American Airlines que fingia examinar.

— Achei que talvez estivesse procurando uma com as inscrições POR FAVOR, ME ALIMENTE, SOU FUNCIONÁRIO DO GOVERNO AMERICANO — disse Eddie, e continuou andando.

Quando começou a descer a escada, viu a mulher que mexia na bolsa fechá-la apressadamente e ficar de pé.

Ah, nossa, isto está sendo mais divertido do que o desfile do Dia de Ação de Graças da Macy's.

Fora um dia do cacete e Eddie achava que ainda não tinha acabado.

5

Durante o interrogatório, ao ver as coisas-lagostas saindo de novo das ondas (seu avanço, então, não tinha relação com a maré; era a escuridão que as trazia), Roland deixara Eddie Dean pela primeira vez para mexer o próprio corpo antes que as criaturas pudessem encontrá-lo e comê-lo.

Roland já estava preparado para a dor em seu corpo. Estava havia tanto tempo com ela que eram quase velhos amigos. Mas ficara apavorado com a rapidez com que a febre aumentava e sua energia diminuía. Se não estivesse morrendo antes, com toda a certeza estava morrendo agora. Haveria algo suficientemente poderoso no mundo do prisioneiro para impedir que isso acontecesse? Talvez. Mas se não conseguisse um pouco da coisa nas próximas seis ou oito horas, não faria mais diferença. Se a situação fosse adiante, nenhum medicamento ou magia daquele ou de qualquer outro mundo seria capaz de deixá-lo novamente em forma.

Andar era impossível. Precisaria rastejar.

Estava prestes a começar quando seu olho se fixou na tira retorcida de coisa pegajosa com os saquinhos de pó-do-diabo. Se deixasse a coisa ali, as lagostrosidades quase certamente rasgariam os sacos. A brisa marinha espalharia o pó aos quatro ventos. *Exatamente onde deveria ir*, o pistoleiro pensou sombriamente. Não podia, no entanto, fazer isso. Em pouco tempo Eddie Dean entraria numa longa sequência de problemas se não conseguisse apresentar aquele pó. Raramente era possível enganar homens do tipo que ele achava que Balazar devia ser. Balazar iria querer examinar a mercadoria pela qual pagara e, até mostrá-la, o número de revólveres que Eddie teria apontados contra si seriam suficientes para equipar um pequeno exército.

O pistoleiro puxou a tira retorcida de coisa grudenta e pendurou-a no pescoço. Depois começou a avançar praia acima.

Tinha rastejado vinte metros — quase o suficiente para se considerar a salvo — quando a horrível (ainda que cosmicamente engraçada) percepção de estar se afastando da porta o assaltou. Por que razão, em nome de Deus, ele estava passando por tudo isso?

Virou a cabeça e viu a porta. Só que ela não estava lá embaixo na praia, mas um metro atrás de si. Por um momento Roland ficou parado, entendendo o que já teria entendido se a febre e a barulheira dos Inquisidores martelando intermináveis perguntas no ouvido de Eddie (*onde fez isso, como fez isso, por que fez isso, quando fez isso* — perguntas que pareciam se misturar assustadoramente às perguntas dos horrores rastejantes que vinham avançando furtivos, serpenteando na orla das ondas: *Dad-a-chock? Dad-a-chum? Did-a-chick?*) não tivessem transformado todas as coisas em mero delírio. Mas não.

Agora levo a porta comigo para onde quer que vá, pensou ele, *exatamente como acontece com Eddie. Isto vai nos acompanhar para todo lado, como uma maldição da qual não é possível se livrar.*

Tudo aquilo parecia absolutamente verdadeiro, inquestionável... tão inquestionável quanto uma outra coisa.

Se a porta entre eles um dia se fechasse, ficaria fechada para sempre.

Quando isso acontecer, Roland pensou sombriamente, *ele tem de estar deste lado. Comigo.*

Que modelo de virtude é você, pistoleiro!, riu o homem de preto. Ele parecia ter fixado residência permanente dentro da cabeça de Roland. *Matou o garoto; foi esse o sacrifício que permitiu que você me alcançasse e, suponho, que permitiu a criação da porta entre os mundos. Agora você pretende puxar suas três cartas, uma por uma, e condená-los a algo que não desejaria nem para si próprio: uma vida inteira num mundo estranho, onde podem morrer tão facilmente quanto animais de zoológico soltos numa área selvagem.*

A Torre, pensou Roland febrilmente. *Assim que eu tiver chegado à Torre e feito o que devo fazer lá, cumprido qualquer ato fundamental de restauração ou redenção para o qual fui destinado, então talvez eles...*

A risada estridente do homem de preto, o homem que estava morto mas sobrevivia na culpada consciência do pistoleiro, não o deixou continuar com o pensamento.

Mas de forma nenhuma o medo de cometer alguma deslealdade o desviaria de seu curso.

Conseguiu avançar outros dez metros, olhou para trás e viu que mesmo o maior dos monstros rastejantes não se aventurava a ultrapassar seis metros da linha da maré alta. E ele já completara três vezes aquela distância.

Está bem, então.

Nada está bem, respondeu o homem de preto num tom divertido, e você sabe disso.

Cale a boca, pensou o pistoleiro e, por milagre, a voz realmente fez isso.

Roland empurrou os saquinhos de pó-do-diabo para uma fenda entre duas rochas e cobriu-os com punhados de um ralo capim. Feito isso, descansou por um instante, a cabeça latejando, a pele alternadamente quente e fria. Depois cruzou a porta para aquele outro mundo, aquele outro corpo, deixando por algum tempo para trás a infecção cada vez mais letal.

6

Na segunda vez que retornou a si mesmo, entrou num corpo tão profundamente adormecido que, por um momento, achou que caíra em estado comatoso... um estado de funções orgânicas tão lentas que, a qualquer momento, sentiria a própria consciência dar início a uma longa descida para a escuridão.

Forçou o corpo a entrar em estado de vigília pleno, espicaçando-o, esmurrando-o até retirá-lo da caverna escura para a qual se arrastara. Fez o coração bater mais rápido, fez os nervos tornarem a sentir a dor que fervilhava através da pele e acordou sua carne para a dolorosa realidade.

Era noite agora. As estrelas tinham surgido. As coisas tipo popquim que Eddie lhe comprara eram pedacinhos de calor na friagem.

Não sentia vontade de comê-las, mas ia comê-las. Primeiro, no entanto...

Contemplou os comprimidos brancos em sua mão. *Asmina*, Eddie os chamara. Não, não era bem essa a palavra, mas Roland não conseguia pronunciar o que o prisioneiro dissera. O importante é que era um medicamento. Um medicamento daquele outro mundo.

E Roland pensou sombriamente: *se alguma coisa do seu mundo puder me ajudar, prisioneiro, acho bem mais provável que sejam suas poções, não seus popquins.*

Precisava tentar. Não era a coisa de que realmente precisava — como Eddie afirmara —, mas era algo capaz de reduzir sua febre.

Três agora, três mais tarde. Se houver um mais tarde.

Colocou três comprimidos na boca, depois puxou a tampa — uma estranha coisa branca que não era nem papel nem vidro mas que tinha um pouco dos dois — do copo de papel onde estava o refrigerante e engoliu os comprimidos.

O primeiro gole da bebida o surpreendeu tanto que, por um momento, ele ficou imóvel, escorado numa pedra, os olhos tão arregalados, tão imóveis e tão cheios da luz refletida das estrelas que seria certamente dado como morto por alguém que estivesse passando ali por acaso. Então bebeu avidamente, segurando o copo com as duas mãos, mal reparando nos ferimentos podres, latejantes nos tocos dos dedos, absorvido como estava pela bebida.

Doce! Deuses, que doçura! Que doçura! Que...

Um dos pequenos e planos cubos de gelo da bebida agarrou em sua garganta. Ele tossiu, bateu no peito e cuspiu. Agora havia uma nova dor em sua cabeça; a dor ressonante que vinha de beber uma coisa fria demais, rápido demais.

Continuou parado, sentindo o coração funcionar como uma bomba de água, sentindo um novo surto de energia brotar tão depressa em seu corpo que teve a impressão de que poderia explodir. Sem pensar no que estava fazendo, rasgou outro pedaço da camisa — logo não sobraria mais do que um trapo em volta do pescoço — e esticou-o numa perna. Quando a bebida acabou, derramou o gelo no pedaço de pano e fez uma compressa para a mão ferida. Sua mente, no entanto, estava longe.

Doce!, seu íntimo não parava de gritar, tentando captar o sentido da coisa ou convencer-se de que havia sentido naquilo, mais ou menos como Eddie tentara se convencer de que o *outro* era um ser real e não alguma convulsão mental que era apenas uma parte de si mesmo enganando a outra. *Doce! Doce! Doce!*

A bebida escura estava temperada com açúcar, mais açúcar do que Marten — que fora um grande glutão por trás de um exterior grave e ascético — colocava em seu café da manhã e nos cafés dos finais de tarde.

Açúcar... branco... pó...

Os olhos do pistoleiro se deslocaram para os saquinhos, quase invisíveis embaixo do capim que fora atirado sobre eles. Por um instante se perguntou se a coisa naquela bebida e a coisa nos sacos não seria a mesma. Sabia que Eddie o compreendera perfeitamente ali na praia, onde eles eram duas criaturas físicas distintas; suspeitava que se atravessasse corporalmente para o mundo de Eddie (e entendia instintivamente que isso *poderia* ser feito... o problema é que se a porta se fechasse enquanto estivesse lá, não teria volta, como Eddie ficaria aqui para sempre numa situação inversa), compreenderia a linguagem deles com a mesma perfeição. Sabia, por ter estado na mente de Eddie, que as linguagens dos dois mundos eram similares. Similares, mas não idênticas. Na praia, um sanduíche era um popquim. No mundo de Eddie, arranjar era encontrar alguma coisa para comer. Então... não seria possível que a droga que Eddie chamava de *cocaína* fosse, no mundo do pistoleiro, chamada de *açúcar*?

Pensando melhor a ideia se tornava improvável. Eddie comprara a bebida abertamente, sabendo que estava sendo vigiado pelas pessoas que serviam aos Sacerdotes da Alfândega. Além disso, Roland percebeu que pagara relativamente pouco dinheiro por ela. Menos até que pelos popquins de carne. Não, açúcar não era cocaína, mas Roland não conseguia entender por que alguém iria querer cocaína ou, na verdade, qualquer outra droga ilegal num mundo onde uma droga tão poderosa quanto o açúcar era tão abundante e tão barata.

Tornou a olhar para os popquins de carne, sentiu as primeiras pontadas de fome... e percebeu com espanto e confusa gratidão que estava *se sentindo melhor.*

A bebida? Fora isso? O açúcar na bebida?

Podia ser parte da coisa — mas uma parte pequena. O açúcar era capaz de revigorar por algum tempo a energia debilitada de uma pessoa; desde criança ele sabia disso. Mas o açúcar não era capaz de amortecer a dor ou estancar o fogo da febre em seu corpo quando alguma infecção o transformava numa fornalha. E, mesmo assim, era exatamente isso que tinha lhe acontecido... ainda estava acontecendo.

O tremor convulsivo havia parado. O suor secava na testa. A sensação de anzóis tomando conta da garganta parecia estar sumindo. Por mais incrível que fosse, era um fato inegável, não apenas fruto de sua imaginação ou uma vontade que transformasse suas fantasias em realidades (na verdade, o pistoleiro não era capaz de tais frivolidades havia muitas e imemoráveis décadas). Os dedos perdidos nas mãos e nos pés ainda davam fisgadas e latejavam, mas ele acreditava que até mesmo essas dores estivessem melhorando.

Roland pôs a cabeça para trás, fechou os olhos e agradeceu a Deus.

A Deus e a Eddie Dean.

Não cometa o erro de colocar seu coração perto da mão dele, Roland, falou uma voz vindo das camadas mais profundas de sua mente — não era a voz nervosa, cheia de risadinhas maliciosas, do homem de preto, nem o tom grosseiro de Cort; o pistoleiro achava que lembrava a voz do pai. *Você sabe que o que ele fez por você atendeu à necessidade pessoal dele, assim como você sabe que aqueles homens — Inquisidores ou não — estão parcial ou completamente certos. Ele é fraco, e a razão por que o pegaram não era ilegítima nem falsa. Há fibra dentro dele, não discuto isso. Mas também há fraqueza. É como Hax, o cozinheiro. Hax nos envenenou com relutância… mas a relutância jamais emudeceu os gritos dos moribundos enquanto seus intestinos se rompiam. E existe ainda outro motivo para ficar alerta…*

Mas Roland não precisava que nenhuma voz lhe dissesse qual era esse outro motivo. Já a tinha visto nos olhos de Jake quando o garoto finalmente começou a entender seu objetivo.

Não cometa o erro de colocar seu coração perto da mão dele.

Bom conselho. Você se fere ao gostar daqueles que eventualmente precisarão ser feridos.

Lembre-se de seu dever, Roland.

— Nunca esqueci — disse ele secamente enquanto as estrelas brilhavam implacáveis no céu, as ondas arranhavam a costa, as monstruosidades-lagostas gritavam suas perguntas idiotas. — Estou amaldiçoado pelo meu dever. E por que os amaldiçoados deveriam fugir?

Ele começou a comer os popquins de carne que Eddie chamava de "cachorros-quentes".

Roland não gostava muito da ideia de comer carne de cachorro, e aquelas coisas pareciam dejetos de esgoto em comparação com o tal de tantum, mas depois da maravilhosa bebida, será que ainda tinha direito de reclamar? Achava que não. Além disso, o jogo já estava bem avançado para alguém ficar se preocupando demais com detalhes.

Comeu tudo e depois voltou para onde Eddie agora estava — num veículo mágico que corria por uma estrada de betume repleta de veículos semelhantes… dezenas, talvez, e nenhum deles puxado a cavalo.

7

Eddie estava pronto quando a van das pizzas parou perto dele; Roland estava ainda mais pronto.

Apenas outra versão do Sonho de Diana, pensou Roland. *O que havia na caixa? A vasilha dourada ou a perigosa serpente? E assim que ela gira a chave e põe as mãos na tampa, ouve a mãe gritar: "Acorde, Diana! Está na hora do seu leite!".*

Tudo bem, pensou Eddie. *O que vai ser? A bela ou a fera?*

Um homem de cara pálida, espinhenta, e dentes proeminentes olhou pela janela do carona da van das pizzas. Era um rosto que Eddie conhecia.

— Oi, Col — disse Eddie sem muito entusiasmo. Ao lado de Col Vincent, sentado atrás do volante, estava o Duplo-Horror, que era como Henry chamava Jack Andolini.

Mas Henry nunca o chamou disso na sua frente, pensou Eddie. Não, claro que não. Chamar Jack de alguma coisa na cara seria um ótimo meio de garantir a própria morte. Era um sujeito enorme, com a testa projetada de um homem das cavernas e um maxilar saliente combinando com ela. Era parente de Enrico Balazar por casamento... uma sobrinha, uma prima, uma porra qualquer. As mãos gigantescas aderiam ao volante da van de entregas como as mãos de um macaco agarradas num galho. Grossos tufos de cabelo lhe saíam das orelhas. Eddie agora só enxergava uma daquelas orelhas, pois Jack Andolini permanecia de perfil, sem nunca olhar para o lado.

O Duplo-Horror. Mas nem mesmo Henry (que, Eddie tinha de admitir, nem sempre era o cara mais perceptivo do mundo) jamais cometera o erro de chamá-lo de Dupla-Estupidez. Colin Vincent não passava de um menino de recados de luxo. Jack, contudo, tinha neurônios suficientes atrás da testa de neandertal para ser o capanga número um de Balazar. Eddie não gostou do fato de Balazar ter enviado alguém de tamanha importância. Não gostou nem um pouco.

— Oi, Eddie — disse Col. — Soube que teve um problema.

— Nada com que eu não pudesse lidar — disse Eddie. Percebeu que estava coçando um braço depois do outro, um dos típicos movimentos de viciado que tentou tão arduamente controlar enquanto esteve detido. Fez força para parar. Mas Col estava sorrindo e Eddie sentiu uma enorme vontade de arrancar aquele sorriso na porrada. Talvez tivesse mesmo feito isso... se Jack não estivesse lá. Jack continuava com os olhos fixos à frente. Parecia ruminar pensamentos rudimentares enquanto observava o mundo sob uma simplicidade de cores primárias e movimentos elementares, que era tudo que um homem com seu intelecto (assim alguém pensaria, olhando para ele) poderia perceber. Eddie, no entanto, achava que Jack via mais num único dia do que Col Vincent tinha visto em toda a sua vida.

— Bom — disse Col. — Que bom.

Silêncio. Col olhava para Eddie, sorrindo, esperando que Eddie recomeçasse a Dança da Fissura, coçando, se apoiando ora num pé, ora no outro, como um garoto que precisava ir ao banheiro. Col esperava que Eddie perguntasse o que estava acontecendo e se, por acaso, não tinham alguma coisinha para ele usar.

Eddie se limitou a olhá-lo, agora sem coçar, sem fazer qualquer movimento.

Uma brisa fraca soprou uma embalagem de quentinha pelo estacionamento. O barulho áspero de seu voo deslizante e a batida ofegante dos pistões mal regulados da van de entrega das pizzas eram os únicos sons.

O sorrisinho de Col começou a vacilar.

— Suba aqui, Eddie — disse Jack sem olhar para o lado. — Vamos dar uma volta.

— Para onde? — perguntou Eddie, com ar pensativo.

— Para a casa de Balazar. — Jack não olhava para o lado. Flexionou uma vez as mãos sobre o volante. Um grande anel, todo de ouro maciço com exceção da pedra de ônix que se destacava como o olho de um inseto gigante, cintilou no terceiro dedo de sua mão direita. — Ele quer saber sobre a mercadoria.

— Está comigo. A salvo.

— Ótimo. Então ninguém tem nada com que se preocupar — disse Jack Andolini, que continuou sem olhar para o lado.

— Acho que quero dar uma passada lá em cima primeiro — disse Eddie. — Mudar de roupa, falar com Henry…

— E se drogar, não se esqueça disso — disse Col mostrando o grande sorriso de dentes amarelos. — Só que não tem mais nada lá para você *tomar*, meu chapa.

Chac?, o pistoleiro pensou na mente de Eddie, lembrando-se da pergunta da lagostrosidade, e ambos estremeceram um pouco.

Col observou o tremor e seu sorriso ficou mais largo. *Ah, aí está, afinal*, dizia o sorriso. *A boa e velha Dança da Fissura. Por um minuto, fiquei sem saber onde ela estava, Eddie.* Os dentes revelados pela nova expansão do sorriso não representavam nenhuma melhora com relação aos anteriormente vistos.

— Por que não?

— O sr. Balazar achou melhor garantir que o lugar onde vocês moram estivesse limpo — disse Jack sem olhar para o lado. Continuava fixo no mundo à sua frente, e alguns julgariam impossível um homem daqueles ser observador. — Para o caso de alguém aparecer.

— Pessoas com um mandado policial de busca, por exemplo — disse Col. Ele abaixou o rosto, dando um sorrisinho malicioso. Agora Eddie pôde sentir que Roland também tinha vontade de bater naqueles dentes podres que tornavam o seu sorriso tão lamentável, tão desagradável. A unanimidade de sensações deu-lhe um certo conforto. — Balazar mandou uma equipe de limpeza para dar uma lavada nos cantos, passar o aspirador no carpete, e você não vai nem precisar pagar nada por isso, Eddie!

Agora *você vai perguntar o que eu tenho*, disse o arreganho de dentes de Col. *Ah, sim, você vai perguntar, Eddie meu garoto. Porque talvez você não goste do homem da pipoca, mas gosta da pipoca, não é? E agora que já sabe que Balazar tomou as providências para despachar seu estoque particular...*

Um súbito pensamento, ao mesmo tempo feio e assustador, lampejou pela mente de Eddie. Se o estoque se fora...

— Cadê o Henry? — perguntou ele de repente, com uma voz tão áspera que Col recuou, espantado.

Jack Andolini finalmente virou a cabeça. Um movimento muito vagaroso, como um ato executado raramente e ao custo de grande sacrifício pessoal. Era quase de se esperar ouvir dobradiças antigas e enferrujadas rangendo dentro da massa de seu pescoço.

— Seguro — disse Jack, logo fazendo a cabeça voltar à posição original, com a mesma lentidão.

Eddie ficou parado ao lado da van da pizzaria, enfrentando o pânico que queria brotar em sua cabeça e impedir qualquer pensamento coerente. De repente a necessidade de tomar alguma coisa, a necessidade que vinha mantendo presa, se tornava irresistível. *Precisava* usar. Com uma dose poderia pensar, manter-se sob controle...

Pare com isso!, berrou Roland dentro de sua cabeça, tão alto que Eddie estremeceu (e Col, tomando a careta de dor e surpresa de Eddie por outro pequeno passo na Dança da Fissura, voltou a sorrir de novo). *Pare com isso! Eu serei todo o maldito controle de que você precisa!*

Você não entende! Ele é meu irmão! *É a porra do meu irmão! Balazar pegou meu* irmão!

Fala como se eu nunca tivesse ouvido essa palavra antes. Acha que pode acontecer alguma coisa com ele?

Acho! Meu Deus, acho!

Então faça o que eles estão esperando. Grite. Chore e implore. Peça por essa sua dose. Tenho certeza de que esperam que você faça isso e tenho certeza de que têm alguma coisa. Faça tudo isso, deixe-os seguros a seu respeito e tenha certeza de que todos os seus medos terão fundamento.

Não estou entendendo o que está querendo…

Estou querendo dizer que se eles acharem que alguma coisa não está cheirando bem, estaremos dando passos largos para a morte de seu precioso irmão. É o que você quer?

Tudo bem. Vou ficar de boa. Pode não parecer, mas vou ficar de boa.

É assim que você fala? Tudo bem, então. Certo. Fique de boa.

— Não era desse jeito que era o acordo — disse Eddie, passando por Col e falando diretamente para os tufos na orelha de Jack Andolini. — Não foi pra isso que tomei conta da mercadoria de Balazar e fiquei de boca fechada enquanto outros teriam disparado cinco nomes para cada ano de redução da pena.

— Balazar achou que seu irmão ficaria mais seguro com ele — disse Jack, sem olhar para o lado. — Ele o colocou sob custódia protetiva.

— Muito bem — disse Eddie. — Agradeça a ele por mim e diga que estou de volta, a mercadoria está em segurança e posso tomar conta do Henry exatamente como o Henry sempre tomou conta de mim. Diga a ele que estarei com um engradado de cerveja gelando e quando Henry chegar vamos beber as cervejas. E aí pegamos o carro, vamos até o centro da cidade e concluímos o negócio exatamente como deveria ser. Como foi combinado.

— Balazar quer falar com você, Eddie — disse Jack. O tom era implacável, indiscutível. A cabeça não se mexeu. — Entre na van.

— Enfie essa van onde o sol nunca brilha, seu filho da puta — disse Eddie, começando a andar para a entrada do prédio.

8

Era uma distância curta, mas antes que ele completasse a metade do caminho a mão de Andolini se espalmou no seu antebraço com a força paralisante de um torno. Sua respiração, quente como a de um touro, soprou atrás do pescoço de Eddie. Ele fez tudo isso no tempo que, olhando para o homem, você acharia que seu cérebro iria levar só para convencer a mão a levantar a maçaneta da porta.

Eddie se virou.

Fique de boa, Eddie, murmurou Roland.

De boa, respondeu Eddie.

— Eu poderia matá-lo por isso — disse Andolini. — Ninguém me manda enfiar nada no cu, ainda mais um viciadinho de merda como você.

— *Matar o cacete*! — Eddie gritou... mas foi um grito calculado. Um grito *de boa*, se isso é possível. Ficaram ali parados, vultos escuros na dourada luz horizontal do pôr do sol, no final da primavera, na aridez daquele amontoado de prédios atarracados que era a Co-Op City do Bronx. As pessoas ouviram o grito, ouviram a palavra *matar* e, quando os rádios estavam ligados, elas aumentaram o volume, e quando os rádios estavam desligados, elas os ligaram e *aí* aumentaram o volume, porque era melhor agir assim, mais seguro.

— *Rico Balazar quebrou sua palavra! Eu fiz o diabo por ele e ele não está fazendo nada por mim! Por isso estou dizendo pra você enfiar esta van na porra do seu cu, estou dizendo pra* ele *enfiar a van na porra do cu dele e estou dizendo a todo mundo que eu quiser que enfie a van no maldito cu!*

Andolini o encarava. Seus olhos eram tão castanhos que a cor parecia estar vazando para as córneas, resultando no amarelo de velhos pergaminhos.

— *Eu mando o presidente Reagan enfiar a van no cu se ele não cumprir a palavra comigo e fodo a porra do canal retal dele ou o que estiver no caminho!*

As palavras se extinguiram em ecos nos tijolos e no concreto. Uma criança, a pele muito negra contrastando com um short branco de basquete e tênis de cano alto, estava parada sozinha no playground do outro lado da rua. Ela os observava, a bola de basquete meio apoiada na barriga e na curva do cotovelo.

— Acabou? — perguntou Andolini quando o último eco desapareceu.

— Sim — disse Eddie num tom de voz inteiramente normal.

— Tudo bem — disse Andolini. Ele abriu seu punho de antropoide e sorriu... e quando sorriu, aconteceram duas coisas ao mesmo tempo: a primeira foi que mostrou um charme tão surpreendente que não tinha como não deixar a pessoa indefesa; a segunda foi que revelou o quanto era inteligente. Perigosamente inteligente. — Agora podemos começar de novo?

Eddie passou as mãos no cabelo, cruzou os braços para conseguir coçar os dois ao mesmo tempo e disse:

— Acho melhor, porque não íamos chegar a lugar nenhum.

— Tudo bem — disse Andolini. — Ninguém falou nada e ninguém vendeu ninguém.

E sem virar a cabeça ou quebrar o ritmo da fala, acrescentou:

— Volte para a van, seu merda.

Col Vincent, que descera cautelosamente da van de delivery pela porta que Andolini deixara aberta, recuou tão depressa que bateu com a cabeça. Deslizou pelo assento e se afundou em seu antigo lugar, mal-humorado e esfregando a nuca.

— Você precisa entender que o acordo mudou quando o pessoal da alfândega colocou as mãos em você — disse Andolini num tom persuasivo. — Balazar é um homem importante. Tem interesses a proteger. *Pessoas* a proteger. E por acaso uma dessas pessoas é o seu irmão Henry. Acha que isso é besteira? Se acha devia pensar em como o Henry está agora.

— Henry está bem — disse Eddie, mas sabia que não era bem assim e não pôde impedir que essa percepção transparecesse na voz. Pôde captá-la e sabia que Jack Andolini tinha feito o mesmo. Henry estava numa fase em que vivia sempre chapado. Havia buracos em suas camisas de queimaduras de cigarros. Ele cortara um naco da mão usando o abridor elétrico de latas numa lata de comida para dar ao Potzie, o gato dos dois. Eddie não sabia como era possível alguém se cortar com um abridor elétrico, mas Henry conseguira. Às vezes a mesa da cozinha ficava salpicada com os restos da droga de Henry e às vezes Eddie encontrava escuros e carbonizados restos de droga na pia do banheiro.

Henry, dizia ele, *Henry, tem de prestar mais atenção, a coisa está ficando fora de controle, você está pedindo para ser pego.*

Falou, valeu, maninho, respondia Henry, *transpiração zero, tudo sob controle*, mas, às vezes, olhando para o rosto pálido e o fogo mortiço nos olhos de Henry, Eddie percebia que o irmão jamais voltaria a ter qualquer coisa sob controle.

O que ele *queria* dizer a Henry e não conseguia nada tinha a ver com o fato de Henry ser pego ou de ambos serem pegos. O que ele *queria* dizer era *Henry, é como se você andasse procurando um lugar para morrer. É isso o que eu acho e quero que você desista dessa merda de ideia. Porque se você morrer, para que eu vivi até agora?*

— Henry *não* está bem — disse Jack Andolini. — Precisa que alguém tome conta dele. Precisa... como é aquela música? De uma ponte sobre águas revoltas. É do que Henry precisa. Uma ponte sobre águas revoltas. *Il Roche* está sendo essa ponte.

Il Roche *é uma ponte para o inferno*, pensou Eddie. Em voz alta ele perguntou:

— E onde está Henry? Na casa de Balazar?

— Sim.

— Dou a parada a ele e ele me entrega Henry?

— Henry e as *suas* paradas — disse Andolini —, não esqueça.

— Em outras palavras, o acordo volta ao normal.

— É isso.

— Agora me diga se acha que isso vai realmente acontecer. Vamos lá, Jack. Me diga. Quero ver se consegue fazer isso de cara séria. E se *conseguir* fazer isso de cara séria, quero ver até onde o seu nariz vai crescer.

— Não estou te entendendo, Eddie.

— Claro que está. Balazar acha que eu *tenho* a mercadoria? Se está pensando isso, tem de ser estúpido e sei que ele não é estúpido.

— Não sei o que ele está pensando — disse Andolini num tom sereno. — Não é meu trabalho adivinhar o que ele pensa. Ele sabe que você *tinha* a mercadoria quando saiu das Ilhas, sabe que foi prensado pelos caras da alfândega e depois liberado, sabe que está aqui e não a caminho da prisão, sabe que a mercadoria tem de estar em algum lugar.

— E sabe que os caras da alfândega continuam grudados em mim como uma pulga num cachorro, porque *você* soube disso e enviou algum tipo de mensagem codificada pelo rádio da van. Algo como "queijo duplo, tira as enchovas", certo, Jack?

Jack Andolini ficou calado e parecia tranquilo.

— Só que estava dizendo a ele algo que ele já sabia. É como ligar os pontos de uma figura que você já sabe qual é.

Parado na luz dourada do pôr do sol, que aos poucos ia virando uma fornalha laranja, Andolini continuou de ar sereno e absolutamente calado.

— Balazar acha que me fizeram trocar de lado. Acha que entrei na deles. Acha que posso ser burro o suficiente para tentar traí-lo. Não posso nem culpá-lo por pensar assim. Afinal, por que não? Um viciado pode fazer qualquer coisa. Não quer checar se estou usando alguma escuta?

— Sei que não está — disse Andolini. — Tenho uma coisa na van. É como um interceptador de frequência, só que capta transmissões de rádio de pouco alcance. E se vale de algo, não acho que esteja trabalhando com a polícia federal.

— Sério?

— Sério. Então entramos na van e vamos até o centro ou não?

— Tenho escolha?

Não, disse Roland dentro da cabeça dele.

— Não — disse Andolini.

Eddie voltou para a van. O garoto com a bola de basquete continuava parado do outro lado da rua, a sombra agora tão comprida que parecia um guindaste.

— Sai daqui, garoto — disse Eddie. — Nunca esteve aqui, nunca viu nada nem ninguém. Se manda.

O garoto correu.

Col estava sorrindo para ele.

— Vai pro lado, campeão — disse Eddie.

— Acho que você deveria se sentar no meio, Eddie.

— Vai pro lado — repetiu Eddie. Col olhou-o, depois olhou para Andolini, que não virou a cabeça. Andolini se limitou a fechar a porta do motorista e fixar serenamente o olhar à frente, como Buda nos seus dias de folga, deixando os dois resolverem sozinhos a questão de onde sentar. Col olhou mais uma vez para a cara de Eddie e resolveu ficar no meio.

Avançaram para o centro de Nova York — e embora o pistoleiro (que apenas contemplava, maravilhado, construções cada vez maiores e mais graciosas, pontes que se lançavam sobre um grande rio como teias de aranha de aço e carruagens aéreas com hélices que pairavam como estranhos insetos feitos pelo homem) não soubesse disso, o lugar para onde se dirigiam era a Torre.

9

Como Andolini, Enrico Balazar não achava que Eddie Dean estivesse fazendo jogo duplo para os federais; como Andolini, Balazar *sabia* que não.

O bar estava vazio. A tabuleta na porta dizia FECHADO SÓ ESTA NOITE. Balazar estava em sua sala, esperando que Andolini e Col Vincent trouxessem o moleque Dean. Seus dois guarda-costas pessoais, Claudio Andolini, irmão de Jack, e Cimi Dretto estavam com ele. Sentados no sofá à esquerda da grande escrivaninha de Balazar, observavam, fascinados, como crescia o edifício que Balazar estava construindo. A porta estava aberta. Além da porta havia um pequeno saguão. À direita ficavam os fundos do bar e, mais atrás, a pequena cozinha, onde alguns pratos rápidos de massa eram preparados. À esquerda ficavam a sala do contador e a despensa. Na sala do contador mais três "cavalheiros" de Balazar — era assim que eram conhecidos — jogavam Master com Henry Dean.

— Então — George Biondi estava dizendo —, esta é fácil, Henry. Henry? Você está aí, Henry? Terra para Henry, povo da Terra chamando você. Vamos lá, Henry. Eu vou repetir, vamos lá, He...

— Estou aqui, estou aqui — disse Henry. Sua voz tinha o tom enrolado, pastoso, de um homem que ainda está dormindo, mas diz à mulher que já acordou e pede que ela o deixe em paz por mais cinco minutos.

— Tudo bem. A categoria é Artes e Entretenimento. E a pergunta é... Henry? Não vai apagar, babaca!

— Não *estou* apagando! — reagiu Henry num tom de lamento.

— Tudo bem. A pergunta é: "Como se chama o livro tremendamente popular de William Peter Blatty que se passa no bairro chique de Georgetown, em Washington D.C., e fala sobre a possessão demoníaca de uma garotinha?".

— Johnny Cash — Henry respondeu.

— Ai, meu Deus! — Tricks Postino gritou. — É o que você responde pra tudo! Johnny Cash, é a porra da resposta que você dá pra *tudo*!

— Johnny Cash *é* tudo — replicou Henry com gravidade, e houve um instante de silêncio palpável ante o inesperado da resposta... Depois uma ruidosa explosão de riso, não apenas dos homens que estavam ali, com Henry, mas dos outros dois "cavalheiros" sentados na despensa.

— Quer que eu feche a porta, sr. Balazar? — perguntou Cimi em voz baixa.

— Não, está bem assim — disse Balazar. Ele era siciliano de segunda geração, mas não havia qualquer sotaque em sua fala, nem falava como alguém cuja única educação tivesse vindo das ruas. Ao contrário de muitos de seus contemporâneos no negócio, ele concluíra o segundo grau. Na realidade, tinha ido além: frequentara dois anos do curso de administração de empresas da Universidade de Nova York. Sua voz, como seu estilo de negociar, era suave, educada e americana, o que tornava seu aspecto físico tão enganoso quanto o de Jack Andolini. Quem ouvia pela primeira vez aquela voz americana, clara e sem sotaque, ficava quase sempre meio atordoado, como se estivesse vendo uma apresentação particularmente boa de um ventríloquo. Balazar lembrava um agricultor, um dono de estalagem ou um mafioso de segunda categoria que tivesse obtido êxito por estar no lugar certo na hora certa, não por obra de qualquer intelecto. Balazar lembrava o tipo que os mafiosos de uma geração anterior tinham chamado de "bigodudo". Era um homem gordo que se vestia como um camponês. Naquela noite, usava uma camisa de algodão toda branca e aberta no pescoço (rodelas de suor se espalhavam debaixo dos braços) e uma calça de brim toda cinza. Os pés gordos e sem meias calçavam sapatos marrons, tipo mocassim, mas tão velhos que pareciam mais chinelos que sapatos. Veias de varizes azuis e roxas serpenteavam nos tornozelos.

Cimi e Claudio o observavam, fascinados.

Nos velhos tempos ele era chamado de *Il Roche* — A Rocha. Alguns dos veteranos ainda o chamavam assim. Na primeira gaveta, do lado direito de sua mesa, onde outros homens de negócios guardavam blocos, canetas, clipes de papel, coisas do gênero, Enrico Balazar tinha sempre três baralhos de cartas. Mas não jogava com eles.

Construía com eles.

Pegava duas cartas e equilibrava uma contra a outra, formando um A sem o traço horizontal. Ao lado fazia outra forma de A. Por cima das duas estendia uma única carta, formando um telhado. E assim colocava A após A, com as respectivas coberturas, até haver um castelo de cartas no tampo da escrivaninha. Quando a pessoa se curvava e olhava com atenção, via algo que lembrava uma colmeia de triângulos. Cimi tinha visto esses castelos caírem centenas de vezes (Claudio também vira isso acontecer de vez em quando, não tantas vezes, pois era trinta anos mais novo do que Cimi, o mesmo Cimi que esperava em breve poder se aposentar com a escrota da esposa e ir para uma fazenda que possuíam no norte de Nova Jersey, onde dedicaria todo o seu tempo ao jardim... e a sobreviver à escrota com quem tinha se casado; à esposa, não à sogra, que há muito o fizera abandonar qualquer ideia otimista que pudesse ter cultivado de comer fettuccine no velório de La Monstra, La Monstra era eterna, ainda que sobreviver à escrota fosse pelo menos uma esperança; seu pai tinha um ditado que, quando traduzido, significava algo como "Deus mija todo dia na sua nuca, mas só te afoga uma vez", e embora não tivesse certeza absoluta, Cimi achava que isso significava que Deus era afinal de contas um cara bem maneiro e assim ele, Cimi, podia esperar sobreviver a uma delas, mesmo que não à outra), mas só uma vez vira Balazar perder a cabeça por causa do desabamento. Em geral era algum acontecimento imprevisível que provocava a queda — alguém fechando com força uma porta em outro cômodo ou um bêbado esbarrando numa parede; houve ocasiões em que Cimi tinha visto um edifício que o sr. Balazar (que ele ainda chamava de Patrão, como se o homem fosse personagem de tirinhas em quadrinhos de Chester Gould) passara horas construindo cair porque os graves do toca-discos automático estavam altos demais. Outras vezes as leves construções caíam aparentemente sem qualquer razão. Um dia — era uma história que ele contara pelo menos cinco mil vezes, uma história de que cada pessoa que ele conhecia (com exceção de si mesmo) estava farta — o Patrão erguera os olhos das ruínas e dissera:

— Está vendo isto, Cimi? Por cada mãe que amaldiçoou Deus pelo filho morto na estrada, por cada pai que amaldiçoou o homem que o despediu da fábrica e o deixou sem trabalho, por cada criança que nasceu para sofrer e pergunta por quê, esta é a resposta. Nossas vidas são como essas coisas que construo. Às vezes elas caem por um motivo, às vezes caem por absolutamente nenhum motivo.

Carlocimi Dretto considerou aquela a mais profunda declaração que já ouvira sobre a condição humana.

A única vez que Balazar perdera a cabeça por causa do colapso de uma de suas estruturas acontecera doze, talvez catorze anos antes. Havia um sujeito que fora se encontrar com ele para falar da venda de bebidas. Um cara sem nenhuma classe, sem educação. Um cara que cheirava como se tomasse um banho por ano, precisasse dele ou não. Um irlandês, em outras palavras. E claro que era bebida. Com irlandeses era sempre bebida, nunca narcóticos. E aquele irlandês achou que o que havia em cima da mesa do Patrão era uma piada.

— Faça um pedido! — gritou ele depois de o Patrão ter lhe explicado, do modo como um cavalheiro explica a outro, por que era impossível negociarem. E então o irlandês, um daqueles caras com cabelo ruivo ondulado e uma pele tão branca que era como se tivesse tuberculose ou algo do gênero, um daqueles caras cujos nomes começavam com O e que depois tinham aquela pequena marca curva entre o O e o verdadeiro nome, tinha *soprado* na mesa do Patrão como um *bambino* soprando as velas num bolo de aniversário, e cartas voaram para todos os lados ao redor da cabeça de Balazar e Balazar tinha aberto a gaveta superior esquerda da escrivaninha, a gaveta onde outros executivos talvez guardassem seus documentos pessoais ou seus relatórios particulares ou algo assim, e de lá havia puxado um .45 e atirado na cabeça do irlandês. A expressão de Balazar nem se alterou, e depois de Cimi e um sujeito chamado Truman Alexander, que morrera de ataque cardíaco quatro anos atrás, enterrarem o irlandês sob um galinheiro em algum lugar nos arredores de Sedonville, Connecticut, Balazar tinha dito a Cimi:

— Cabe aos homens construir coisas, *paisano*. Cabe a Deus soprá-las. Concorda?

— Sim, sr. Balazar — dissera Cimi. Ele concordava. Balazar assentira satisfeito.

— Fizeram o que eu disse? Colocar o cara em algum lugar onde galinhas, patos ou algo desse tipo possam cagar em cima dele?

— Colocamos.

— Ótimo — disse calmamente Balazar, tirando outro baralho de cartas da gaveta de cima, do lado direito da escrivaninha.

Um andar não era suficiente para Balazar, *Il Roche*. Sobre o telhado do primeiro andar ele construía um segundo, só que não exatamente da mesma largura; em cima do segundo, um terceiro; em cima do terceiro, um quarto. A coisa continuaria assim, mas após o quarto andar ele tinha de ficar em pé para prosseguir. A pessoa já não precisava se curvar para olhar e quando olhava já não via fileiras de formas triangulares, mas uma frágil, desconcertante e incrivelmente fascinante área com formas de diamante. Se a pessoa olhasse por muito tempo, ficava tonta. Uma vez Cimi entrara na Sala dos Espelhos do parque de Coney Island e se sentira da mesma forma. Nunca quis voltar lá.

Cimi dizia (achava que ninguém acreditava nele; o fato é que ninguém se importava se estava ou não dizendo a verdade) que um dia vira Balazar construir algo que não era mais um castelo de cartas, mas uma *torre* de cartas, uma torre que atingira a altura de nove andares antes de desabar. Cimi não sabia que ninguém dava a menor importância a isso, pois todos a quem contava fingiam estar maravilhados, porque ele era íntimo do Patrão. Mas talvez tivessem ficado mesmo maravilhados se Cimi possuísse as palavras certas para descrever a coisa: como era delicada, como cobria quase três quartos da distância do tampo da escrivaninha até o teto, uma rendilhada armação de valetes e trincas e reis e dez de paus e curingões, uma teia preta e vermelha de diamantes de papel se equilibrando em desafio a um mundo que passava girando por um universo de movimentos e forças incoerentes; uma torre que pareceu aos olhos fascinados de Cimi ser uma contundente negação de todos os injustos paradoxos da vida.

Se soubesse como falar, teria dito: *Olhei para o que ele construiu e para mim aquilo explicava as estrelas.*

10

Balazar sabia como tudo teria de acontecer.

Os federais tinham farejado Eddie — para começar, talvez tivesse sido burrice mandar Eddie, talvez seus instintos tivessem fraquejado, mas Eddie passara uma imagem até certo ponto tão correta, tão perfeita. Seu tio, o primeiro homem para quem havia trabalhado, dissera um dia que havia exceções para todas as regras, exceto uma: jamais confie num viciado. Balazar ficara calado. Não era lugar para um garoto de quinze anos falar, mesmo que fosse para concordar — no íntimo, porém, pensou que a única regra para a qual não havia exceção era que havia algumas regras para as quais isso não é verdade.

Mas se tio Verone estivesse vivo, Balazar pensou, *teria rido de você e teria dito, olhe, Rico, você sempre foi esperto demais para o seu próprio bem, você conhecia as regras, mantinha a boca fechada quando era sinal de respeito mantê-la fechada, mas sempre tinha esse ar arrogante no olhar. Sempre teve muita consciência do quanto era esperto e assim finalmente caiu no fosso de seu próprio orgulho, exatamente como sempre achei que fosse acontecer.*

Ele construiu uma forma de A e a cobriu.

Os agentes tinham levado Eddie, tinham-no detido por algum tempo e depois o soltado.

Balazar pegara o irmão de Eddie e o que eles tinham de droga. Isso seria suficiente para trazer-lhe Eddie... e ele o queria.

Queria Eddie porque a coisa só demorara duas horas e demorar só duas horas era *errado*.

Haviam interrogado Eddie no Kennedy, não na rua 43, e isso também era errado. Significava que Eddie tinha conseguido se livrar da maior parte ou da totalidade da coca.

Ou não tinha?

Estava pensando. Curioso para saber.

Eddie saíra do Kennedy duas horas após o tirarem do avião. Um tempo curto demais para arrancarem alguma coisa dele e longo demais para concluírem que estava limpo, que algum comissário se precipitara e cometera um erro.

Estava pensando. Curioso para saber.

O irmão de Eddie virara um zumbi, mas Eddie continuava esperto, Eddie mantivera a fibra. Não entregaria nada em apenas duas horas... a não ser que fosse pelo irmão. Por alguma coisa envolvendo o irmão.

Mas então, como a coisa não acabou na rua 43? Como nenhum furgão da alfândega entrou na jogada, aqueles furgões que pareceriam kombis dos correios se não fosse pelas grades nas janelas de trás? Será que Eddie *tinha* realmente feito alguma coisa com a mercadoria? Se livrado dela? Escondido a coca?

Impossível esconder as coisas num avião. Impossível livrar-se delas.

Naturalmente era também impossível escapar de certas prisões, assaltar certos bancos, recorrer de certas sentenças. Mas as pessoas conseguiam fazer tudo isso. Harry Houdini escapara de camisas de força, baús trancados e dos mais resistentes cofres de bancos. Mas Eddie Dean não era Houdini.

Ou era?

Poderia ter matado Henry no apartamento, poderia ter acabado com Eddie no táxi ou, melhor ainda, *também* no apartamento, onde os policiais iriam concluir que dois viciados ficaram suficientemente desesperada para esquecer que eram irmãos e haviam atirado um no outro. Mas isso deixaria perguntas demais sem resposta.

Conseguiria as respostas ali, podendo se preparar para acontecimentos futuros ou meramente satisfazer a curiosidade, dependendo de como fossem as tais respostas. Depois mataria os dois.

Algumas respostas a mais, dois viciados a menos. Algum ganho e nenhuma grande perda.

No outro cômodo, era novamente a vez de Henry.

— Está bem, Henry — disse George Biondi. — Tenha cuidado, porque esta é traiçoeira. A categoria é geografia. E a pergunta é: "Qual o único continente onde os cangurus são uma forma nativa de vida?".

Uma pausa silenciosa.

— Johnny Cash — disse Henry, e isso foi seguido por uma estrondosa onda de riso.

As paredes tremeram.

Cimi ficou tenso, esperando que o castelo de cartas de Balazar (que só se tornaria uma torre se Deus, ou as forças cegas que governam o universo em Seu nome, assim o permitissem) caísse.

As cartas tremeram um pouco. Se uma delas caísse, cairiam todas. Nenhuma caiu.

Balazar ergueu os olhos e sorriu para Cimi.

— *Paisano* — disse. — *Il Dio est bono; il Dio est malo; temps est poco-poco; tu est une grande peeparollo.*

— *Si, senor* — disse Cimi com um sorriso. — *Io grande peeparollo; Io va fanculo por tu.*

— *None va fanculo, catzarro* — disse Balazar. — *Eddie Dean va fanculo.* — Sorriu gentilmente e começou a construir o segundo andar de sua torre de cartas.

11

Quando a van parou no meio-fio perto do estabelecimento de Balazar, Col Vincent estava por acaso olhando para Eddie. Viu algo impossível. Tentou falar e não conseguiu. Sua língua tinha grudado no céu da boca e tudo que pôde emitir foi um grunhido abafado.

Viu os olhos de Eddie passarem do castanho ao azul.

12

Dessa vez Roland não tomara a decisão consciente de *tomar a frente*. Simplesmente dera o salto sem pensar, um movimento involuntário, como pular de uma cadeira e pegar os revólveres quando alguém entrava de supetão pela porta.

A Torre!, pensou febrilmente. *É a Torre, meu Deus, a Torre está no céu, a Torre! Vejo a Torre no céu, desenhada em linhas vermelhas de fogo! Cuthbert! Alain! Desmond! A Torre! A T…*

Mas dessa vez sentiu Eddie se debater — não lutando contra ele, mas tentando falar alguma coisa, tentando desesperadamente explicar algo a ele.

O pistoleiro recuou, ouvindo — ouvindo desesperado, pois numa praia, a uma desconhecida distância do espaço e tempo, seu corpo desprovido de mente se contorcia, tremia como o corpo de um homem experimentando um sonho do mais intenso êxtase ou do mais profundo horror.

13

Letreiro!, gritava Eddie para a própria cabeça… e para a cabeça daquele outro.

É um letreiro, apenas um letreiro de neon, não sei em que torre você está pensando mas isto é apenas um bar, o estabelecimento de Balazar, Nossa Torre Inclinada, foi o nome que ele deu por causa da torre de Pisa! É apenas um letreiro que devia se parecer com a porra da Torre Inclinada de Pisa! Pare com isso! Pare! Quer que nos matem sem termos nem a chance de falar com eles?

Pitsa?, replicou o pistoleiro num tom de dúvida, tornando a olhar.

Um letreiro. Sim, tudo bem, agora podia ver: não era a Torre, mas uma Placa Luminosa. A torre se inclinava para o lado e tinha muitas curvas cheias de ornamentos; era linda, mas só isso. Percebia agora que o letreiro era uma coisa feita de tubos, tubos que alguém conseguira encher de brilhantes ondas de um fogo vermelho. Em certos pontos, parecia haver menos ondas que em outros, onde as massas de fogo pulsavam e zumbiam.

Agora via letras embaixo daquela torre construída com uma armação de tubos; a maioria, GRANDES LETRAS. TORRE, conseguiu ler. E sim, INCLINADA, TORRE INCLINADA. Faltava a primeira palavra, que tinha cinco letras, começando com N, acabando com A, com duas letras iguais no meio que ele nunca tinha visto.

Noa?, perguntou a Eddie.

NOSSA. *Mas não importa. Viu como é só um letreiro? É o que interessa!*

Estou vendo, respondeu o pistoleiro. Será que o prisioneiro realmente acreditava no que estava dizendo ou só dizia aquilo para impedir que o mundo saísse dos eixos como parecia que ia acontecer com a torre retratada naquelas linhas de fogo? Será que Eddie acreditava que *qualquer* letreiro pudesse ser uma coisa banal?

Então se acalme! Está me ouvindo? Se acalme!

De boa?, perguntou Roland, e ambos sentiram que ele sorria um pouco na mente de Eddie.

De boa, isso. Deixe comigo.

Sim. Tudo bem. Deixaria com Eddie.

Por hora.

14

Col Vincent finalmente conseguiu tirar a língua do céu da boca.

— Jack. — O tom era espesso como um tapete grosso. Andolini desligou o motor e olhou para ele, irritado.

— Os olhos dele.

— O que têm os olhos dele?

— É, o que têm os meus olhos? — perguntou Eddie.

Col olhou para ele.

O sol havia se posto, nada deixando no ar além das cinzas do dia, mas havia luz o suficiente para Col ver que os olhos de Eddie estavam novamente castanhos.

Se é que alguma vez tinham estado de outra cor.

Você viu, parte de sua mente insistia, mas será que vira mesmo?

Col tinha vinte e quatro anos e pelos últimos vinte e um desses anos ninguém o considerara confiável. Talvez útil, às vezes. Quase sempre obediente… se mantido em rédea curta. Confiável? Não. O próprio Col chegara finalmente a acreditar nisso.

— Nada — murmurou ele.

— Então vamos — disse Andolini.

Saíram da van da pizzaria. Com Andolini à sua esquerda e Vincent à direita, Eddie e o pistoleiro entraram no Nossa Torre Inclinada.

5. MUNIÇÃO E CARTAS NA MESA

1

Num blues dos anos 1920, Billie Holiday, que um dia descobriria por si mesma essa verdade, cantava: *Doutor me disse, filha, é melhor sair logo disto/ Porque mais um foguete e será o seu último.* O derradeiro foguete de Henry Dean subiu cinco minutos antes de a van encostar na frente do Nossa Torre Inclinada com seu irmão lá dentro.

Como estava à direita de Henry, George Biondi — conhecido dos amigos como "Grande George" e dos inimigos como "Focinhão" — fazia as perguntas. Agora, enquanto Henry ficava chapado e piscando como uma coruja sobre o tabuleiro, Tricks Postino pôs o dado na mão que já tinha adquirido a cor cinzenta que surge nas extremidades após um vício prolongado de heroína — a cor cinzenta é o primeiro sinal de gangrena.

— Sua vez, Henry — disse Tricks, e Henry deixou cair o dado.

Quando Henry continuou olhando para o vazio sem revelar intenção de mover o próprio pino, Jimmy Haspio moveu as peças para ele.

— Olhe só isso, Henry — disse Jimmy. — Tem a possibilidade de ganhar um pedaço do bolo.

— Bolo — disse Henry num tom sonhador e, de repente, olhou para o lado, como se acordasse. — Cadê o Eddie?

— Logo vai estar aqui — Tricks tranquilizou-o. — Agora jogue.

— Que tal uma dose?

— Sua vez de jogar, Henry.

— Tudo bem, tudo bem, pare de se *encostar* em mim.

— Não *encoste* nele — disse Kevin Blake a Jimmy.

— Tudo bem, não vou encostar — falou Jimmy.

— Está pronto? — perguntou George Biondi, dando aos outros uma enorme piscadela quando o queixo de Henry caiu em seu peito e lentamente se ergueu mais uma vez; foi como observar uma tora molhada que ainda não estava pronta para afundar de vez.

— Sim — disse Henry. — Pode jogar.

— Pode jogar! — repetiu Jimmy Haspio num tom divertido.

— Você pode jogar, babaca! — disse Tricks para Henry e todos explodiram numa risada (no outro cômodo, o edifício de Balazar, agora com três andares de altura, tornou a tremer, mas não caiu).

— Tudo bem, preste atenção — disse George, tornando a dar uma piscadela. Embora Henry estivesse na categoria de Esportes, George anunciou a categoria Artes e Entretenimento. — Que popular cantor country fez sucesso com "A Boy Named Sue", "Folsom Prison Blues" e várias músicas do gênero?

Kevin Blake, que realmente *conseguia* somar sete mais nove (desde que fosse com fichas de pôquer), uivou de rir, agarrando os joelhos e quase derrubando o tabuleiro. Ainda fingindo examinar a ficha que tinha na mão, George continuou:

— Esse popular cantor também é conhecido como O Homem de Preto. Seu primeiro nome é o mesmo que o lugar onde você vai mijar e o sobrenome é o que você tem na carteira, a não ser que seja um viciado de merda.

Houve um longo silêncio de expectativa.

— Walter Brennan — disse Henry por fim.

Urros de riso. Jimmy Haspio agarrou Kevin Blake. Kevin bateu repetidamente no ombro de Jimmy. No escritório de Balazar, o castelo de cartas, que aos poucos estava se tornando uma torre, voltou a tremer.

— Parem com isso! — gritou Cimi. — O Patrão está construindo!

Eles se calaram na mesma hora.

— Certo — disse George. — Essa você acertou, Henry. Era uma das difíceis, mas você conseguiu.

— Sempre consigo — disse Henry. — Sempre consigo dar um jeito. Que tal uma dose?

— Boa ideia! — disse George, pegando a caixa de charutos Roi-Tan que estava atrás dele. Tirou de lá uma seringa. Espetou-a na veia roxa acima do cotovelo de Henry e o último foguete de Henry decolou.

2

Por fora, a van de delivery de pizzas era uma sujeira, mas sob o pó das ruas e a pintura de spray havia uma maravilha de alta tecnologia que os próprios caras da Entorpecentes teriam invejado. Como Balazar tinha dito em mais de uma ocasião, você só consegue derrotar os filhos da puta se puder competir com eles — se tiver um equipamento comparável ao deles. Foi caro, mas o lado em que Balazar estava tinha uma vantagem: eles roubavam o que a Entorpecentes comprava pelos olhos da cara. Havia empregados de empresas eletrônicas por toda a Costa Leste dispostos a vender coisas supersecretas a preços realmente de pechincha. Esses *catzzaroni* (Jack Andolini os chamava de cheiradores do Vale do Silício) praticamente *atiravam* as coisas em você.

Sob o painel havia um interceptador de frequência, um aparelho para produzir interferência em UHF no radar da polícia, um detector de transmissões de rádio, de alta frequência e grande raio de ação, um interceptador h-r/hf; um transponder-amplificador que faria quem tentasse rastrear a van pelos procedimentos-padrão de triangulação concluir que ela se encontrava simultaneamente em Connecticut, no Harlem e no estreito de Montauk, um radiotelefone… e um pequeno botão vermelho que Andolini apertou assim que Eddie Dean saltou do veículo.

No escritório de Balazar, o intercomunicador emitiu um zumbido curto.

— São eles — disse Balazar. — Claudio, faça-os entrar. Cimi, mande todos calarem a boca. Eddie Dean deve achar que só você e Claudio estão aqui. E Cimi fica na despensa com os outros cavalheiros.

Os dois saíram, Cimi virando à esquerda, Claudio Andolini à direita. Calmamente, Balazar começou a montar outro andar de seu edifício.

3

Deixe comigo, Eddie repetiu quando Claudio abriu a porta.

Está bem, disse o pistoleiro, mas permanecendo alerta, pronto a *tomar a frente* no instante em que isso se fizesse necessário.

Barulho de chaves. O pistoleiro estava muito consciente dos odores — o suor rançoso de Col Vincent à sua direita, uma forte, quase irritante loção pós-barba de Jack Andolini à esquerda e, quando penetraram na obscuridade, o aroma ácido de cerveja.

O cheiro de cerveja foi o único que ele realmente identificou. Mas não estava num saloon arruinado com serragem no chão e um balcão de tábuas postas sobre um cavalete — o pistoleiro reconheceu que aquilo era um lugar completamente diferente do Sheb's, em Tull. O vidro brilhava suavemente por todo lado, havia mais vidro naquele único cômodo do que ele vira em todos os anos transcorridos desde sua infância, desde que as linhas de suprimento começaram a ser rompidas, em parte devido aos severos ataques levados a cabo pelas forças rebeldes de Farson, o Bom Homem, mas principalmente, ele admitiu, apenas porque o mundo estava seguindo adiante. Farson havia sido um sintoma daquele grande movimento, não a causa.

Via seu reflexo e o de Eddie por toda parte — nas paredes, no revestimento do balcão e no comprido espelho que havia atrás; viu-se refletido com Eddie, como uma miniatura torta, nos delicados copos de vinho em forma de sino que estavam pendurados de cabeça para baixo sobre o balcão... copos brilhantes e frágeis como enfeites de um festival.

Num canto havia uma artística coleção de luzes que surgiam e mudavam de cor, surgiam e mudavam de cor, surgiam e mudavam. De dourado a verde; de verde a amarelo; de amarelo a vermelho; de vermelho novamente a dourado. Escrito sobre elas em Grandes Letras havia uma palavra que conseguiu ler, mas que nada significava para ele: ROCKOLA.

Não fazia diferença. Havia uma tarefa a ser cumprida ali. Não era um turista; não devia se dar ao luxo de se comportar como se fosse, por mais estranhas ou maravilhosas que pudessem ser aquelas coisas.

O homem que os fizera entrar naquele lugar era obviamente o irmão do homem que dirigia o que Eddie chamou de van (talvez abreviatura de vanguarda, Roland pensou), embora fosse bem mais alto e talvez cinco anos mais novo. Usava um revólver num suporte preso ao ombro.

— Cadê o Henry? — perguntou Eddie. — Quero falar com o Henry. — Ergueu a voz. — Henry! *Ei, Henry!*

Nenhuma resposta; apenas o silêncio no qual os copos que pendiam sobre o balcão pareceram estremecer com uma delicadeza que estava um pouco além do alcance de um ouvido humano.

— Primeiro o sr. Balazar gostaria de falar com você.

— Ele está amarrado e amordaçado em algum lugar, não é? — perguntou Eddie e, antes que Claudio pudesse fazer mais do que abrir a boca para responder, Eddie deu uma risada. — Ou melhor, sabe o que eu acho... que vocês o drogaram, é isso. Por que se dariam o trabalho de cordas e mordaças quando tudo que têm a fazer para manter Henry quieto é dar-lhe um pico? Tudo bem. Vamos até Balazar. Melhor acabar logo com isto.

4

O pistoleiro olhou para a torre de cartas na escrivaninha de Balazar e pensou: *outro sinal.*

Balazar não ergueu a cabeça, pôde encará-lo sobre o topo da torre de cartas, que já estava no nível do seu olhar. Foi uma expressão de prazer e entusiasmo.

— Eddie — disse ele. — Que bom ver você, meu filho. Soube que teve problemas no Kennedy.

— Não sou seu filho — disse Eddie secamente.

Balazar fez um pequeno gesto ao mesmo tempo cômico, triste e indigno de confiança: *Você me magoa, Eddie*, o gesto dizia, *me magoa quando fala desse jeito.*

— Vamos direto ao ponto — disse Eddie. — Você sabe que das duas uma: ou estou a serviço dos federais ou eles tiveram de me soltar. Você sabe que não iriam tirar nada de mim em apenas duas horas. E sabe que se tivessem conseguido isso eu estaria agora na rua 43, respondendo a perguntas entre ocasionais intervalos para vomitar em um balde.

— Você *está* a serviço dos federais, Eddie? — perguntou Balazar num tom suave.

— Não. Eles tiveram de me soltar. Estão me seguindo, mas não estou no jogo deles.

— Então conseguiu se livrar da minha mercadoria — disse Balazar. — É incrível. Tem de me contar como a pessoa pode se livrar de um quilo de cocaína quando está num avião. Seria uma informação útil para ter sempre à mão. É como desvendar uma história de mistério sobre um quarto trancado.

— Não me livrei da mercadoria — disse Eddie —, mas ela não está mais comigo.

— Então com quem está? — perguntou Claudio, mas logo ficou vermelho quando o irmão olhou-o com implacável ferocidade.

— Com *ele* — disse Eddie, sorrindo e apontando para Enrico Balazar sobre a torre de cartas. — Já foi entregue.

Pela primeira vez desde que Eddie fora escoltado até o escritório, uma genuína emoção iluminou o rosto de Balazar: surpresa. Mas ela logo desapareceu. Balazar sorriu polidamente.

— Entendo — disse ele. — A mercadoria foi para um lugar que será revelado mais tarde, depois que tiver recuperado seu irmão, suas coisas e se mandado. Para a Islândia, talvez. É assim que vai acontecer?

— Não — disse Eddie. — Você não entende. A mercadoria está *aqui*. Foi entregue bem na sua porta. Exatamente como combinamos. Porque mesmo nos dias de hoje há gente que acredita em cumprir o acordo que foi originalmente combinado. É incrível, eu sei, mas é verdade.

Todos o encaravam.

Como estou me saindo, Roland?, perguntou Eddie.

Acho que está se saindo muito bem. Mas não deixe esse tal de Balazar recuperar a pose, Eddie. *Acho que ele é perigoso.*

Você acha, é? Bem, superei você nesse ponto, meu amigo. Eu sei que ele é perigoso. Perigoso pra caralho.

Tornou a olhar para Balazar e deu-lhe uma rápida piscadela.

— É por isso que agora *você* é quem tem de estar preocupado com os federais, não eu. Se eles chegarem aqui com um mandado de busca, vai descobrir que se fodeu sem nem abrir as pernas, sr. Balazar.

Balazar pegara duas cartas. Suas mãos tremeram e ele as pousou. Foi muito rápido, mas Roland percebeu e Eddie também. Uma expressão de dúvida — talvez até de certo medo — apareceu e sumiu do rosto de Balazar.

— Olhe como fala comigo, Eddie. Cuidado com as palavras que usa e por favor não esqueça que meu tempo e minha tolerância para bobagens são curtos.

Jack Andolini pareceu alarmado.

— Eddie fez um acordo com eles, sr. Balazar! Esse merdinha entregou a cocaína e eles a plantaram aqui enquanto fingiam continuar o interrogatório!

— Ninguém esteve aqui — disse Balazar. — Ninguém conseguiria chegar perto daqui, Jack, você sabe disso. Os bipes disparam quando uma pomba solta um peido no telhado.

— Mas…

— Mesmo que tivessem conseguido armar alguma contra a gente, tenho muitas pessoas na organização deles e em três dias poderíamos acabar com qualquer caso. Saberíamos quem, quando e como.

Balazar tornou a olhar para Eddie.

— Eddie — disse —, você tem quinze segundos para falar como homem. Depois disso vou chamar Cimi Dretto, que vai te machucar. E depois de machucar *você* por um tempo, o Cimi vai sair, e de um cômodo próximo você vai ouvi-lo machucar o seu irmão.

Eddie se retesou.

Calma, murmurou o pistoleiro, e pensou: *Tudo que Balazar precisa fazer para atingi-lo é dizer o nome do irmão. É como cutucar uma ferida aberta com um pedaço de pau.*

— Vou entrar no seu banheiro — disse Eddie, apontando para uma porta no canto esquerdo da sala, uma porta tão discreta que poderia ser confundida com um dos painéis da parede. — Vou entrar sozinho lá. Depois vou voltar com meio quilo da cocaína. Metade da remessa. Você faz o teste. Então você traz o Henry aqui para que eu dê uma olhada nele. Depois que eu o vir, depois que souber que está bem, você vai dar a ele nossas drogas e ele vai para casa com um dos seus cavalheiros. Enquanto isso acontece, eu e… — *Roland*, quase dissera — … eu e o resto dos caras que nós dois sabemos que você tem aqui ficamos vendo você construir essa armação das cartas. Quando Henry estiver seguro em casa… o que significa não haver mais ninguém por lá apontando um revólver para a cara dele… Henry vai me ligar e dizer uma certa palavra. Uma coisa que combinamos antes da minha partida. Para alguma eventualidade.

O pistoleiro examinou a mente de Eddie para saber se aquilo era mesmo verdade. Era verdade, ou pelo menos Eddie achava que sim. Roland viu que Eddie realmente acreditava que o seu irmão Henry preferiria morrer a revelar que palavra era aquela e para que servia. O pistoleiro não tinha tanta certeza.

— Você deve achar que eu ainda acredito no Papai Noel — disse Balazar.

— Sei que não acredita.

— Claudio, reviste-o. Jack, vá até o meu banheiro e reviste *tudo* lá. Tudo.

— Há algum *esconderijo* que eu ainda desconheça? — perguntou Andolini.

Balazar hesitou um instante, esquadrinhando cuidadosamente Andolini com seus olhos castanho-escuros.

— Há um pequeno painel no fundo do armário de remédios — disse ele. — Guardo umas coisas pessoais lá dentro. Não é grande o bastante para meio quilo de coca, mas talvez seja bom dar uma checada.

Jack deu meia-volta e, quando entrou no pequeno reservado, o pistoleiro viu de relance a mesma luminosidade branca, glacial, que iluminava o reservado da carruagem aérea. Então a porta se fechou.

Os olhos de Balazar se voltaram para Eddie.

— Por que insiste com estas mentiras insanas? — perguntou, quase num tom de pesar. — Achei que você fosse mais esperto.

— Olhe para o meu rosto — disse Eddie calmamente — e me diga se não estou dizendo a verdade.

Balazar fez o que Eddie pediu. Observou-o demoradamente. Por fim virou para o lado, as mãos enfiadas tão fundo nos bolsos que o rego de sua bunda de camponês apareceu um pouco. Era uma postura de pesar — pesar por um filho desgarrado —, mas antes de ele se virar Roland viu uma expressão no rosto de Balazar que não era de pesar. O que Balazar tinha visto na cara de Eddie não o deixara pesaroso, mas profundamente perturbado.

— Tire a roupa — disse Claudio, apontando agora o revólver para Eddie.

Eddie começou a tirar a roupa.

5

Não estou gostando disto, pensou Balazar enquanto esperava Jack Andolini sair do banheiro. Estava assustado. De repente começara a suar não apenas debaixo dos braços ou no meio das pernas — lugares onde suava mesmo no auge do inverno, naqueles dias mais frios que a lâmina congelada de uma faca —, mas por todo o corpo. Eddie viajara como um viciado comum — um viciado *esperto*, mas ainda assim viciado, alguém que podia ser puxado para qualquer parte pelo anzol em seu saco — e voltara parecendo... parecendo o quê? Parecendo que havia crescido, *mudado*.

É como se alguém tivesse despejado coragem dentro dele.

Sim. Era isso. E a droga. A porra da droga. Jack revirava o banheiro e Claudio revistava Eddie com toda a ferocidade de um guarda penitenciário sádico; Eddie permanecia com um ar impassível, um ar que Balazar jamais teria acreditado possível ver em Eddie ou em qualquer outro usuário de drogas. Claudio cuspiu quatro vezes na palma da mão esquerda, esfregou a saliva grudenta por toda a mão direita e enfiou-a no cu de Eddie até o pulso e alguns centímetros a mais.

Não havia droga naquele banheiro, não havia droga do lado de fora ou de dentro do corpo de Eddie. Não havia droga nas roupas de Eddie, na jaqueta ou na mala. Então não passava de um blefe.

Olhe para o meu rosto e me diga se não estou dizendo a verdade.

E ele olhou. E o que viu foi perturbador. Viu que Eddie Dean estava perfeitamente confiante: pretendia mesmo entrar no banheiro e voltar com metade da mercadoria.

O próprio Balazar quase acreditou nisto.

Claudio Andolini puxou o braço de volta. Seus dedos saíram do cu de Eddie Dean dando uma espécie de estalo. A boca de Claudio se contorceu como uma vara de pescar cheia de nós.

— Anda logo, Jack, fiquei com a merda deste viciado na mão! — gritou Claudio, furioso.

— Se eu soubesse que você ia investigar lá dentro, Claudio, teria limpado meu cu com um pé de cadeira da última vez que caguei — disse Eddie, tranquilo. — Sua mão teria saído mais limpa e eu não estaria parado aqui me sentindo como se tivesse sido enrabado por um touro.

— *Jack*!

— Vá até a cozinha e se limpe lá — disse Balazar em voz baixa. — Eu e Eddie não temos razão para machucarmos um ao outro. Temos, Eddie?

— Não — disse Eddie.

— Sem dúvida ele está limpo — disse Claudio. — Bem, limpo pode não ser a palavra certa. O que eu quis dizer é que não está carregando nada. Disso você pode ter certeza. — Saiu levando a mão suja na frente do corpo como um peixe morto.

Eddie olhou calmamente para Balazar, que estava pensando de novo em Harry Houdini, Blackstone, Doug Henning e David Copperfield. As pessoas diziam que números de mágica estavam tão ultrapassados quanto os vaudevilles, mas Henning era uma celebridade e o tal do Copperfield eletrizara a plateia quando Balazar assistiu a sua apresentação em Atlantic City. Balazar adorava os mágicos desde a primeira vez que vira um, numa esquina de rua, fazendo truques com cartas por alguns trocados. E qual era a providência que os mágicos sempre tomavam antes de fazer alguma coisa aparecer — algo que faria o público primeiro se surpreender e depois aplaudir? O que faziam era convidar alguém da plateia para verificar se o lugar de onde o coelho, a pomba, a moça de seios nus ou fosse lá o que fosse ia sair estava ou não completamente vazio. Mais do que isso, para verificar se não haveria um meio de colocar algo lá dentro.

Acho que talvez ele tenha conseguido. Não sei como e não me importa saber. A única coisa que sei com certeza é que não estou gostando nada disto, nem um pouco.

6

George Biondi também tinha algo de que não estava gostando. E também duvidava de que Eddie Dean fosse gostar muito daquilo.

George tinha bastante certeza de que, em algum momento depois de Cimi entrar na sala do contador e diminuir as luzes, Henry havia morrido. Morrido em paz, sem barulho, sem alvoroço, sem dar trabalho. Simplesmente flutuara para outro lugar como uma semente levada pela brisa. George achava que aquilo devia ter acontecido mais ou menos quando Claudio foi até a cozinha para tirar a merda da mão.

— Henry? — murmurou George no ouvido dele. Colocou a boca tão perto que era como beijar o ouvido de uma garota num cinema, o que sugeria uma coisa tremendamente obscena, em especial se considerarmos que o sujeito estava provavelmente morto — parecia narcofobia ou seja lá como se chama —, mas George tinha de saber, e a parede entre aquela sala e a de Balazar era fina.

— Qual é o problema, George? — perguntou Tricks Postino.

— Cale a boca — disse Cimi. O tom foi como o ronco baixo de um caminhão em marcha lenta.

Os dois se calaram.

George enfiou a mão pela camisa de Henry. Ah, aquilo estava ficando cada vez pior. A imagem de estar com uma garota num cinema não saía da sua cabeça. Agora estava lá, sentindo o corpo dela, só que não era *ela* mas *ele*, isso não era apenas narcofobia, era narcofobia de *viado*, e o peito magricela de viciado de Henry não estava se movendo para cima e para baixo e não havia nada dentro dele fazendo *tum-tum-tum*. Para Henry Dean estava tudo acabado, para Henry Dean o último tempo do jogo terminara. Não havia nada batendo além do seu relógio.

George se moveu para a pungente atmosfera de velha Sicília de alho e azeite de oliva que cercava Cimi Dretto.

— Acho que podemos ter um problema — sussurrou.

7

Jack saiu do banheiro.

— Não há droga aqui dentro — disse e seus olhos avaliaram Eddie. — E se estava pensando na janela, pode esquecer. Há um gradeado reforçado de aço.

— Não estava pensando na janela e a droga está lá — disse Eddie calmamente. — O problema é que você não sabe procurar.

— Desculpe, sr. Balazar — disse Andolini —, mas acho que este patife está indo um pouco longe demais.

Balazar examinou Eddie como se nem tivesse ouvido Andolini. Estava absorto demais em seus pensamentos.

Pensava em mágicos tirando coelhos de cartolas.

Você manda alguém da plateia ver se a cartola está vazia. E qual é a outra coisa que sempre acontece? É que ninguém olha com atenção dentro da cartola a não ser o mágico, é claro. E o que o moleque tinha dito? *Vou entrar no seu banheiro. Vou entrar sozinho lá.*

Como se faz um truque de mágica era uma coisa que geralmente Balazar não teria vontade de saber; saber estragava a diversão.

Geralmente.

Aquele, no entanto, era um truque que ele não *via a hora* de estragar.

— Está bem — disse a Eddie. — Se a coisa está lá, vá buscá-la. Mas do jeito que está. De bunda de fora.

— Está bem — disse Eddie, e começou a se dirigir para a porta do banheiro.

— Mas não sozinho — falou Balazar. Eddie parou na mesma hora, o corpo se enrijecendo como se Balazar tivesse atirado nele com um arpão invisível. Isso agradou Balazar. Pela primeira vez algo não estava saindo conforme os planos do moleque.

— Jack vai com você.

— Não — disse Eddie de imediato. — Não foi isso o que…

— Eddie — disse Balazar em voz baixa —, não me diga não. É uma coisa que nunca se faz.

8

Está tudo bem, disse o pistoleiro. *Deixe ele vir.*

Mas… mas…

Mal conseguindo manter o controle, Eddie estava quase movendo os lábios. Não se tratava apenas da súbita mudança de regras que Balazar impunha, mas de sua persistente preocupação com Henry e do que, aos poucos, ia se sobrepondo a qualquer outra coisa: a necessidade de uma dose.

Deixe ele vir. Vai ficar tudo bem. Preste atenção…

Eddie prestou.

9

Balazar o observava. Um homem magro e nu com apenas uma leve postura de peito cavado típica de um viciado e a cabeça inclinada para o lado. Ao observá-lo, Balazar sentiu um pouco de sua autoconfiança se evaporar. Era como se o garoto estivesse ouvindo uma voz que apenas ele podia escutar.

O mesmo pensamento passou pela cabeça de Andolini, mas de uma forma diferente: *O que é isso? Ele parece atento como o cachorro daqueles velhos discos da RCA Victor!*

Col tentara lhe dizer alguma coisa sobre os olhos de Eddie. Jack Andolini se arrependeu de não ter prestado atenção.

Vacilada na cabeça, cagada na mão, pensou.

Então, se Eddie estava ouvindo vozes dentro da cabeça, de repente elas deviam ter parado de falar, porque ele deixou de prestar atenção.

— Tudo bem — disse Eddie. — Vamos lá, Jack. Vou lhe mostrar a Oitava Maravilha do Mundo. — Exibiu um sorriso de que Jack Andolini e Enrico Balazar não gostaram nem um pouco.

— É mesmo? — Andolini tirou um revólver do coldre tipo bolsa que usava de um lado das costas, preso no cinto. — Será que vou ficar mesmo espantado?

O sorriso de Eddie ficou maior.

— Ah, vai. Acho que isso vai deixá-lo inteiramente fora de órbita.

10

Andolini seguiu Eddie até o banheiro. Mantinha o revólver apontado porque seus nervos estavam à flor da pele.

— Feche a porta — disse Eddie.

— Vá se foder — respondeu Andolini.

— Feche a porta ou nada de coca — disse Eddie.

— Vá se foder — Andolini repetiu. Já um pouco assustado, sentindo que alguma coisa estava acontecendo, algo que não compreendia. Andolini parecia mais inteligente do que parecera na van.

— Ele não quer fechar a porta — Eddie gritou para Balazar. — Acho que vou mesmo desistir de negociar, sr. Balazar. Provavelmente você está com seis capangas aqui, cada um com uns quatro revólveres, e vocês dois continuam com medo de deixar um garoto se trancar no banheiro. E um garoto *viciado*.

— Feche a porra da porta, Jack! — gritou Balazar.

— Ótimo — disse Eddie quando Jack Andolini bateu a porta atrás dele. — Vou ver se você é um homem ou um covar…

— Ah, nossa, será que já não deu desta merda? — disse Andolini para ninguém em particular. Levantou o revólver, com o cano para a frente, pretendendo enfiá-lo na boca de Eddie.

Então ficou paralisado, com o revólver parado no ar, o espanto transformando o rosnado que se formara nos dentes num frouxo arregalar de boca. Ele vira o que Col Vincent tinha visto na van.

Os olhos de Eddie passando do castanho ao azul.

— *Agora agarre-o*! — disse uma voz baixa de comando, que embora saísse da boca de Eddie, não era a voz de Eddie.

Pirou de vez, pensou Jack Andolini. *Ele pirou de vez, mergulhou de vez na porra da pira...*

Mas o pensamento foi interrompido quando as mãos de Eddie agarraram os seus ombros, porque quando isso aconteceu Andolini viu um buraco aparecer cerca de um metro atrás de Eddie.

Não, não um buraco. As dimensões eram perfeitas demais.

Era uma *porta*.

— Ave-Maria cheia de graça — disse Jack num gemido baixo. Através da passagem que se abria quase meio metro sobre o piso na frente do chuveiro particular de Balazar, pôde ver uma praia de areia escura descendo para a arrebentação das ondas. Coisas se moviam nessa praia. *Coisas*.

Ele baixou o revólver e o movimento que pretendera quebrar todos os dentes da frente de Eddie com o cano não fez mais do que raspar nos lábios dele e deixar um pequeno corte. Estava perdendo todas as forças. Jack podia *sentir* isso acontecendo.

— *Avisei* que ia ficar fora de órbita, Jack — disse Eddie, e puxou-o. Jack percebeu o que Eddie pretendia fazer no último momento e começou a resistir como um gato selvagem, mas era tarde demais — estavam rolando para trás através daquela passagem e o ronco abafado da cidade de Nova York à noite, tão familiar e constante que a pessoa nem chega mais a perceber, a não ser que ele silencie, foi substituído pelo barulho forte das ondas e as vozes ásperas, interrogadoras, dos horrores sombrios que rastejavam de um lado para o outro na praia.

11

Temos de ir muito depressa ou estamos assados, dissera Roland, e Eddie tinha absoluta certeza de que o cara queria dizer que se não agissem o mais perto possível da velocidade da luz, estariam fritos em azeite fervente. Ele também acreditava nisso. Em matéria de bandido, Jack Andolini era como Dwight Gooden: você podia sacudi-lo, talvez pudesse lhe dar uma porrada, mas se o deixasse sair vivo do primeiro tempo, ele acabaria com você depois.

Mão esquerda!, gritou Roland para si mesmo enquanto eles atravessavam e ele se separava de Eddie. *Não esqueça! Mão esquerda! Mão esquerda!*

Viu Eddie e Jack tropeçarem, caírem e rolarem pela encosta forrada de seixos que seguia o contorno da praia, Eddie lutando para tirar o revólver da mão de Andolini.

Roland mal teve tempo de pensar que piada cósmica seria voltar a seu próprio mundo e descobrir que seu corpo físico morrera enquanto estivera fora... Era tarde demais. Tarde demais para pensar nisso, tarde demais para voltar atrás.

12

Andolini não sabia o que tinha acontecido. Parte dele tinha certeza de que enlouquecera, parte jurava que Eddie o havia drogado, jogado algum gás na sua cara ou coisa do gênero, parte acreditava que o vingativo Deus de sua infância finalmente se cansara de suas maldades, o extirpara do mundo que ele conhecia e o colocara naquele estranho purgatório.

Então viu a porta, que permanecia aberta, derramando um feixe de luz branca — a luz do banheiro de Balazar — sobre o solo rochoso e compreendeu que era possível voltar. Acima de tudo, Andolini era um homem prático. Podia se preocupar mais tarde com o que tudo aquilo significava. Por enquanto pretendia matar aquele escroto e voltar por aquela porta.

A força que o abandonara durante o momento de surpresa fluía de volta. Percebeu que Eddie estava tentando tirar-lhe a pequena mas muito eficiente Colt Cobra da mão, e quase havia conseguido. Jack puxou-a de volta com um palavrão, tentando apontar, mas Eddie agarrou-o de imediato pelo braço.

Andolini acertou um joelho no músculo principal da coxa direita de Eddie (a cara gabardine da calça social de Andolini estava agora incrustada com a suja areia cinzenta da praia) e Eddie gritou quando o músculo se contraiu.

— *Roland!* — gritou ele. — *Me ajude! Pelo amor de Deus, me ajude!*

Andolini se virou bruscamente para o lado e o que viu tornou a fazê-lo perder o equilíbrio. Havia um sujeito parado ali... só que parecia ser mais um fantasma do que uma pessoa. E não exatamente Gasparzinho, o Fantasminha Camarada. O rosto abatido, pálido, daquele vulto oscilante tinha a barba por fazer. A camisa estava em farrapos, que esvoaçavam como fitas contorcidas, mostrando o contorno cavado das costelas. Tinha um trapo sujo enrolado na mão direita. Parecia doente, doente ou moribundo, mas ainda assim suficientemente forte para fazer Andolini se sentir como um ovo cozido de gema mole.

E o palhaço tinha um par de revólveres.

As armas pareciam mais velhas do que as montanhas, velhas o bastante para terem saído de um museu do Velho Oeste... mas ainda assim continuavam sendo revólveres, talvez até ainda atirassem, e Andolini de repente percebeu que precisaria lidar agora mesmo com o homem de cara pálida... a não ser que ele *fosse* realmente um fantasma e, nesse caso, não teria porra nenhuma a ser feita, portanto não fazia sentido se preocupar com isso.

Andolini se livrou de Eddie e rolou para a direita, quase nem sentindo a ponta da pedra que rasgava seu paletó esporte de quinhentos dólares. No mesmo instante, o pistoleiro puxou um revólver com a mão esquerda e o saque foi como sempre fora, doente ou saudável, desperto ou ainda meio adormecido: mais rápido do que o risco azul de um relâmpago de verão.

Estou perdido, pensou Andolini, cheio de mórbida fascinação. *Meu Deus, nunca vi ninguém mais rápido do que ele! Estou perdido, Santa Maria Mãe de Deus, ele vai acabar comigo, vai...*

O homem com a camisa rasgada puxou o gatilho do revólver em sua mão esquerda e Jack Andolini achou — realmente achou — que estava morto. Então percebeu que fora apenas um clique seco, não um disparo.

Falhou.

Sorrindo, Andolini ficou de joelhos e ergueu a própria arma.

— Não sei quem é você, mas pode dar adeus à vida, fantasma de merda — disse ele.

13

Eddie se levantou, tremendo, o corpo nu coberto de pele arrepiada. Viu Roland sacar o revólver, ouviu o clique seco que devia ter sido um tiro, viu Andolini ficar de joelhos, ouviu-o dizer alguma coisa e, antes mesmo que pudesse compreender o que estava fazendo, sua mão encontrou um áspero pedaço de rocha. Arrancou-o do solo arenoso e atirou-o com toda a força que tinha.

A pedra atingiu Andolini bem atrás da cabeça e ricocheteou. O sangue jorrou de uma fenda irregular que surgiu no couro cabeludo de Jack Andolini. O capanga atirou, mas a bala que certamente teria matado o pistoleiro se extraviou.

14

Não exatamente se extraviou, o pistoleiro poderia ter dito a Eddie. *Quando se sente o sopro da bala no rosto, não dá para se dizer que ela se extraviou.*

Com o polegar, o pistoleiro fez o cão da arma recuar e puxou novamente o gatilho, ao mesmo tempo que se esquivava do tiro de Andolini. Dessa vez a bala no tambor detonou — o estampido seco e decidido ecoando de uma ponta à outra da praia. Gaivotas adormecidas nas pedras, bem acima das lagostrosidades, despertaram e alçaram voo em bandos estridentes, sobressaltados.

A bala do pistoleiro teria detido Andolini para sempre, apesar de seu coice involuntário, mas naquele momento Andolini já estava em movimento, caindo para o lado, atordoado com o baque na cabeça. O estampido do revólver pareceu distante, mas a bala precisa que mergulhou em seu braço esquerdo, estraçalhando o cotovelo, foi bastante real. Ela despertou Andolini de seu torpor e ele ficou de pé, um braço quebrado e inútil, o revólver disparando freneticamente em sua outra mão, procurando por um alvo.

Foi Eddie quem ele viu primeiro, Eddie, o viciado, Eddie que de alguma forma o levara para aquele lugar maluco. Eddie estava parado na sua frente, nu como no dia em que viera ao mundo, tremendo no vento cortante, agarrando o corpo com os dois braços. Bem, talvez ele morresse ali, mas pelo menos teria o prazer de levar consigo aquele escroto do Eddie Dean.

Andolini apontou o revólver. O pequeno Cobra agora parecia estar pesando uns dez quilos, mas ele conseguiu.

15

É bom que essa não falhe de novo, Roland pensou sombriamente, e de novo o polegar fez o cão recuar. Sob a gritaria das gaivotas, ouviu o clique lubrificado e suave quando o tambor girou.

16

Não falhou.

17

O pistoleiro não apontara para a cabeça de Andolini, mas para o revólver na sua mão. Não sabia se ainda iriam precisar daquele homem, talvez precisassem; era alguém importante para Balazar, e como Balazar provara ser tão perigoso quanto Roland pensara que ele era, a melhor opção era a mais segura.

A pontaria tinha sido boa, o que não era surpresa; surpresa foi o que aconteceu ao revólver de Andolini e ao próprio Andolini. Roland vira isso antes, mas apenas duas vezes em todos os seus anos de vida tinha visto homens atirarem simultaneamente um no outro.

A sorte não estava do seu lado, camarada, pensou o pistoleiro quando Andolini cambaleou para a praia, gritando. O sangue escorria por sua camisa e sua calça. A mão que estivera segurando o Colt Cobra estava perdida do meio da palma para baixo. O revólver virara um pedaço inútil de metal retorcido caído na areia.

Eddie olhou para ele, atônito. Ninguém mais julgaria errado a expressão troglodita do rosto de Jack Andolini, pois ele já não tinha rosto; onde antes havia um rosto agora estava um pedaço de carne exposta e o imenso buraco escuro de sua boca.

— Meu Deus, o que houve?

— Minha bala deve ter atingido o tambor do revólver de Andolini no segundo exato em que ele puxou o gatilho — disse o pistoleiro. Falou com a frieza de um professor dando uma aula de balística numa academia de polícia. — O resultado foi uma explosão que arrebentou o cabo do revólver dele. E imagino que umas duas ou três balas que estavam no tambor devem ter explodido.

— Acabe com ele — disse Eddie, tremendo mais do que nunca, e agora não era apenas a combinação de friagem da noite, brisa marinha e corpo nu que causava aquilo. — Acabe de matar. Tire o homem dessa agonia, pelo amor de Deus...

— Tarde demais — disse o pistoleiro com um tom de tamanha indiferença que a carne de Eddie gelou até os ossos.

E Eddie virou o rosto tarde demais para evitar assistir às lagostrosidades avançarem para os pés de Andolini e rasgarem seus mocassins da Gucci... com os pés ainda dentro, é claro. Gritando, sacudindo freneticamente os braços, Andolini caiu para a frente. As lagostrosidades avançaram num enxame sobre ele, sem parar de questioná-lo ansiosamente durante todo o tempo em que o comiam vivo: *Dad-a-chack? Did-a-chick? Dum-a-chum? Dod-a-chock?*

— Meu Deus — gemeu Eddie. — O que fazemos agora?

— Agora pegue exatamente a quantidade de

(*pó-do-diabo*, disse o pistoleiro; *cocaína*, Eddie ouviu)

que prometeu dar ao tal de Balazar — disse Roland —, nem mais nem menos. E vamos voltar. — Olhou fundo nos olhos de Eddie. — Só que desta vez tenho de voltar com você. Como eu mesmo.

— Meu Deus do céu — disse Eddie. — Você consegue fazer isso? — E respondeu de imediato à sua própria pergunta. — Claro que consegue. Mas por quê?

— Porque você não vai conseguir cuidar disto sozinho — disse Roland. — Venha cá.

Eddie se virou para trás e viu, na areia, o monte retorcido das criaturas com garras. Nunca tivera muita simpatia por Jack Andolini, mas mesmo assim sentiu um aperto no estômago.

— Venha cá — repetiu Roland impaciente. — Temos pouco tempo e não gosto nem um pouco do que vou ter de fazer agora. É algo que nunca fiz. Nunca achei que *fosse* fazer. — Sua boca se contorceu amargamente. — Bem, já estou me acostumando a fazer coisas estranhas.

Eddie se aproximou devagar do vulto esquálido. Sentia as pernas cada vez mais fracas e sua pele nua brilhava esbranquiçada na escuridão daquele mundo. *Exatamente quem é você, Roland?*, ele pensou. *O que você é? E esse calor que eu sinto emanando de você… é apenas febre? Ou alguma espécie de loucura? Acho que pode ser ambas as coisas.*

Meu Deus, ele precisava de uma dose. Pior: ele *merecia* uma dose.

— Nunca fez o quê antes? — perguntou. — Do que está falando?

— Pegue — disse Roland, fazendo um gesto para seu revólver mais antigo, no lado direito da cintura; não exatamente apontando para o revólver, não havia dedo *com* que apontar, apenas um coto volumoso, enrolado num pedaço de pano. — É inútil para mim. Pelo menos agora, e talvez seja para sempre.

— Eu… — Eddie engoliu em seco. — Não quero pegar nisso.

— Também não queria que você pegasse — disse o pistoleiro com uma curiosa delicadeza —, mas sinto que nenhum de nós dois tem alternativa. Vai haver tiroteio.

— Vai?

— Vai. — O pistoleiro olhou serenamente para Eddie. — Bastante tiroteio, eu acho.

18

Balazar estava ficando cada vez mais nervoso. Tempo demais. Estavam lá dentro havia muito tempo e tudo parecia silencioso demais. À distância, talvez no edifício vizinho, pôde ouvir pessoas gritando umas com as outras e duas fortes detonações que pareciam fogos de artifício… Mas quando se está no ramo de Balazar, fogos de artifício não são a primeira coisa em que o sujeito pensa.

Um grito. Fora um grito?

Não importa. Você não tem nada a ver com o que está acontecendo no prédio vizinho. Está virando uma velha.

Mesmo assim, os indícios não eram bons. Nada bons.

— Jack? — gritou para a porta fechada do banheiro.

Não houve resposta.

Balazar abriu a primeira gaveta à esquerda da escrivaninha e pegou o revólver. Não era um Colt Cobra, suficientemente compacto para se ajustar num coldre vertical; era uma Magnum .357.

— Cimi! — gritou. — Quero você aqui!

Fechou com força a gaveta. A torre de cartas caiu fazendo um barulho suave, suspirante. Balazar nem percebeu.

Cimi Dretto, com todos os seus cento e dez quilos, encheu a porta. Quando viu que o Patrão havia pegado o revólver na gaveta, tirou imediatamente o seu de debaixo de seu paletó xadrez, um paletó tão berrante que poderia causar queimaduras na retina de quem cometesse o erro de olhá-lo por muito tempo.

— Quero Claudio e Tricks — disse Balazar. — Traga-os depressa. O garoto está aprontando alguma.

— Temos um problema — disse Cimi.

Os olhos de Balazar se desviaram da porta do banheiro para Cimi.

— Ah, já temos muitos problemas — disse ele. — Qual é o próximo, Cimi?

Cimi lambeu os lábios. Não gostava de dar más notícias ao Patrão, mesmo nas melhores circunstâncias, quem dirá numa...

— Bem — continuou ele, e lambeu novamente os lábios. — O senhor sabe...

— *Quer contar logo essa porra?* — gritou Balazar.

19

O cabo com madeira de sândalo do revólver era tão liso que o primeiro ato de Eddie depois de segurá-lo foi quase deixá-lo cair no chão. A coisa era tão grande que parecia pré-histórica, tão pesada que ele achou que teria de apontar com as duas mãos. *O coice*, pensou, *é capaz de me arremessar em cheio contra a parede mais próxima. Isto é, se é que vai chegar a detonar*. Havia no entanto uma parte dele que queria ter o revólver, que reagia à finalidade perfeitamente expressa daquele objeto, que pressentia seu vago e sangrento histórico e queria ser parte dele.

Só os melhores atiradores tiveram esta coisinha nas mãos, pensou Eddie. *Pelo menos até agora.*

— Está pronto? — perguntou Roland.

— Não, mas vamos lá — disse Eddie.

Ele agarrou o pulso esquerdo de Roland com a mão esquerda. Roland passou o braço direito latejante em volta dos ombros nus de Eddie.

Retornaram juntos pela porta, saindo da escuridão cheia de vento da praia no mundo decadente de Roland para o frio clarão fluorescente do banheiro particular de Balazar no Nossa Torre Inclinada.

Eddie piscou, ajustando os olhos à luz, e ouviu Cimi Dretto no cômodo ao lado. "Temos um problema", Cimi dizia. *Não temos todos?*, pensou Eddie, e nesse momento seus olhos se fixaram no armário de remédios de Balazar. Fora deixado aberto. Em sua mente, ouviu Balazar mandando Jack revistar o banheiro e ouviu Andolini perguntar se havia algum lugar lá dentro que ele ainda não conhecesse. Balazar demorara um pouco para responder. *Há um pequeno painel no fundo do armário de remédios*, dissera ele. *Guardo umas coisas pessoais lá dentro.*

Andolini puxara o painel de metal mas se esquecera de fechá-lo.

— Roland! — sibilou Eddie.

Roland levantou o revólver e apertou o cano contra os lábios num gesto pedindo silêncio. Eddie avançava sem fazer barulho para o armário de remédios.

Algumas coisas pessoais: havia um frasco com supositórios, o exemplar de uma revista de impressão antiga chamada *Brincadeira de Criança* (a capa retratava duas meninas de uns oito anos nuas, envolvidas num ardente beijo na boca) e oito ou dez amostras grátis de Keflex. Eddie conhecia o Keflex. Viciados, sempre propensos a infecções, generalizadas ou localizadas, costumavam conhecer.

Keflex era um antibiótico.

— Ah, já temos muitos problemas — estava dizendo Balazar. Parecia tenso. — Qual é o próximo, Cimi?

Se isso não resolver o que há de errado com Roland, nada resolverá, pensou Eddie. Começou a agarrar as embalagens de remédio, disposto a enfiá-las nos bolsos. Quando percebeu que não *tinha* bolsos, deixou escapar um suspiro forte que talvez tivesse a intenção de ser uma risada.

Começou a descarregar as caixas de remédio na pia. Pretendia pegá-las depois… se houvesse um depois.

— Bem — Cimi estava dizendo —, o senhor sabe…

— *Quer contar logo essa porra?* — Balazar gritou.

— É o irmão mais velho do moleque — disse Cimi, e Eddie ficou imóvel segurando as duas últimas embalagens de Keflex. Inclinou a cabeça. Ficou mais parecido do que nunca com o cachorro dos velhos discos da RCA Victor.

— O que tem ele? — perguntou Balazar num tom impaciente.

— Ele morreu — disse Cimi.

Eddie jogou o Keflex na pia e se virou para Roland.

— Mataram meu irmão.

20

Balazar estava abrindo a boca para mandar que Cimi não se preocupasse com um monte de merda quando havia coisas mais importantes acontecendo (como a sensação, que não o largava, de que o moleque ia fodê-lo, com Andolini ou sem Andolini) quando ouviu Eddie tão nitidamente quanto Eddie, sem a menor dúvida, ouvira a ele e Cimi.

— Mataram meu irmão — disse o garoto.

Então Balazar não se importou mais com a sua mercadoria, com as perguntas não respondidas ou com qualquer outra coisa. Queria apenas dar um fim naquela situação antes que ela pudesse se tornar ainda mais estranha.

— *Mate-o, Jack* — gritou ele.

Não houve resposta. Então ele ouviu o moleque repetir:

— Mataram meu irmão. Mataram o Henry.

Balazar de repente soube — *soube* — que não era com Jack que o garoto estava falando.

— Traga todos os cavalheiros — disse a Cimi. — Todos eles. Vamos enfiar uma bala no cu dele. Quando estiver morto, vamos levá-lo até a cozinha e eu mesmo vou cortar a cabeça dele.

21

— Mataram meu irmão — dizia o prisioneiro. O pistoleiro não falava nada. Apenas observava e pensava: *Os frascos. Na pia. É o que eu preciso ou o que ele acha que preciso. Os remédios. Não esqueça. Não esqueça.*

Do outro cômodo:

— *Mate-o, Jack!*

Nem Eddie nem o pistoleiro deram a menor importância àquilo.

— Mataram meu irmão. Mataram o Henry.

No outro cômodo, Balazar estava agora falando sobre ficar com a cabeça de Eddie como troféu. O pistoleiro sentiu um estranho conforto nisso: ao que parecia, nem tudo naquele mundo era diferente do seu.

O tal de Cimi começou a gritar asperamente pelos outros. Houve um nada cavalheiresco estrondo de pés correndo.

— Quer tomar alguma providência ou vai só ficar parado aqui? — perguntou Roland.

— Ah, quero tomar uma providência — disse Eddie, erguendo o revólver que o pistoleiro lhe dera. Embora momentos atrás tivesse achado que ia precisar das duas mãos para manejar a arma, descobriu que tinha facilidade em fazer isso.

— E qual é a providência que pretende tomar? — perguntou Roland, e sua voz pareceu distante aos próprios ouvidos. Estava doente, ardendo em febre, mas o que surgia agora dentro de si era o início de uma febre diferente, uma febre que lhe era demasiado familiar. A febre que o dominara em Tull. O calor da batalha, turvando todo o pensamento, deixando apenas a necessidade de parar de pensar e começar a disparar.

— Ir para a guerra — respondeu Eddie Dean calmamente.

— Acho que não sabe do que está falando — disse Roland —, mas vai descobrir. Quando atravessarmos a porta, vá para a direita. Eu preciso ir para a esquerda. Minha mão.

Eddie assentiu. Eles foram para a guerra.

22

Balazar tinha esperado Eddie, Andolini ou os dois. Não contava com Eddie e um sujeito completamente estranho, um homem alto com um cabelo meio grisalho, meio preto e um rosto que parecia ter sido esculpido em pedra dura por algum deus selvagem. Por um momento não soube muito bem para onde atirar.

Cimi, contudo, não teve essa questão. O Patrão estava furioso com Eddie. Portanto acertaria primeiro Eddie e depois se preocuparia com o outro *catzarro*. Cimi se virou para Eddie e puxou o gatilho da pistola automática três vezes. As balas saltaram e brilharam no ar. Eddie viu o grandalhão se virar e se jogou rapidamente no chão, gritando como um garoto num concurso de dança disco, um garoto tão agitado que nem percebia que deixara todo o seu traje de John Travolta, incluindo a cueca, para trás; foi com o pênis balançando e os joelhos despidos esquentando e chegando a abrasar com a fricção. Buracos surgiram num papel de parede que lembrava troncos de pinheiros e fragmentos dele choveram em seus ombros e cabelo.

Não me deixe morrer pelado e precisando de uma dose, meu Deus, pediu ele, sabendo que tal prece era mais do que uma blasfêmia; era um absurdo total. Contudo, era incapaz de parar. *Vou morrer, mas por favor, só me deixe usar mais uma vez...*

O revólver na mão esquerda do pistoleiro disparou. Na praia aberta o tiro tinha feito barulho; ali dentro foi ensurdecedor.

— *Meu Deus!* — gritou Cimi Dretto num tom estrangulado, esbaforido. Era incrível que ainda tivesse forças para gritar. De repente ficara com o peito cavado, como se fosse um barril atingido por uma marreta. A camisa branca começou a ficar cheia de manchas vermelhas, como se papoulas estivessem florescendo sobre ela. — *Ai, meu Deus! Ai, meu Deus! Ai, meu...*

Claudio Andolini empurrou-o da sua frente. Cimi caiu com um baque. Duas das fotos emolduradas na parede de Balazar caíram no chão e a que mostrava o Patrão passando o troféu Desportista do Ano a um sorridente rapaz num banquete da Liga Atlética Policial havia acertado a cabeça de Cimi. Cacos de vidro caíram em seus ombros.

— *Ai, meu Deus* — ele sussurrou com uma vozinha que ia sumindo e o sangue começou a espumar de seus lábios.

Claudio fora seguido por Tricks e um dos homens que ficara esperando na despensa. Claudio tinha uma arma automática em cada mão; o cara da despensa tinha uma pistola Remington de cano tão curto que parecia um revólver com inchaço de caxumba; Tricks Postino carregava o que chamava A Maravilhosa Máquina de Rambo: uma metralhadora de assalto, uma M-16, de fogo rápido.

— Cadê meu irmão, seu viciado de merda? — gritou Claudio. — O que fez com o Jack? — Não devia estar muito interessado numa resposta, pois começou a atirar com ambas as armas enquanto gritava. *Estou morto*, pensou Eddie, e então Roland tornou a atirar. Claudio Andolini foi impelido para trás numa nuvem do próprio sangue. As armas automáticas, voando de suas mãos e deslizando pela escrivaninha de Balazar, bateram no carpete entre um esvoaçar de cartas de baralho. A maioria das tripas de Claudio atingiu a parede um segundo antes de Claudio emparelhar com elas.

— *Peguem!* — gritava Balazar. — *Peguem o fantasma! O moleque não é perigoso! Não passa de um viciado de bunda de fora! Peguem o fantasma! Acabem com ele!*

Ele próprio puxou duas vezes o gatilho da .357. A Magnum era quase tão barulhenta quanto o revólver de Roland. Não fez buracos simétricos na parede onde Roland se agachava; as balas produziram enormes rombos no compensado, de ambos os lados da cabeça de Roland. A luz esbranquiçada do banheiro brilhava através dos buracos em feixes irregulares.

Roland puxou o gatilho de seu revólver. Apenas um clique seco.

Falhou.

— *Eddie!* — gritou o pistoleiro, e Eddie apontou seu próprio revólver e puxou o gatilho.

O estrondo foi tão alto que, por um momento, Eddie achou que o revólver havia explodido em sua mão, como acontecera com Jack. O coice não o arremessou contra a parede, mas fez o braço executar um arco intenso que mexeu com todos os seus tendões.

Viu parte do ombro de Balazar se desintegrar num borrifo vermelho, ouviu Balazar dar um guincho como um gato ferido, e gritou:

— *O viciado não é perigoso, foi o que você falou? Foi isso, seu escroto do caralho? Quis se meter comigo e com meu irmão? Vou te mostrar quem é perigoso! Vou te mostrar…*

Houve um estrondo de granada quando o sujeito da despensa usou a pistola. Eddie rolou enquanto a detonação abria uma centena de pequenos buracos nas paredes e na porta do banheiro. Sua pele nua ficou chamuscada em várias partes e sem dúvida, se o sujeito estivesse mais perto, onde o ângulo de saída do explosivo era mais estreito, teria sido pulverizado.

Porra, já estou morto de qualquer maneira, pensou, observando o cara da despensa soltando o tambor da Remington, enchendo-o de nova munição e ajeitando melhor a arma no antebraço. Estava sorrindo. Tinha dentes muito amarelos — Eddie achava que devia fazer um bom tempo que não viam uma escova de dentes.

Meu Deus, vou ser morto por um escroto de dentes amarelos e sequer sei o nome dele, pensou Eddie sombriamente. *Mas pelo menos meti uma bala em Balazar. Pelo menos fiz isso*. Não sabia se Roland teria outra bala. Não conseguia lembrar.

— Peguei ele! — gritou Tricks Postino, animado. — Me dá espaço, Dario! — E antes que o homem chamado Dario pudesse lhe dar mais espaço ou qualquer coisa que fosse, Tricks abriu fogo com A Maravilhosa Máquina de Rambo. O pesado estrondo da metralhadora encheu a sala de Balazar. O primeiro resultado dessa barragem foi que ela salvou a vida de Eddie Dean. Dario tinha feito pontaria com a pistola, mas antes que pudesse puxar o gatilho duplo da arma, Tricks o cortou ao meio.

— *Pare com isso, seu idiota!* — gritou Balazar.

Mas Tricks nem ouvia, nem parava, nem *queria* parar. Os lábios se contorceram deixando os dentes, cheios de saliva, brilhando num enorme sorriso de tubarão. Os tiros varreram a sala de uma ponta à outra, reduzindo duas seções da parede a pó, transformando fotos emolduradas em nuvens de cacos de vidro, arrancando a porta do banheiro das dobradiças. O vidro fumê do boxe de Balazar explodiu. O troféu Os Melhores da Noite que Balazar ganhara no ano anterior soou como um sino quando uma bala passou por ele.

Nos filmes, as pessoas realmente matam as outras com armas leves de fogo rápido. Na vida real, isso quase nunca acontece. Quando acontece é com as primeiras quatro ou cinco balas disparadas (como o infeliz Dario poderia ter dito, se tivesse continuado capaz de dizer alguma coisa). Depois das primeiras quatro ou cinco balas, duas coisas acontecem a um homem — mesmo a um homem bastante forte — tentando controlar o equipamento.

A boca da arma começa a se levantar e o atirador começa a se desviar para a direita ou para a esquerda, dependendo do infeliz ombro que resolveu presentear com o coice da arma. Em suma, apenas um imbecil ou astro do cinema tentaria usar uma arma dessa forma; seria como tentar matar alguém com uma britadeira.

Por um momento, Eddie ficou incapaz de qualquer reação mais construtiva do que contemplar aquele perfeito prodígio de estupidez. Então viu outros homens se amontoando na porta atrás de Tricks e apontou o revólver de Roland.

— *Peguei ele!* — gritava Tricks com a histeria exultante de alguém que vira filmes demais para conseguir distinguir entre o que o roteiro em sua cabeça dizia que devia estar acontecendo e o que estava de fato acontecendo. — *Peguei! Eu peguei ele! Pe...*

Eddie puxou o gatilho e pulverizou Tricks das sobrancelhas para cima. A julgar pelo comportamento do homem, não tinha grande coisa ali.

Meu Deus, quando essas coisas realmente disparam, fazem buracos pra valer, pensou Eddie.

Um alto KA-BLAM veio da esquerda de Eddie. Algo tinha aberto um buraco quente em seu subdesenvolvido bíceps esquerdo. Viu Balazar apontando o Mag para ele atrás da quina da mesa repleta de cartas. Seu ombro era uma gotejante massa vermelha. Eddie se abaixou quando o Magnum disparou de novo.

23

Conseguindo se manter agachado, Roland mirou no primeiro dos novos homens que atravessavam a porta e apertou o gatilho. Tinha puxado o cilindro, descarregado no carpete os cartuchos usados e os imprestáveis e abastecido a arma com nova munição. Fizera tudo com os dentes. Balazar conseguira enquadrar Eddie. *Se este tiro falhar, acho que nós dois já éramos.*

Não falhou. O revólver detonou, deu o coice em sua mão e Jimmy Haspio girou para o lado, seu .45 caindo dos dedos que perdiam a vida.

Roland viu o outro homem recuar num mergulho e começar a rastejar pelos estilhaços de madeira e vidro que forravam o chão. Colocou o revólver de volta no coldre. A ideia de tornar a recarregá-lo com dois dedos direitos perdidos era impensável.

Eddie estava se saindo bem. *Principalmente*, pensou o pistoleiro, *levando--se em conta o fato de estar lutando nu. Era coisa difícil para um homem. Às vezes impossível.*

O pistoleiro agarrou uma das pistolas automáticas que Claudio Andolini deixara cair.

— *O que o resto de vocês está esperando?* — gritou Balazar. — *Meu Deus!* Acabem *com esses dois!*

O grandão George Biondi e o outro homem que viera da despensa investiram pela porta. O outro berrava alguma coisa em italiano.

Roland rastejou para a quina da mesa. Eddie se levantou, apontando para a porta e para os homens que entravam. *Ele sabe que Balazar está lá, esperando, mas acha que é o único de nós dois que ainda tem uma arma*, pensou Roland. *Aqui está mais um pronto para morrer por você, Roland. O que um dia você fez de tão errado para inspirar tão terrível lealdade em tantos?*

Balazar se levantou, sem perceber que o pistoleiro estava agora do seu lado. Balazar só pensava numa coisa: dar um fim no maldito viciado que havia causado toda aquela tragédia.

— Não — disse o pistoleiro, e Balazar olhou para o lado, a surpresa estampada no rosto.

— Vá se fo... — começou Balazar, apontando o Magnum. O pistoleiro atirou quatro vezes com a arma automática de Claudio. Era uma coisinha barata, não muito melhor do que um brinquedo, e tocá-la fez sua mão se sentir suja, mas talvez fosse adequado matar um homem desprezível com uma arma desprezível.

Enrico Balazar morreu com uma expressão de espanto infinito no que sobrou do seu rosto.

— Ei, George! — disse Eddie, puxando o gatilho do revólver do pistoleiro. Aquele gostoso estrondo escapou novamente. *Nada enguiçado nesta belezura*, pensou Eddie freneticamente. *Acho que devo ter ficado com a boa.* George conseguiu dar um tiro antes que a bala de Eddie o atirasse para trás, como bola de boliche, na direção de um Balazar que gritava (George, no entanto, não acertaria o alvo). Uma sensação irracional mas extremamente poderosa assaltara Eddie: a ideia de que o revólver de Roland possuía alguma força de talismã, algum poder mágico de proteção. Enquanto o conservasse, não poderia ser ferido.

Tudo ficou então silencioso, um silêncio em que tudo que Eddie escutou foi o homem gemendo debaixo do George Grandão (quando caiu sobre Rudy Vechhio, que era o nome de seu desafortunado companheiro, George havia fraturado três de suas costelas) e um forte zumbido nos ouvidos. Não sabia se voltaria a ouvir direito. A orgia de tiros, que agora parecia concluída, fazia o mais barulhento show de rock assistido por Eddie lembrar um rádio ligado a duas quadras de distância.

O escritório de Balazar não se parecia mais em nada com uma sala. A antiga função já não podia mais ser vista. Eddie olhou em volta com os olhos arregalados, curiosos, de um homem muito jovem que via aquele tipo de coisa pela primeira vez, mas Roland conhecia esse olhar e o olhar era sempre o mesmo. Quer se tratasse de um campo aberto de batalha onde milhares tinham morrido por obra de canhões, rifles, espadas e alabardas, ou de uma pequena sala onde cinco ou seis tinham se baleado entre si, era o mesmo lugar, no fundo sempre o mesmo lugar: outro campo da morte, fedendo a pólvora e a carne crua.

Da parede entre o banheiro e o escritório só haviam sobrado algumas escoras. Vidro quebrado cintilava por toda parte. Painéis do teto, que haviam sido retalhados pela vistosa mas inútil exibição pirotécnica da M-16 de Tricks Postino, pendiam como pedaços de pele solta.

Eddie deixou escapar uma tosse seca. Agora conseguia ouvir outros sons — um murmúrio nervoso de conversa, vozes gritando na frente do bar e, à distância, o trinado de sirenes.

— Quantos? — perguntou o pistoleiro a Eddie. — Será que demos conta de todos eles?

— Acho que sim…

— Tenho uma coisa para você, Eddie — disse Kevin Blake do corredor. — Achei que poderia querê-la, como um suvenir, sabe como é? — O que Balazar não fora capaz de fazer ao Dean mais moço, Kevin fizera ao mais velho. Ele atirou a cabeça degolada de Henry Dean pela porta.

Eddie viu o que era e gritou. Correu para a porta, alheio aos estilhaços de vidro e madeira que entravam nos pés descalços, gritando, atirando, detonando as últimas balas utilizáveis do grande revólver que tinha em mãos.

— *Não, Eddie!* — gritou Roland, mas Eddie não ouviu. Estava além das possibilidades da audição.

O sexto tiro foi falho, mas naquele momento Eddie só tinha consciência do fato de Henry estar morto, *Henry*, tinham cortado a sua cabeça, algum miserável filho da puta tinha cortado a *cabeça* de Henry e esse filho da puta ia *pagar*, ah sim, pode apostar nisso.

E assim ele correra para a porta, puxando repetidamente o gatilho, sem perceber que nada mais estava acontecendo, sem perceber que os pés estavam vermelhos de sangue e que Kevin Blake permanecia no corredor à sua espera, bem agachado, com um Llama .38 automático na mão. O cabelo ruivo de Kevin caía em cachos e anéis e Kevin sorria.

24

Ele vai estar abaixado, pensou o pistoleiro, sabendo que precisaria de sorte para acertar aquele alvo com um brinquedinho indigno de confiança, mesmo se sua avaliação estivesse certa.

Quando percebeu que a provocação do soldado de Balazar ia tirar Eddie do sério, Roland ficou de joelhos e firmou a mão esquerda no punho direito, ignorando austeramente a pontada intensa de dor que escapou quando ele fez isso. Só teria uma chance. A dor não importava.

Então o homem de cabelo vermelho pisou no umbral da porta, sorrindo, e, como sempre, o cérebro de Roland não precisou trabalhar. O olho viu, a mão atirou e de repente a cabeça ruiva estava caída contra a parede do corredor com os olhos abertos e com um pequeno buraco azul na testa. Eddie estava parado na frente do homem, soluçando e gritando, apertando inutilmente o gatilho do grande revólver com cabo de madeira de sândalo, apertando uma vez atrás da outra, como se fosse preciso continuar matando o homem ruivo.

O pistoleiro esperou pelo fogo cruzado que cortaria Eddie ao meio e, quando isso não ocorreu, soube que tudo estava acabado. Se havia outros soldados, eles já tinham fugido.

Ficou em pé com dificuldade, cambaleante, e avançou devagar para onde estava Eddie Dean.

— Pare — disse.

Eddie o ignorou e continuou clicando o gatilho do grande revólver de Roland apontado para o homem morto.

— Pare com isso, Eddie, ele já morreu. Todos morreram. Seus pés estão sangrando.

Eddie o ignorou e continuou puxando o gatilho do revólver. O burburinho nervoso de vozes lá fora estava perto. As sirenes também.

O pistoleiro estendeu a mão para o revólver e tentou puxá-lo. Eddie resistiu e, antes que Roland pudesse realmente entender o que estava acontecendo, Eddie usou o revólver para acertá-lo do lado da cabeça. Roland sentiu uma golfada quente de sangue e bateu com força na parede. Lutou para se manter de pé — precisavam sair rapidamente de lá. Pôde, no entanto, apesar de toda a sua força de vontade, sentir que começava a escorregar pela parede e então o mundo sumiu por alguns momentos num redemoinho cinza.

25

Apagou no máximo por uns dois minutos. Depois conseguiu fazer com que as coisas voltassem a entrar em foco e se levantou. Eddie não estava mais no corredor. O revólver estava caído no peito do cadáver de cabelo ruivo. O pistoleiro se abaixou, lutando contra uma onda de tontura, pegou o revólver e deixou-o cair no coldre com um movimento canhestro, enviesado.

Quero meus malditos dedos de volta, pensou, exausto, e suspirou.

Tentou recuar para o que sobrara da sala, mas o máximo que conseguiu fazer foi dar um passo trôpego. Parou, tornou a se abaixar e pegou o punhado de roupas de Eddie que conseguiu segurar no braço esquerdo. As pessoas que faziam alarde estavam quase lá. Roland achava que os homens que os lideravam eram provavelmente de alguma força policial, milicianos de algum chefe ou coisa parecida... mas havia sempre a possibilidade de serem mais soldados de Balazar.

— Eddie — grasnou ele. Sua garganta voltara a latejar e doía, mais até que o ponto inchado ao lado da cabeça, onde Eddie o acertara com o revólver.

Eddie não se virou. Eddie estava sentado no chão com a cabeça do irmão aninhada na barriga. O seu corpo inteiro tremia e ele chorava. O pistoleiro procurou sua porta, não achou e sentiu um desagradável aperto na barriga que era quase terror. Então se lembrou. Com os dois daquele lado, o único meio de criar a porta era fazendo contato físico com Eddie.

Estendeu a mão, mas Eddie se afastou, ainda chorando.

— Não encoste em mim — disse.

— Eddie, acabou. Todos morreram e seu irmão também está morto.

— *Deixe meu irmão fora disto!* — gritou Eddie como criança, sendo dominado por outro acesso de tremores. Agarrava a cabeça cortada de encontro ao peito e a embalava. De repente ergueu os olhos, de onde as lágrimas escorriam, para o pistoleiro. — Todas as vezes que ele tomou conta de mim, cara — disse ele, soluçando tanto que o pistoleiro mal pôde entender o que dizia. — Todas as vezes. Por que não consegui tomar conta dele, pelo menos uma vez, depois de todas as vezes em que ele cuidou de mim?

Cuidou de você, sei, Roland pensou sombriamente. *Olhe para si mesmo, sentado aí e tremendo como alguém que comeu uma maçã da árvore da febre. É, ele tomou conta de você muito bem.*

— Precisamos ir.

— Ir? — Pela primeira vez uma vaga compreensão surgiu no rosto de Eddie e foi imediatamente seguida pelo início de pânico. — Não vou a lugar nenhum. Especialmente não para aquele outro lugar, onde aqueles grandes caranguejos, ou seja lá o que for aquilo, comeram o Jack.

Alguém batia com força na porta, gritando que abrissem.

— Quer ficar aqui para explicar todos esses corpos? — perguntou o pistoleiro.

— Não me importo — disse Eddie. — Sem Henry, não importa. Nada importa.

— Talvez não tenha importância para você — disse Roland —, mas há outras pessoas envolvidas, prisioneiro.

— *Não me chame assim!* — gritou Eddie.

— *Vou chamá-lo assim até me provar que pode sair da cela onde se colocou!* — Roland gritou de volta. Gritar machucava a sua garganta, mas ele gritou do mesmo jeito. — *Solte este pedaço de carne podre e pare de choramingar!*

Eddie o encarou, o rosto úmido, os olhos arregalados e assustados.

— *É SUA ÚLTIMA CHANCE* — uma voz amplificada disse do lado de fora. Para Eddie, era estranhamente parecida com a voz de um apresentador de televisão: *CHEGOU O ESQUADRÃO DA S.W.A.T. — REPITO: CHEGOU O ESQUADRÃO DA S.W.A.T.!*

— O que tem para mim do outro lado daquela porta? — perguntou Eddie em voz baixa ao pistoleiro. — Diga-me. Se me disser, talvez eu vá com você. Mas vou saber se estiver mentindo.

— Provavelmente a morte — disse o pistoleiro. — Mas antes de encontrá-la, não acho que vá ficar entediado. Quero que se junte a mim numa jornada. Tudo, é claro, provavelmente acabará em morte... morte para nós quatro num lugar estranho. Mas se conseguirmos vencer... — Seus olhos brilharam. — Se conseguirmos vencer, Eddie, você verá uma coisa que supera todas as crenças de todos os seus sonhos.

— Que coisa?

— A Torre Negra.

— Onde fica essa Torre?

— Longe da praia onde me encontrou. Mas não sei o quão longe.

— O *que* ela é?

— Isso também não sei... só sei que talvez seja uma espécie de... de ferrolho. Um pino central que mantém tudo o que existe unido. Toda a existência, todo o tempo e todo o tamanho.

— Você falou em quatro pessoas. Quem são os outros dois?

— Não os conheço, pois ainda têm de ser escolhidos.

— Como eu fui escolhido. Ou como você gostaria de me escolher.

— Sim.

No lado de fora houve uma explosão entrecortada, como um tiro de morteiro. A vidraça da frente do Nossa Torre Inclinada foi estilhaçada. O bar começou a se encher de nuvens sufocantes de gás lacrimogêneo.

— E então? — perguntou Roland. Ele poderia agarrar Eddie, forçar o aparecimento da porta pelo contato dos dois e levá-lo contra a sua vontade para o outro lado. Mas tinha visto Eddie arriscar a vida por ele; tinha visto aquele homem, dominado pelo pavor, se comportar com toda a dignidade de alguém nascido pistoleiro, e isso apesar de Eddie estar sentindo falta da droga e de ter sido obrigado a lutar nu como no dia em que veio ao mundo; ele queria que Eddie decidisse por si mesmo.

— Jornadas, aventuras, torres, mundos a conquistar — disse Eddie, sorrindo levemente. Nenhum dos dois se virou quando novas granadas de gás lacrimogêneo voaram pelas janelas e explodiram, assobiando, no chão. As primeiras nuvens ácidas do gás estavam agora se introduzindo no escritório de Balazar. — Soa melhor do que um daqueles livros do Edgar Rice Burroughs sobre Marte que às vezes o Henry costumava ler para mim quando éramos crianças. Você só esqueceu uma coisa.

— O quê?

— As garotas bonitas de peito de fora.

— A caminho da Torre Negra — disse o pistoleiro, sorrindo — tudo é possível.

Outro tremor percorreu o corpo de Eddie. Ele ergueu a cabeça de Henry, beijou uma das faces frias, cor de cinza, e pôs a relíquia manchada de sangue cuidadosamente de lado. Ficou de pé.

— Tudo bem — disse. — Não tenho mesmo mais nada planejado para hoje à noite.

— Vista isso — disse Roland, entregando-lhe as roupas. — Ponha pelo menos os sapatos. Cortou os pés.

Na calçada do lado de fora, dois policiais usando protetores faciais de acrílico, ombreiras e coletes investiram contra a porta da frente do Nossa Torre Inclinada. No banheiro, Eddie (usando a cueca, os tênis Adidas e nada mais) passou as amostras de Keflex para Roland, uma por uma, e Roland colocou-as nos bolsos do jeans de Eddie. Quando estavam todas em segurança, Roland tornou a passar o braço direito em volta do pescoço de Eddie e Eddie tornou a agarrar a mão esquerda de Roland. De repente a porta estava lá, um retângulo de escuridão. Eddie sentiu o vento daquele outro mundo soprar da testa o seu cabelo suado. Ouviu as ondas batendo na praia pedregosa. Sentiu o gosto azedo do sal marinho. E a despeito de tudo, de toda a sua dor e tristeza, desejou de repente ver aquela Torre da qual Roland falava. Desejou muito vê-la. E com Henry morto, o que sobrara para ele no mundo do lado de cá? Seus pais haviam morrido e ele não tinha uma namorada firme desde que entrara pesado nas drogas, três anos antes — apenas uma sucessão de piranhas, viciadas e cheiradoras. Todas drogadas. Foda-se aquilo tudo.

Passaram, Eddie inclusive um pouco na frente.

Do outro lado, Eddie foi subitamente tomado por novos tremores e terríveis câibras nos músculos — os primeiros sintomas de uma privação grave de heroína. E junto a isso teve as primeiras alarmadas hesitações.

— Espere! — gritou. — Quero voltar um instante! Na mesa! Na mesa dele ou na outra sala! A heroína! Se estavam mantendo Henry drogado, deve estar lá! Heroína! Eu preciso dela! Preciso!

Olhou com ar de súplica para Roland, mas a expressão do pistoleiro estava impassível.

— Essa parte de sua vida está terminada, Eddie — disse ele, livrando a mão esquerda do aperto de Eddie.

— *Não* — gritou Eddie, agarrando-se a ele. — *Não, você não está entendendo, cara, eu preciso!* PRECISO!

Se Eddie tivesse se agarrado a uma pedra, teria dado no mesmo. O pistoleiro fechou a porta com força.

A batida fez um barulho surdo de palmas, sugerindo uma coisa definitiva, e a porta caiu para trás. Um pequeno esguicho de areia saltou de suas beiradas. Nada havia atrás da porta e agora mais nada estava escrito nela. Aquela passagem entre os mundos tinha se fechado para sempre.

— *Não!* — gritou Eddie, e as gaivotas responderam ao seu grito como se em zombaria; as lagostrosidades lhe faziam perguntas, talvez sugerindo que poderia compreendê-las um pouco melhor se chegasse um pouco mais perto. Eddie caiu de lado, chorando, tremendo e se contraindo com as cãibras.

— Sua necessidade vai passar — disse o pistoleiro, conseguindo tirar de um bolso da calça jeans de Eddie, tão parecido com os bolsos de sua própria calça, uma das amostras de remédio. Conseguiu novamente ler algumas daquelas letras, mas não todas. *Cheeflet*, parecia dizer.

Cheeflet.

Remédio daquele outro mundo.

— Mata ou cura — murmurou Roland, engolindo em seco duas cápsulas. Depois tomou as outras três asminas, deitou-se ao lado de Eddie, abraçou-o o melhor que pôde e, depois de alguns minutos difíceis, ambos dormiram.

EMBARALHADA

EMBARALHADA

O período que se seguiu àquela noite foi, para Roland, tempo que na verdade não existiu absolutamente como tempo. Ele se lembrava apenas de uma série de imagens, momentos, conversas fora de contexto; imagens lampejando como rápidos valetes, cartas de três, de nove e a Negra, Escrota e Sangrenta Rainha das Aranhas, numa rápida embaralhada digna de um trapaceiro.

Depois, ele perguntou a Eddie quanto tempo aquele período havia durado, mas Eddie também não sabia. O tempo deixara de existir para ambos. Não há tempo no inferno e cada um estava em seu inferno particular: Roland no inferno da febre e da infecção, Eddie no inferno da privação.

— Foi menos de uma semana — disse Eddie. — É só disso que eu tenho certeza.

— E como sabe?

— Você só tinha comprimidos para uma semana. Depois disso, você teria de se encarregar de uma de duas opções.

— Ficar bom ou morrer.

— Isso.

embaralhada

Há um tiro quando o crepúsculo chega à escuridão, um estampido seco invadindo o inevitável e contínuo barulho das ondas quebrando na praia desolada: KA-BLAM! Há um leve cheiro de pólvora. *Problemas*, o pistoleiro pensa vagamente, e estende a mão para revólveres que já não estão lá. *Ah não, isto é o fim, é…*

Mas não há mais tiros e alguma coisa começa a cheirar

bem na escuridão. Alguma coisa, depois de todo aquele longo tempo escuro e árido, alguma coisa está cozinhando. Não é apenas o cheiro. Ele pode ouvir o estalar e quebrar da lenha, pode ver o fraco brilho alaranjado de uma fogueira. Às vezes, quando sopra a brisa marinha, há também um perfume na fumaça além daquele cheiro de dar água na boca. *Comida*, ele pensa. *Meu Deus, será que estou com fome? Se estou com fome, talvez esteja melhorando.*

Eddie, tenta chamar, mas sua voz não existe mais. A garganta dói, dói demais. *Deveríamos ter trazido alguma* asmina, *também*, ele pensa, e tenta dar uma risada: todas as drogas para ele, nenhuma para Eddie.

Eddie aparece. Tem um prato de metal, um prato que o pistoleiro reconheceria em qualquer lugar: vem, afinal, de sua própria bolsa. Nele há pedaços fumegantes de uma carne branca e rosada.

O quê?, tenta perguntar, e a única coisa que sai de sua boca é um leve e guinchante barulho de peido.

Eddie lê o movimento de seus lábios.

— Sei lá — responde de mau humor. — Só sei que não me matou. Coma, porra.

O pistoleiro vê que Eddie está muito pálido, Eddie está tremendo. Sente um cheiro vindo de Eddie que lembra merda ou morte e percebe que Eddie está mal. Estende uma das mãos, querendo dar apoio. Eddie se afasta.

— Vou te dar comida — Eddie fala irritado. — Sei lá por que estou fazendo esta porra. Deveria te matar. Só não faço isso porque, se você conseguiu atravessar uma vez para o meu mundo, talvez consiga fazer isso de novo.

Eddie olha em volta.

— E também não te mato porque ficaria sozinho. Na companhia *delas*.

Olha para Roland e um acesso de tremores vara seu corpo — uma coisa tão intensa que ele quase deixa cair os pedaços de carne do prato de metal. Finalmente o surto passa.

— Coma, porra.

O pistoleiro come. A carne é mais do que passável; a carne é deliciosa. Consegue ingerir três pedaços e depois tudo se mistura de novo em esforço para falar, mas consegue apenas sussurrar. A orelha de Eddie está pressionada contra seus lábios, embora ela às vezes fuja quando Eddie atravessa um de seus espasmos. Torna a repetir:

— Norte. Subindo... subindo a praia.

— Como sabe?

— Apenas sei — sussurra ele.

— Você perdeu a cabeça — diz Eddie olhando para ele.

O pistoleiro sorri e começa a perder os sentidos, mas Eddie lhe dá uma bordoada, batendo com força. Os olhos azuis de Roland se abrem de supetão e por um momento parecem tão vivos e elétricos que Eddie tem uma sensação desagradável. Então os lábios dele recuam num sorriso que é praticamente um esgar.

— Certo, pode dormir — diz Eddie —, mas antes precisa tomar a sua droga. Está na hora. Pelo menos é o que diz o sol. Acho. Nunca fui escoteiro, por isso não tenho certeza. Mas acho que está perto o bastante do alto do céu. Abra bem a boca, Roland. Abra bem para o dr. Eddie, seu sequestrador do caralho.

O pistoleiro abre a boca como um bebê se aproximando do seio. Eddie coloca dois comprimidos e depois derrama água fresca lá dentro. Roland pensa que a água deve vir de algum riacho numa colina, em algum ponto a leste. Pode ser venenosa; Eddie não seria capaz de distinguir entre água suja e água potável. Por outro lado, Eddie parece bem e realmente não há alternativa, certo? Não.

O pistoleiro engole, tosse e quase se engasga enquanto Eddie o contempla com ar indiferente.

Roland estende a mão.

Eddie tenta se afastar.

Os olhos de atirador do pistoleiro tomam a frente e comandam.

Roland puxa-o para perto, tão perto que pode sentir o mau cheiro da doença de Eddie e Eddie pode sentir o mau cheiro da doença de Roland; a combinação enjoa e atrai os dois.

— Aqui temos apenas duas opções — murmura Roland. — Não sei como acontece em seu mundo, mas aqui temos apenas duas alternativas. Continuar de pé e talvez sobreviver ou morrer de joelhos, com a cabeça baixa e o próprio fedor no nariz. Não pode... — Ele deixa escapar uma tosse curta. — Não pode ser de outro jeito.

— *Quem é você?* — grita Eddie.

— Seu destino, Eddie — murmura o pistoleiro.

— Por que não vai simplesmente tomar no cu? — pergunta Eddie. O pistoleiro tenta falar, mas antes de conseguir sai flutuando como cartas

embaralhada

KA-BLAM!

Roland abre os olhos para um bilhão de estrelas girando pela escuridão, depois torna a fechá-los.

Não sabe o que está acontecendo, mas acha que tudo está bem. O baralho ainda se move, as cartas sofrem mais uma

embaralhada

Mais um pedaço de carne macio, saboroso. Ele se sente melhor. Eddie também parece melhor. Mas também parece preocupado.

— Estão chegando mais perto — diz Eddie. — Podem ser feias, mas não são completamente desprovidas de inteligência. Sabem o que tenho feito. De alguma forma sabem e não estão gostando. A cada noite chegam um pouco mais perto. Se você conseguir, talvez fosse bom sairmos daqui quando amanhecer. Ou pode ser o último amanhecer da nossa vida.

— *O quê?* — Não é exatamente um resmungo, mas alguma coisa gutural entre resmungo e verdadeira fala.

— *Elas* — diz Eddie, fazendo um gesto para a praia. — *Dad-a-chack, dum-a-chum* e essa merda toda. Acho que são como nós, Roland... querem comer, mas não muito fãs de serem comidas.

De repente, com um choque de horror, Roland percebe de onde os pedaços rosa-esbranquiçados de carne que Eddie lhe havia servido tinham vindo. Não consegue falar; a náusea lhe rouba o pouco de voz que conseguira recuperar. Mas Eddie vê em seu rosto tudo que ele quer dizer.

— O que acha que fiquei fazendo? — Eddie quase rosna. — Ligando para o disque-lagosta para entrega?

— São venenosas — sussurra Roland. — É por isso que...

— É, é por isso que você está *hors de combat*. O que estou tentando impedir, Roland, meu amigo, é que você vire também *hors d'oeuvres* dessas coisas. O veneno é relativo, cascavéis são venenosas, mas as pessoas ainda assim as comem. E cascavéis são realmente gostosas. Têm gosto de frango. Li em algum lugar. Achei que elas eram como as lagostas e resolvi tentar. Afinal, o que íamos comer? Areia? Dei um tiro numa das escrotas e cozinhei até não poder mais. Não tínhamos mais nada. E não é que elas são saborosas? Tenho atirado no início da noite, logo depois de o sol começar a se pôr. Elas começam a se mexer mesmo depois que escurece por completo. Nunca vi você dizer que não queria a carne.

Eddie sorri.

— Gosto de imaginar que peguei uma das que comeram Jack. Gosto de pensar que estou comendo aquele escroto. É um pensamento que me faz bem, entende?

— Uma delas também comeu uma parte de mim — diz o pistoleiro num tom áspero. — Dois dedos da mão, um do pé.

— Isso também é maneiro — Eddie continua sorrindo. Seu rosto, no entanto, está pálido, anguloso... Mesmo assim, um pouco daquele olhar enfermo desapareceu, e o cheiro de merda e morte que rondava em volta dele como um sudário parece estar indo embora.

— Vá se foder — chia o pistoleiro.

— Finalmente Roland mostra um lampejo de energia! — grita Eddie. — Acho que, no final das contas, você não vai morrer! Incrível! Acho isso *fantástico*!

— Viver... — diz Roland. O tom de guincho volta a se transformar num sussurro. Os anzóis estão voltando à sua garganta.

— E não vai? — Eddie o olha, depois assente e responde à própria pergunta. — Claro que vai. Acho que deseja isso. Cheguei a pensar que estava morrendo e a certa altura achei que já tinha morrido. Agora parece que vai melhorar. O antibiótico está ajudando, eu sei, mas penso que, no fundo, você está se *forçando* a se curar. Mas pra quê? Por que caralhos você continua insistindo tanto em se manter vivo nesta praia horrível?

Torre, dizem os lábios do pistoleiro, porque agora ele não consegue sequer soltar um chiado.

— Você e a porra da sua Torre — diz Eddie, começando a se afastar e depois se virando, surpreso, quando a mão de Roland agarra seu braço como uma algema.

Um encara o outro.

— Tudo bem — diz Eddie. — Tudo *bem*!

Norte, os lábios do pistoleiro tentam dizer. *Norte, já lhe disse*. Tinha dito a Eddie? Acha que sim, mas está perdido. Perdido no embaralhamento das coisas.

— Como você *sabe*? — grita Eddie em repentina frustração. Ergue os punhos como se fosse bater em Roland, mas logo os abaixa.

Simplesmente sei... então por que fica desperdiçando meu tempo e minha energia com perguntas tolas — ele quer responder, mas antes que consiga, as cartas sofrem uma nova

embaralhada

ser arrastado, batendo e esbarrando, sua cabeça pendendo indefesa de um lado para o outro, presa a uma espécie de estranho vagonete pelos cinturões de suas armas, e ele ouve Eddie Dean cantando uma música que parece tão estranhamente familiar que ele acredita ser um sonho delirante:

Hey Jude... don't make it bad... take a saaaad song... and make it better...

Onde você ouviu isso?, ele quer perguntar. *Você me ouviu cantando isso, Eddie? E onde estamos?*

Mas antes de conseguir perguntar qualquer coisa

embaralhada

Se visse essa engenhoca, Cort daria um tapa na cabeça do garoto, pensa Roland, olhando para o vagonete onde passou o dia, e ri. Não chega a ser exatamente uma risada. Soa como uma daquelas ondas desaguando a carga de pedrinhas na areia. Não sabe até onde eles chegaram, mas fora longe o bastante para Eddie estar exausto. Ele está sentado numa pedra, na luz que alonga as sombras. Tem um dos revólveres do pistoleiro no colo e um cantil com água pela metade do lado. Há um pequeno volume no bolso da camisa. São balas que estavam nos cinturões — o suprimento cada vez menor das balas "boas". Eddie as havia amarrado e as colocara no bolso. A principal razão para o suprimento das balas "boas" diminuir tão depressa é descobrirem que uma em cada quatro ou cinco estava de fato inutilizada.

Eddie, que estivera quase cochilando, agora ergue o olhar:

— Do que você está rindo? — pergunta.

O pistoleiro faz um gesto displicente com a mão e balança a cabeça. Porque percebe que está errado. Cort não bateria em Eddie por causa do vagonete, embora fosse uma coisinha estranha, tosca. Roland achava até possível que Cort resmungasse alguns elogios — elogios esses tão raros que o garoto premiado, sem saber como reagir, ficava parado de boca aberta, como um peixe tirado de uma barrica de pescador.

Os principais suportes da coisa eram dois galhos de algodoeiro de comprimento e grossura mais ou menos iguais. Uma armadilha, o pistoleiro presumiu. Havia também galhos menores que tinham sido presos nas vigas com uma mistura maluca de coisas: cinturões, restos da fita grudenta que amarrara o pó-do-diabo no peito de Eddie, até mesmo a correia de couro cru do seu chapéu de pistoleiro e os cordões dos sapatos do próprio Eddie. Sua manta estava estendida sobre os suportes.

Cort não teria batido nele, mesmo doente, Eddie não se limitara a ficar parado, amaldiçoando o próprio destino. Tinha feito *alguma coisa*. Tinha *tentado*.

E Cort poderia ter oferecido um de seus bruscos, quase rancorosos elogios porque, por mais louca que a coisa pudesse parecer, ela *funcionava*. As compridas trilhas que iam se estendendo pela praia até um ponto, nos limites da visão, onde elas pareciam se juntar, provavam isso.

— Está vendo alguma delas? — pergunta Eddie. O sol está se pondo, lançando uma faixa alaranjada pela água, e com isso o pistoleiro pode calcular que, desta vez, esteve mais de seis horas apagado. Está se sentindo mais forte. Senta-se na areia e contempla a água. Nem a praia nem a terra que corre pela encosta ocidental das montanhas se alteraram muito; vê pequenas variações da paisagem, dos detalhes (por exemplo: cerca de vinte metros à sua esquerda e a mais ou menos uns trinta da água, sob penas que esvoaçam, há uma gaivota morta, largada num pequeno monte de areia); fora isso, tudo parece estar exatamente no mesmo lugar de onde saíram.

— Não — diz o pistoleiro.

E então:

— Sim. Estou vendo uma.

Aponta. Eddie estreita os olhos e aquiesce. Quando o sol mergulha mais e a faixa alaranjada se torna mais parecida com sangue, a primeira lagostrosidade sai rolando das ondas e começa a rastejar praia acima.

Duas delas correm desajeitadas para a gaivota morta. A vencedora da disputa arremete contra a ave, rasga seu corpo e começa a encher a goela com os restos apodrecidos. *Did-a-chick?*, pergunta ela.

Dum-a-chum?, responde a vizinha. *Dod-a...*

KA-BLAM!

O revólver de Roland põe fim às perguntas de uma das criaturas. Eddie avança e agarra o animal pelas costas, mantendo um olho desconfiado na sua companheira. A outra, no entanto, não causa problemas; está ocupada com a gaivota. Eddie carrega a caça de volta. Ela ainda se contorce, erguendo e abaixando as garras, mas logo para de se mexer. A cauda desenha o seu último arco e simplesmente desaba, sem qualquer flexão para baixo. As garras de boxeador ficam pendendo.

— O jantar já vem, mestre — diz Eddie. — Pode escolher: filé de monstro rastejante ou espeto de monstro rastejante na brasa. O que preferes, mestre?

— Não entendo o que está dizendo — diz o pistoleiro.

— Claro que entende — diz Eddie. — Você só não tem o menor senso de humor. O que aconteceu com ele?

— Foi detonado entre uma guerra e outra, eu acho.

Eddie sorri com a resposta.

— Esta noite você parece um pouco mais vivo, Roland.

— Estou, eu acho.

— Bem, quem sabe amanhã não consegue andar um pouco. Digo com toda a franqueza, meu amigo, ter de arrastá-lo é uma merda do caralho.

— Vou tentar.

— Faça isso.

— Você também parece um pouco melhor — arrisca Roland. Sua voz falha nas duas últimas palavras, como a voz de um menino. *Se eu não parar logo de falar*, pensou, *talvez nunca mais consiga mais falar.*

— Acho que vou sobreviver. — Eddie oferece um olhar inexpressivo para Roland. — Mas nunca vai saber como estive perto da morte. Uma vez peguei um dos seus revólveres e encostei na cabeça. Engatilhei, fiquei um tempo assim e aí desisti. Desarmei o gatilho e devolvi a arma para o coldre. Outra noite tive uma convulsão. Acho que foi a segunda noite que passei aqui, mas não tenho certeza. — Balança a cabeça e diz alguma coisa que o pistoleiro ao mesmo tempo entende e não entende. — Agora Michigan me parece um sonho.

Embora com a voz de novo reduzida àquele murmúrio chiante e sabendo que não deveria estar falando em absoluto, o pistoleiro tem de perguntar uma coisa:

— O que o impediu de puxar o gatilho?

— Bem, estou usando a única calça que tenho — diz Eddie. — No último segundo, pensei: se puxar o gatilho e for uma daquelas balas estragadas, nunca mais vou ter coragem de repetir a coisa... Além disso, se você caga nas calças, tem de lavar de imediato ou o cheiro fica para sempre. Henry me falou isso. Disse que aprendeu no Vietnã. E como já tinha escurecido e Lester, a Lagosta, tinha saído da água, sem falar em todas as suas amiguinhas...

Mas agora o pistoleiro está rindo, rindo com vontade, embora apenas um barulhinho de cana rachada escape de sua boca. Eddie, também sorrindo um pouco, diz:

— Talvez você esteja recuperando o senso de humor que perdeu naquelas guerras. — Ele se levanta, com a intenção de ir até a encosta onde deve haver lenha para uma fogueira, calcula Roland.

— Espere — sussurra Roland, e Eddie se vira para olhá-lo. — Falando sério, por quê?

— Acho que foi porque você precisava de mim. Se eu me matasse, você ia morrer. Depois, quando estiver novamente bem, quem sabe eu reexamino as minhas opções. — Eddie olha em volta e suspira profundamente. — Pode até ter uma Disneylândia ou um parque de diversões no seu mundo, Roland, mas o que vi até agora realmente não me parece muito interessante.

Eddie começa a se afastar, para e torna a virar a cabeça para Roland. Tem uma expressão sombria, embora parte da palidez doentia tenha sumido. As tremedeiras se transformaram no máximo em tremores ocasionais.

— Às vezes você realmente não entende o que eu digo, não é?

— Não — murmura o pistoleiro. — Às vezes não.

— Então vou esclarecer. Há pessoas que precisam de pessoas que precisem delas. Você não entende isso pela simples razão de não ser uma dessas pessoas. Você me usaria e depois me atiraria no lixo como um saco de papel se fosse preciso. Deus fodeu com você, meu amigo. Você é esperto o bastante para se sentir muito mal agindo assim, e duro o bastante para fazê-lo de qualquer maneira. Não seria capaz de agir de outro modo. Se me visse caído na praia pedindo socorro, passaria sobre mim se eu estivesse entre você e sua maldita torre. Não é essa a verdade?

Roland fica em silêncio, apenas observando Eddie.

— Mas nem todo mundo é assim. Há pessoas que precisam de pessoas que precisem delas. Como a canção da Barbra Streisand. Brega, mas verdadeira. É apenas outra maneira de se viciar.

Eddie o olha fixamente.

— Mas no que diz respeito a você, está limpo, não é?

Roland o observa.

— Exceto pela sua Torre. — Eddie deixa escapar um riso breve. — Você é viciado na Torre, Roland.

— Qual foi a guerra? — Roland sussurrou.

— Que guerra?

— Aquela em que você perdeu seu senso de dignidade e objetivo na vida.

Eddie recua como se Roland tivesse estendido a mão e lhe dado um tapa.

— Vou buscar um pouco de água — ele se limita a dizer. — Fique de olho nas nojentas, que elas estão rastejando. Andamos bastante hoje, mas ainda não sei se elas se comunicam entre si.

Então Eddie se vira, mas não antes de Roland ver os últimos raios vermelhos do pôr do sol refletidos nas lágrimas em seu rosto.

Roland torna a se virar para a praia e observa. As lagostrosidades rastejam e perguntam, perguntam e rastejam, mas ambas as atividades parecem sem objetivo; elas têm alguma inteligência, mas não suficiente para passar informações a outras de sua espécie.

Deus nem sempre joga tudo na sua cara, pondera Roland. *Na maioria das vezes sim, mas nem sempre.*

Eddie volta trazendo lenha.

— E então? — pergunta Eddie. — O que acha?

— Estamos bem — chia o pistoleiro, e Eddie começa a dizer alguma coisa, mas o pistoleiro está cansado, se recosta, contempla as primeiras estrelas brotando pela esfera do céu violeta e

embaralhada

nos três dias que se seguem, o pistoleiro progride com firmeza de volta à saúde. As linhas vermelhas subindo pelos braços primeiro revertem a direção, depois desbotam, depois somem. No dia seguinte ele às vezes caminha, às vezes deixa Eddie carregá-lo. No outro dia já não precisa nem ser carregado; a cada uma ou duas horas eles apenas se sentam durante um certo tempo até que a sensação de fraqueza deixe as pernas de Roland. É durante esses períodos de repouso e nos intervalos após o jantar, mas antes de a fogueira se apagar de todo e os dois pegarem no sono, que o pistoleiro escuta as histórias sobre Henry e Eddie. Ele se lembra de perguntar o que aconteceu para que a relação entre os dois irmãos fosse tão difícil. Depois de Eddie ter começado (num tom hesitante e com aquela espécie de raiva e ressentimento que têm origem na dor profunda), o pistoleiro poderia tê-lo feito parar, poderia ter dito a ele: *Não precisa continuar, Eddie. Já entendi tudo.*

Só que isso não teria ajudado Eddie. Ele não estava falando para ajudar Henry porque Henry já estava morto. Estava falando para enterrar Henry de vez. E para se lembrar de que, embora Henry estivesse morto, ele, Eddie, não estava.

Por isso o pistoleiro ouviu e não disse nada.

O enredo era simples: Eddie acreditava que tinha roubado a vida do irmão. Henry também acreditara nisso. Henry podia ter se convencido disso por sua própria conta ou podia ter sido convencido pela mãe que, com tanta frequência, advertia Eddie sobre como os dois, ela e Henry, estavam se sacrificando por ele, para que Eddie pudesse ter o máximo de segurança possível naquela selva de cidade, para que ele pudesse ser *feliz*, isto é, ter o máximo de felicidade possível naquela selva de cidade, para que não acabasse como a pobre irmãzinha de que quase já nem se lembrava, mas que tinha sido tão bonita, que Deus a tivesse. Ela estava com os anjos, o que era sem dúvida um excelente lugar para se estar, mas a mãe não queria que Eddie fosse cedo demais para junto dos anjos, atropelado na estrada por algum maluco bêbado como acontecera com a irmã, ou esfaqueado na rua por um viciado por causa de vinte e cinco centavos. Como a mãe não achava que *Eddie* quisesse ir para perto dos anjos tão cedo, era melhor que ele ouvisse o que seu irmão mais velho dizia e fizesse o que seu irmão mais velho mandasse, nunca esquecendo que Henry estava se sacrificando por amor.

Eddie disse ao pistoleiro que duvidava de que sua mãe soubesse de algumas coisas que eles fizeram: afanar livros de histórias em quadrinhos do quiosque de doces na Rincon Avenue ou fumar atrás da fábrica na rua Cohoes.

Certa vez viram um Chevrolet com a chave na ignição e embora Henry mal soubesse dirigir — ele estava com dezesseis anos, e Eddie com oito —, empurrou o irmão mais novo para o carro e disse que iam para o centro de Nova York. Eddie estava assustado, chorando, e Henry, além de assustado, estava furioso com Eddie, mandando que calasse a boca, mandando que parasse de ser uma porra de um bebê. Ele tinha dez dólares e Eddie três ou quatro; poderiam passar o dia inteiro num cinema, depois pegar um trem e estar de volta antes que a mãe tivesse tempo de pôr o jantar na mesa e ficar preocupada com a demora dos dois. Mas Eddie continuava chorando e perto da Ponte do Queensboro eles viram um carro de polícia numa rua lateral. Embora Eddie tivesse certeza de que o policial na viatura nem estava olhando para o lado deles, respondeu que *sim* quando Henry perguntou num tom rouco, tremido, se Eddie achava que o policial os vira. Henry ficou branco e deu tamanha arrancada que quase destruiu um hidrante de incêndio. Desceu a quadra correndo enquanto Eddie, agora em pânico, ainda lutava com a complicada maçaneta da porta. Henry parou, virou para o lado e mandou Eddie saltar do carro. Ele também saltou e esbofeteou duas vezes o irmão. Então andaram — se *esgueiraram*, na verdade — todo o caminho de volta para o Brooklyn. Isso lhes tomou quase todo o resto do dia e, quando a mãe perguntou por que estavam tão agitados, suados e exaustos, Henry disse que tinha passado praticamente o dia inteiro ensinando Eddie a rebater na quadra de basquete do outro lado do quarteirão. Então uns valentões chegaram e eles precisaram correr. A mãe deu um beijo em Henry e sorriu para Eddie. Perguntou a Eddie se ele não tinha o melhor irmão mais velho do mundo. Eddie concordou. E foi uma afirmação sincera. Achava que tinha.

— Ele ficou tão assustado quanto eu naquele dia — disse Eddie a Roland, os dois sentados a ver o resto do dia minguar sobre o mar, onde logo a única luz seria o brilho refletido das estrelas. — Para falar a verdade, ficou até mais assustado, porque achou que o policial tinha nos visto, e eu sabia que não tinha. Foi por isso que Henry começou a correr. Mas ele voltou. Essa é a parte importante. *Ele voltou.*

Roland não disse nada.

— Você entende isso, não é? — Eddie olhava para Roland com um olhar duro, indagador.

— Entendo.

— Ele estava sempre assustado, mas sempre voltava.

Roland achou que teria sido melhor para Eddie e, quem sabe, a longo prazo melhor para os dois, se Henry tivesse continuado a fugir naquele dia… ou num outro dia que fosse. Mas gente como Henry nunca faz isso. Gente como Henry sempre volta, porque gente como Henry sabe usar a confiança dos outros. Era a única coisa que gente como Henry realmente *sabia* usar. Primeiro transformavam a confiança dos outros em carência, depois transformavam a carência numa droga e, uma vez feito isso, eles — qual era mesmo a palavra que Eddie usava? — *empurravam*. Sim. Eles empurravam.

— Acho que vou dormir — disse o pistoleiro.

No dia seguinte, Eddie continuou, mas Roland já conhecia a história. Henry não praticara esportes no colégio porque não podia ficar até mais tarde para participar dos treinos. Henry tinha de tomar conta de Eddie. O fato de Henry ser muito magro, ter pouca coordenação e sequer ser muito ligado em esportes nada tinha a ver com isso, lógico; Henry teria dado um *incrível* lançador no beisebol ou um daqueles ases de basquete, assegurara a mãe várias vezes. As notas de Henry eram ruins e ele teve de repetir um certo número de matérias — mas não porque Henry fosse burro; tanto Eddie quanto a sra. Dean sabiam que Henry era inteligente como ninguém. Mas Henry tinha de passar o tempo que devia dedicar ao estudo ou aos deveres de casa tomando conta de Eddie (o fato de a tomada de conta geralmente ocorrer na sala da sra. Dean, com os dois garotos esparramados no sofá vendo televisão ou lutando no chão parecia não ter importância). Como resultado das notas ruins, Henry só passou para a Universidade de Nova York e não pôde se dar ao luxo de frequentá-la porque as notas ruins excluíram qualquer possibilidade de conseguir uma bolsa de estudos. Então Henry ficou à deriva e acabou no Vietnã. Lá perdeu a maior parte do joelho e, para ajudá-lo a suportar a dor, que foi muito intensa, lhe deram uma droga com uma forte base de morfina. Quando ele ficou melhor, pararam de lhe dar a droga, só que não fizeram um trabalho muito bom, pois ao voltar a Nova York Henry ainda carregava um vício nas costas, um vício faminto esperando para ser alimentado. E um mês ou dois depois ele foi se encontrar com um homem, e assim, cerca de quatro meses mais tarde, menos de um mês depois da morte da mãe, Eddie viu pela primeira vez o irmão cheirando um pozinho branco em cima de um espelho. Eddie achou que fosse coca. Na realidade era heroína. E se você examinasse bem as coisas, de quem era a culpa?

Roland não disse nada, mas ouviu a voz de Cort em sua mente: *a culpa está sempre no mesmo lugar, minhas lindas crianças: com quem é fraco o bastante para levar a culpa.*

Quando descobriu a verdade, Eddie ficou primeiro chocado, depois furioso. Henry não reagira prometendo parar de cheirar, mas dizendo a Eddie que entendia ele estar furioso; o Vietnã transformara Henry num merda inútil, ele era fraco, ia embora, era o melhor a ser feito, Eddie estava certo, a última coisa de que ele precisava era um irmão viciado por perto, estragando tudo. Só esperava que Eddie não o julgasse com demasiada severidade. Tinha se tornado um fraco, admitia; alguma coisa no Vietnã o transformara num fraco, fizera-o apodrecer do mesmo modo como a umidade fazia apodrecerem os cordões dos tênis e o elástico das cuecas. Havia também alguma coisa no Vietnã que fazia apodrecer o próprio coração, Henry disse a ele, chorando. Só esperava que Eddie se lembrasse de todos os anos em que tinha tentado ser forte.

Por Eddie.

Pela mamãe.

Então Henry tentou ir embora. E Eddie, lógico, não deixou que isso acontecesse. Eddie estava consumido de culpa. Eddie vira o horror da cicatriz onde antigamente havia uma perna sem qualquer marca, vira um joelho que era agora mais Teflon do que osso. Tiveram uma terrível discussão no corredor, Henry parado com uma velha calça cáqui e a mochila pronta numa das mãos e olheiras roxas sob os olhos, Eddie usando apenas um short de malha amarela, Henry dizendo você não precisa de mim rondando por aqui, Eddie, sou um veneno para você e sei disso, e Eddie gritando volte, você não vai a parte alguma, entre agora mesmo, e foi assim até a sra. McGursky sair do apartamento dela e gritar: *Vá ou fique, isso não é da minha conta, mas é melhor resolverem bem rápido o que vai fazer ou vou chamar a polícia*. A sra. McGursky parecia pronta a reclamar mais, porém nesse momento reparou que Eddie estava só de calção. *E você está indecente, Eddie Dean!*, comentou antes de sumir bruscamente atrás da porta. Foi como ver um boneco saltar ao contrário numa caixa de surpresas. Eddie olhou para Henry. Henry olhou para Eddie. *Parece um anjo com alguns quilos a mais*, disse Henry em voz baixa, e então começaram a uivar de rir. Apoiaram-se um no outro, bateram nas costas um do outro, Henry voltou a entrar e, daí a umas duas semanas, Eddie também estava cheirando e já não conseguia entender por que diabo tinha feito uma confusão tão grande em torno daquilo; afinal era apenas uma *cheirada*, porra, te dava uma onda e, como Henry (em quem Eddie eventualmente passaria de pensar como sendo o tremendo sábio e viciado de primeira) dizia, num mundo em que tudo está indo pro inferno, qual era o problema de ficar chapado?

O tempo passou. Eddie não disse quanto tempo. O pistoleiro não perguntou. Achou que Eddie tinha percebido que havia mil desculpas para ficar chapado, mas nenhum motivo, e que mantivera o seu vício bastante sob controle. Também achava que no início Henry devia ter conseguido manter o *dele* sob controle. Já não tão bem quanto Eddie, mas num nível ainda capaz de impedi-lo de se perder por completo. E tivesse Eddie visto ou não a verdade (e lá no fundo Roland achava que Eddie vira), Henry certamente percebera: as posições dos dois tinham se invertido. Agora era Eddie quem segurava a mão de Henry na hora de atravessar a rua.

Chegou o dia em que Eddie pegou Henry não cheirando, mas se injetando. Houve outra discussão histérica, uma repetição quase exata da primeira, com a única diferença de ter ocorrido no quarto de Henry. Acabou quase exatamente da mesma maneira, com Henry chorando e repetindo aquela implacável, inatacável defesa de quem admitia extrema rendição e fazia extrema admissão de culpa: Eddie estava certo, ele era um desajustado na vida, não merecia nem comer o lixo da sarjeta. Iria embora. Eddie jamais precisaria vê-lo outra vez. Só esperava que não esquecesse todas as...

E a coisa foi virando um sussurro monótono não muito diferente do som pedregoso das ondas quebrando na praia. Roland já conhecia a história e ficou calado. Era *Eddie* quem não conhecia a história, o mesmo Eddie que, naquele momento, pela primeira vez em dez anos ou mais, estava vendo as coisas com clareza. Eddie não estava contando a história para Roland; Eddie estava finalmente contando a história para si mesmo.

E tudo bem. Pelo que o pistoleiro via, tempo era algo que eles tinham de sobra. Conversar era um meio de preenchê-lo.

Eddie disse que vivera assombrado pelo joelho de Henry, pela cicatriz que repuxava de cima a baixo o tecido da perna (sem dúvida já curada de todo, Henry praticamente nem mancava... a não ser quando discutia com Eddie; aí a coisa parecia sempre estar pior). Eddie vivera assombrado por todas as coisas de que Henry tinha desistido por causa dele e assombrado por algo ainda mais pragmático: Henry não sobreviveria na rua. Seria como um coelho solto numa selva repleta de tigres. Sem ninguém para cuidar dele, Henry acabaria na cadeia ou numa clínica psiquiátrica em menos de uma semana.

Então, naquela segunda briga, Eddie implorou para que o irmão ficasse e Henry finalmente consentiu em ficar em casa. Seis meses depois, Eddie também já havia começado a se picar. Desse momento em diante, as coisas tinham começado a se mover na firme e inevitável espiral descendente que levara à viagem para as Bahamas e à súbita entrada de Roland na vida de Eddie.

Outro homem, menos pragmático e mais introspectivo do que Roland, poderia ter perguntado (para si mesmo, se não em voz alta): *Por que ele? Por que começar com esse homem? Por que alguém que só parece revelar fraqueza, esquisitice ou completo fracasso?*

O pistoleiro nunca fez a pergunta; na realidade, jamais chegou sequer a formulá-la mentalmente. Cuthbert teria perguntado; Cuthbert questionava tudo. Cuthbert se envenenara de perguntas, morrera com uma na boca; agora todos eles não existiam mais, todos. Os últimos pistoleiros de Cort, os treze sobreviventes de uma turma que se iniciara com cinquenta e seis, estavam todos mortos. Todos com exceção de Roland. Ele era o último pistoleiro, avançando decidido num mundo que ficara estagnado, estéril e vazio.

Treze, lembrava-se do comentário de Cort na véspera das Cerimônias de Conclusão. *Esse é um número maligno*. E no dia seguinte, pela primeira vez em trinta anos, Cort não estivera presente nas Cerimônias. Então sua última safra de alunos foi até seu chalé para se ajoelhar a seus pés, curvar os pescoços num gesto indefeso, se levantar, receber o beijo de congratulações, ver Cort pôr a primeira munição em seus revólveres. Nove semanas depois, Cort estava morto. Envenenado, disseram alguns. Dois anos após a morte dele, a derradeira e sangrenta guerra civil havia começado. A carnificina alcançara o último bastião da civilização, da luz, da sanidade, liquidando, com a distraída facilidade de uma onda que destrói o castelo de areia de uma criança, tudo que as pessoas julgavam haver de mais sólido.

Então ele era o último pistoleiro e talvez tivesse sobrevivido pelo fato de o romantismo sombrio ter se misturado em seu temperamento ao espírito prático e à simplicidade. Compreendia que apenas três coisas importavam: a mortalidade, o ka e a Torre.

O que já era mais que o suficiente para alimentar o pensamento.

Eddie terminou a história por volta das quatro da tarde, no terceiro dia da jornada dos dois para o norte, subindo a praia desolada. A praia em si nunca parecia mudar. Para notar algum sinal de avanço era preciso olhar para a esquerda, para o leste. Ali os picos denteados das montanhas começavam a ficar um pouco mais rasos e suaves. Talvez, se continuassem seguindo para o norte, as montanhas se transformassem em meras colinas. Tendo contado a sua história, Eddie ficou em silêncio, e assim os dois andaram por meia hora ou mais. De vez em quando Eddie olhava de relance para o outro. Roland sabia que Eddie não tinha consciência de estar fazendo isso; ele continuava absorto demais em si mesmo. Roland também sabia o que Eddie estava esperando: uma resposta. Algum tipo de resposta. *Qualquer* tipo. Duas vezes Eddie abriu a boca, mas logo voltou a fechá-la. Finalmente perguntou aquilo que o pistoleiro sabia que perguntaria.

— Então? O que acha?

— Acho que você continua aí.

Eddie parou, colocando as mãos cerradas em punhos na cintura.

— É *isso*? Mais nada?

— É tudo o que sei — o pistoleiro respondeu. Os dedos perdidos da mão e do pé latejavam e coçavam. Lamentou não ter nenhuma *asmina* do mundo de Eddie.

— Não tem qualquer opinião sobre o que essa porra toda significa?

O pistoleiro poderia ter levantado a subtraída mão direita e dito: *Pense você mesmo no que isso significa, seu tolo*, mas seria tão estúpido fazer esse comentário quanto perguntar por que tinha de estar acontecendo com Eddie, dentre todas as pessoas em todos os universos que pudessem existir.

— Isso é ka — disse ele, encarando pacientemente Eddie.

— O que é ka? — O tom de Eddie foi agressivo. — Nunca ouvi falar. Só sei que se disser duas vezes vira a palavra que os bebês usam para merda.

— Não sei sobre isso — disse o pistoleiro. — Ka significa dever, destino ou, num sentido mais vulgar, o lugar para onde se tem de ir.

Eddie conseguiu parecer desanimado, irritado e entretido, tudo ao mesmo tempo.

— Então diga duas vezes, Roland, porque palavras como essas continuam soando como merda para este cara.

— Não discuto filosofia — disse o pistoleiro dando de ombros. — Não estudo história. Tudo que sei é que o que é passado é passado e o que está à frente está à frente. O segundo é o ka, que cuida de si mesmo.

— É mesmo? — Eddie olhava para o norte. — Bem, o que vejo à frente é só uns nove bilhões de milhas desta mesma porra de praia. Se é isso o que está à frente, ka e kaka são a mesma coisa. Podemos ter um número suficiente de balas boas para explodir a fuça de mais cinco ou seis daquelas lagostas, mas depois vamos precisar atirar pedras nelas. Para onde você acha que estamos *indo*?

Por um instante, Roland teve *de fato* vontade de saber se Eddie algum dia pensara em fazer esta pergunta ao irmão, mas perguntar uma coisa dessa apenas levaria a uma discussão sem sentido. Ele apenas levantou um polegar para o norte e disse:

— Para lá. Começamos por lá.

Eddie olhou e não viu nada além daquela extensão de praia salpicada de conchas e pedrinhas cinzentas. Tornou a olhar para Roland, pronto para zombar dele. Tornou a olhar de novo, ao ver a serena convicção em seu rosto. Olhou para a frente e estreitou os olhos. Com a mão direita, protegeu o lado direito do rosto do sol poente. Queria desesperadamente ver alguma coisa, *qualquer coisa*, porra, até uma miragem servia, mas não havia nada.

— Pode me sacanear o quanto quiser — disse Eddie devagar —, mas acho que é um truque tremendamente baixo. Coloquei minha vida em risco para defendê-lo de Balazar.

— Sei que colocou. — O pistoleiro sorriu, uma raridade que iluminou seu rosto como um momentâneo raio de sol num dia triste e escuro. — Por isso é que a única coisa que tenho feito é escutá-lo de boa-fé, Eddie. Está lá. Eu a vi uma hora atrás. A princípio achei que fosse apenas uma miragem ou invenção, mas ela está lá, sem dúvida.

Eddie olhou para a frente, concentrou-se até uma lágrima escorrer pelo canto dos olhos.

— A única coisa que estou vendo na minha frente é mais praia — disse por fim. — E olhe que minha visão é vinte sobre vinte.

— Não sei o que isso quer dizer.

— Quer dizer que se houvesse alguma coisa lá na frente, eu *veria*! — Mas Eddie ficou em dúvida. Não sabia se os olhos azuis extremamente focados do pistoleiro seriam capazes de ver mais longe do que os seus. Quem sabe um pouco mais...

Talvez *muito*.

— Você vai ver — disse o pistoleiro.

— Ver o *quê*?

— Não vamos chegar hoje lá, mas se enxerga tão bem quanto diz, vai ver antes que o sol toque a água. A não ser que prefira ficar aqui, falando bobagens.

— Ka... — disse Eddie num tom de reflexão.

— Ka — Roland assentiu.

— Kaka — disse Eddie, rindo. — Vamos lá, Roland. Fazemos uma aposta. Se eu não enxergar nada na hora em que o sol bater na água, você fica me devendo um frango no jantar. Ou um Big Mac. Ou *qualquer coisa* que não seja lagosta.

— Vamos.

Começaram novamente a andar e, pelo menos uma hora antes de a parte inferior do arco do sol tocar o horizonte, Eddie Dean começou a ver a forma na distância — vaga, trêmula, indefinível, mas sem a menor dúvida *alguma coisa*. Uma coisa *nova*.

— Tudo bem — disse. — Estou vendo. Você deve ter a visão do Super--Homem.

— Quem?

— Esqueça. Você é um exemplo realmente grave de hiato cultural, sabia?

— Quê?

— Esqueça. — Eddie riu. — O que é aquilo?

— Você vai ver. — O pistoleiro retomou a marcha antes que Eddie pudesse fazer mais perguntas.

Vinte minutos depois, Eddie achou que realmente *estava* vendo. Quinze minutos a mais e teve certeza. O objeto na praia ainda estava a mais de três, talvez cinco quilômetros de distância, mas ele já sabia o que era. Uma porta, é claro. Outra porta.

Nenhum dos dois dormiu bem naquela noite, e estavam de pé, e em marcha, uma hora antes de o sol clarear as encostas das montanhas corroídas pela erosão. Atingiram a porta assim que os primeiros raios do sol da manhã, tão belo e tão brando, irromperam sobre eles. Os raios iluminaram como lampiões os rostos com barba por fazer dos dois. Deixaram o pistoleiro de novo com quarenta anos, e Eddie da idade que Roland tinha quando saíra para enfrentar Cort levando o falcão David como sua arma.

A porta era exatamente igual à primeira, só mudava a sua inscrição:

A DAMA DAS SOMBRAS

— Então — disse Eddie em voz baixa, contemplando a porta que ali estava, as dobradiças apoiadas em algum desconhecido umbral entre um mundo e outro, um universo e outro. Lá estava ela com sua mensagem gravada, real como pedra e estranha como a luz das estrelas.

— Pois é — concordou o pistoleiro.

— Ka.

— Ka.

— É aqui que você vai escolher o segundo dos seus três?

— Parece que sim.

O pistoleiro sabia o que se passava na mente de Eddie antes de o próprio Eddie saber. Viu Eddie fazer o movimento antes de ele perceber que estava se movendo. Poderia ter se virado e quebrado o braço de Eddie em dois lugares antes que Eddie percebesse o que estava acontecendo, mas não se mexeu. Deixou Eddie sacar furtivamente o revólver de seu coldre direito. Era a primeira vez na vida que permitia uma das armas lhe ser tirada sem que isso tivesse sido anteriormente consentido. Não fez qualquer movimento para detê-lo. Virou-se e olhou para Eddie com ar tranquilo, até mesmo cordial.

O rosto de Eddie estava lívido, tenso. Seus olhos exibiam assustadores brancos ao redor das íris. Ele segurava o pesado revólver com as duas mãos, e ainda assim a boca da arma oscilava de um lado para o outro, procurando o centro, perdendo-o, procurando de novo e tornando a se desviar.

— Abra — disse ele.

— Isso é tolice — disse o pistoleiro com o mesmo ar cordial. — Nem eu nem você fazemos a menor ideia do lugar para onde essa porta pode nos levar. Além de provavelmente não se abrir para o seu mundo, ela pode nem mesmo se abrir para o seu universo. Como vamos saber se a Dama das Sombras não tem oito olhos e nove braços, como Suvia? Mesmo se a porta se abrir no seu mundo, pode levá-lo a uma época muito anterior ao seu nascimento ou muito depois de você ter morrido.

— Quer saber de uma coisa, chefe? — Eddie sorriu severamente. — Estou mais do que disposto a trocar os parentes de lagosta e essas porras de férias à beira-mar pelo que está atrás da porta número dois.

— Não entendo vo...

— Sei que não. Mas não importa. Apenas abra esta merda.

O pistoleiro balançou a cabeça.

Estavam no amanhecer, a porta lançando uma sombra oblíqua em direção à beira-mar.

— *Abra!* — gritou Eddie. — Eu vou com você! Não está me entendendo? Vou *com* você! Isso não significa que não volto depois se você quiser. Acho que volto. Quer dizer, *provavelmente* eu volto. Acho que é o mínimo devo a você. Tem jogado limpo comigo, não pense que não sei disso. Mas enquanto você corre atrás dessa Garota da Sombra, vou entrar na melhor birosca do pedaço e pedir um pequeno tira-gosto. Tipo refeição família, com trinta pratos só para começar.

— Você vai ficar aqui.

— Acha que não estou falando sério? — Eddie ficara estridente, os nervos à flor da pele. O pistoleiro quase podia vê-lo encarar as profundezas da própria danação. O polegar de Eddie puxou o cão do velho revólver. O vento tinha amainado com a chegada da noite e a maré; o clique do revólver engatilhando foi bastante nítido.

— Espere só para ver.

— Acho que vou — disse o pistoleiro.

— *Vou atirar em você*! — gritou Eddie.

— Ka — retrucou o pistoleiro com uma voz fria, virando-se para a porta. Estava estendendo a mão para a maçaneta, mas seu coração estava à espera: esperando para saber se ia viver ou morrer.

Ka.

A DAMA DAS SOMBRAS

1. DETTA E ODETTA

Despido do jargão, o que o psicólogo Alfred Adler disse foi o seguinte: o perfeito esquizofrênico — se existisse tal pessoa — seria um homem ou uma mulher não apenas inconsciente de sua(s) outra(s) persona(e), mas inconsciente de que houvesse qualquer coisa errada em sua vida.

Adler deveria ter conhecido Detta Walker e Odetta Holmes.

1

— … último pistoleiro — disse Andrew.

Já estava falando havia um bom tempo, mas Andrew sempre falava e Odetta geralmente apenas deixava a coisa fluir por sua mente do modo como deixamos a água quente fluir por nosso cabelo e nosso rosto quando estamos no banho. Aquilo, no entanto, fez mais do que atrair a sua atenção; agarrou-a como se fosse um espinho.

— O que você disse?

— Ah, foi só uma coluna no jornal — respondeu Andrew. — Não sei quem escreveu. Não reparei. Um daqueles políticos. Provavelmente a senhora conhece, srta. Holmes. O fato é que eu amava o presidente e chorei na noite em que ele foi eleito…

Ela sorriu, comovida, mesmo contra a vontade. Andrew dizia que sua incessante tagarelice era algo que não conseguia evitar, algo pelo qual não se sentia responsável; era apenas o irlandês dentro dele se manifestando e, embora em geral ele só falasse bobagens — intrigas e fuxicos sobre parentes e amigos que ela jamais iria conhecer, opiniões políticas semiarticuladas, comentários científicos aleatórios colhidos de um certo número de fontes misteriosas (entre outras coisas, Andrew acreditava firmemente em discos voadores, que chamava de óvnis inimigos) —, aquilo a comoveu porque ela também havia chorado na noite em que o presidente fora eleito.

— Mas não chorei quando aquele filho da puta... perdoe o palavreado, srta. Holmes... quando aquele filho de uma puta do Oswald atirou nele e não tenho chorado desde que isso aconteceu, quando foi... há dois meses, né?

Três meses e dois dias, pensou ela.

— Algo por aí, acredito.

Andrew assentiu.

— Então ontem li essa coluna... acho que foi no *Daily News*... sobre como Johnson provavelmente vai fazer um governo muito bom, mas as coisas nunca mais serão as mesmas. O sujeito disse que os Estados Unidos assistiram à passagem do último pistoleiro do mundo.

— Não acho em absoluto que John Kennedy fosse isso — disse Odetta, e se sua voz estava mais aguda do que aquela que Andrew estava acostumado a ouvir (e devia estar, porque Odetta viu os olhos dele darem uma piscada de sobressalto no retrovisor, uma piscada que lembrava um movimento de recuo), isso aconteceu porque ela também se sentia comovida com isso.

Era absurdo, mas era também um fato. Havia algo naquela frase — *os Estados Unidos assistiram à passagem do último pistoleiro do mundo* — que tocou fundo em sua mente. Era uma frase feia, não era verdadeira — John Kennedy fora um pacificador, não alguém tipo Billy the Kid, todo vestido de couro, que estava sem dúvida mais na linha de Goldwater —, mas tinha, por alguma razão, a deixado arrepiada.

— Bem, o sujeito disse que não faltariam atiradores no mundo — continuou Andrew, contemplando-a nervosamente pelo retrovisor. — Mencionou Jack Ruby como exemplo, e Castro, e aquele sujeito no Haiti...

— Duvalier — disse ela. — Papa Doc.

— Sim, ele, e o Diem...

— Os irmãos Diem já morreram.

— Bem, ele disse que Jack Kennedy era diferente, só isso. Disse que Kennedy sacaria o revólver, mas só se alguém mais fraco exigisse que ele o fizesse, e apenas como última alternativa. Disse que Kennedy era um homem com bom senso e sabia que às vezes conversar não adiantava. Disse que Kennedy sabia que, quando a boca está espumando, é preciso atirar.

Os olhos dele continuavam a contemplá-la com uma certa apreensão.

— Bem, foi só uma coluna que eu li no jornal.

Agora a limusine deslizava pela Quinta Avenida, na direção de Central Park West, o emblema da Cadillac na ponta do capô cortando o frio ar de fevereiro.

— Sim — disse Odetta suavemente, e os olhos de Andrew relaxaram um pouco. — Eu entendo. Não concordo, mas entendo.

É uma mentirosa, falou uma voz com franqueza em sua cabeça. Uma voz que ela ouvia com bastante frequência. Chegara inclusive a dar-lhe um nome. Era a voz da Provocadora. *Você entende perfeitamente e concorda completamente. Minta para Andrew se acha que precisa, mas pelo amor de Deus não minta para si mesma, mulher.*

Parte dela, no entanto, protestava, horrorizada. Num mundo que tinha se tornado um barril de pólvora nuclear com quase um bilhão de pessoas sentadas em cima, era um erro — talvez de proporções suicidas — acreditar que havia uma diferença entre bons atiradores e maus atiradores. Havia um excesso de mãos trêmulas segurando isqueiros perto de um número excessivo de pavios. Não era um mundo para pistoleiros. Se já houvera um tempo para eles, esse momento tinha passado.

Não tinha?

Fechou os olhos por um instante e esfregou as têmporas. Podia sentir uma de suas dores de cabeça chegando. Às vezes elas ameaçavam, como uma sinistra formação de nuvens de trovoada numa tarde quente de verão, e depois se dissipavam... como aquelas feias atmosferas que simplesmente escapavam numa ou noutra direção para despejar seus trovões e relâmpagos em algum outro lugar.

Achou, contudo, que daquela vez a tempestade iria acontecer. Chegaria com tudo, com trovão, relâmpago e pedras de granizo do tamanho de bolas de golfe.

As luzes subindo a Quinta Avenida já pareciam brilhantes demais.

— Então, como foi Oxford, srta. Holmes? — perguntou Andrew num tom hesitante.

— Úmida. Fevereiro ou não, estava muito úmida. — Fez uma pausa, dizendo a si mesma que não despejaria as palavras que estavam se acumulando como bílis em sua garganta, que deveria reprimi-las. Dizê-las seria desnecessariamente brutal. A conversa de Andrew sobre o último pistoleiro do mundo não passara de mais um momento da interminável tagarelice do homem. Mas, além de tudo que acontecera, isso a levara ao limite e ela falou, mesmo que não fosse apropriado. A voz pareceu calma e resoluta como sempre, mas Odetta não era tola: conhecia uma explosão quando ouvia uma.

— O sujeito para pagar a fiança chegou em dois tempos, é claro; ele estava de sobreaviso. Mas eles nos mantiveram o máximo que puderam e *eu* aguentei o máximo que pude. Só que essa eles ganharam, porque acabei molhando as calças. — Viu os olhos de Andrew recuarem de novo, quis parar mas não conseguiu. — É o que querem ensinar a você, percebe? Em parte porque a coisa nos assusta e uma pessoa assustada talvez não volte a incomodá-los no seu precioso Sul. Mas acho que a maioria deles... mesmo os burros, e olha que estão longe de serem todos burros... percebe a mudança que acabará acontecendo, não importa o que façam. Então tentam rebaixá-lo enquanto ainda podem. Ensinam que você *pode* ser rebaixado. Você pode jurar diante de Deus, de Cristo e de toda a Companhia dos Santos que não vai, não vai, *não vai* se sujar, mas se o pegarem de jeito e pelo tempo certo é claro que você vai. A lição é que você não passa de um animal numa jaula, não é mais do que isso, não é melhor do que isso. Só um animal numa jaula. Então eu me molhei. Ainda posso sentir o cheiro da urina seca e daquela maldita cela em que me trancaram. Eles acham que descendemos dos macacos, você sabe. E é exatamente assim que meu cheiro parece para mim mesma. Um cheiro de macaca.

Viu os olhos de Andrew no retrovisor e lamentou como estavam. Às vezes a urina não é a única coisa que a pessoa não consegue segurar.

— Sinto muito, srta. Holmes.

— Não — disse ela, esfregando novamente as têmporas. — Quem sente sou eu. Foram três dias difíceis, Andrew.

— Não duvido — disse ele num tom chocado de solteirona que a fez rir, mesmo a contragosto. Mas a maior parte dela não estava rindo. Achava que tinha percebido no que estava se metendo, achava que tinha previsto adequadamente como seria desagradável. Estava errada.

Três dias difíceis. Bem, era uma maneira de ver as coisas. Outra maneira seria dizer que os três dias passados em Oxford, no Mississípi, haviam sido uma curta temporada no inferno. Mas certas coisas não podiam ser ditas. Coisas que a pessoa preferiria morrer a dizer... a não ser que a intimassem a depor diante do Trono de Deus, Pai Todo-Poderoso, onde mesmo as verdades que causavam as infernais tempestades naquela estranha geleia cinzenta entre suas orelhas tinham de ser admitidas (os cientistas diziam que a geleia cinzenta não tinha nervos, mas se *isso* não era irônico ela não sabia o que era).

— Só quero chegar em casa, depois banho, banho, banho, depois dormir, dormir, dormir. Depois acho que fico novinha em folha.

— Sim, claro! É assim que a senhorita vai ficar! — Andrew queria se desculpar por alguma coisa e aquilo foi o mais perto que ele pôde chegar. Mas ele não quis se arriscar a mais conversa e os dois rodaram, num silêncio inabitual, até o cinzento edifício vitoriano na esquina da Quinta Avenida com o Central Park South, um prédio cinza bastante exclusivo. Odetta imaginava que isso queria dizer que ela era alguém, mas *sabia* que havia gente naqueles apartamentos chiques que só lhe dirigiriam a palavra se fosse absolutamente indispensável. No fundo, no entanto, ela não se importava. Além do mais, ela estava acima deles e eles *sabiam* disso. Já havia lhe ocorrido, em mais de uma ocasião, que algumas pessoas deviam ficar tremendamente irritadas sabendo que havia uma negra morando na cobertura daquele ótimo, sóbrio e antigo prédio, onde antigamente as únicas mãos negras autorizadas a circular tinham de usar luvas brancas ou talvez as finas luvas de couro preto de um chofer. Ela *esperava* que isso de fato os irritasse tremendamente, mas também se repreendia por ser tão mesquinha, por ser *anticristã*, mas *realmente* queria isso, não fora capaz de deter a urina vazando entre as pernas de sua fina calcinha de seda importada e também não parecia ser capaz de deter aquele outro fluxo de sentimentos. Era mesquinho, era anticristão e quase tão mau quanto Oxford — não, *pior*. Pelo menos no que dizia respeito ao Movimento era totalmente contraproducente. Eles iriam garantir os direitos que precisavam garantir, e provavelmente naquele ano: Johnson, ciente do legado que lhe fora deixado pelo presidente assassinado (e talvez esperando pôr mais um prego no caixão de Barry Goldwater), faria mais do que supervisionar a aprovação da Carta de Direitos Civis; se fosse preciso, iria *cravá-la* em lei. Por isso era importante minimizar a mágoa e a cicatriz. Havia mais trabalho a ser feito. O ódio não iria ajudar a fazer esse trabalho. O ódio iria, na verdade, sabotá-lo.

Mas às vezes, e apesar de tudo, o ódio continuava.

Oxford Town também lhe ensinara isso.

2

Detta Walker não tinha o menor interesse no Movimento, e suas preocupações eram bem mais modestas. Ela morava no sótão de um desgastado prédio de apartamentos em Greenwich Village. Odetta não conhecia o sótão, Detta não conhecia a cobertura, e a única pessoa a suspeitar de que algo não estava de todo certo era Andrew Feeny, o motorista. Ele começara a trabalhar para o pai de Odetta quando ela tinha catorze anos e Detta Walker mal havia nascido.

Às vezes Odetta desaparecia. Esses desaparecimentos podiam levar horas ou dias. No verão anterior ela ficara três semanas sumida e, num final de tarde, quando Andrew já estava pronto para chamar a polícia, Odetta ligara para *ele*, pedindo que estivesse disponível com o carro às dez do dia seguinte — pretendia fazer umas compras.

Os lábios dele tinham tremido com vontade de gritar: *Srta. Holmes! Onde esteve?* Mas já fizera essa pergunta antes e só recebera como resposta olhares confusos — olhares *realmente* confusos, tinha certeza. *Eu estava aqui mesmo*, ela diria. *Ora, aqui mesmo, Andrew... Você tem me levado a dois ou três lugares por dia, não é? Não está começando a ficar um pouco mole da cabeça, está?* Aí ela ria e se estivesse se sentindo especialmente bem (como muitas vezes parecia se sentir após os desaparecimentos), daria uma beliscada no rosto dele.

— Muito bem, srta. Holmes — ele dizia. — Às dez então.

Naquele alarmante período de três semanas durante o qual ela ficara ausente, Andrew colocara o telefone no gancho, fechara os olhos e fizera uma rápida prece à Virgem Maria pelo feliz retorno da srta. Holmes. Depois ligou para Howard, o porteiro do prédio.

— A que horas ela chegou?

— Uns vinte minutos atrás — disse Howard.

— Quem a trouxe?

— Não sei. Você sabe como é. Sempre um carro diferente. Às vezes estacionam depois da esquina e não consigo ver nada, nem sei se é ela mesma quem está no banco de trás. De repente escuto o interfone, dou uma olhada e vejo que é.

Howard fez uma pausa, depois acrescentou:

— Ela está com um tremendo roxo num lado do rosto.

Howard tinha razão. Sem dúvida era um tremendo roxo e agora estava piorando. Andrew nem gostava de imaginar que aparência teria aquele roxo logo depois de feito. A srta. Holmes compareceu pontualmente às dez horas da manhã seguinte. Usava um vestido de seda de alças finas (isso acontecera no final de julho) e o ferimento já começara a ficar amarelo. Não fizera mais do que um esforço superficial para disfarçá-lo com maquiagem, como se achasse que deixar transparecer um cuidado excessivo para cobri-lo só chamaria mais atenção.

— Como conseguiu *isso*, srta. Holmes? — perguntou Andrew. Ela riu com ar alegre.

— Você me conhece, Andrew... sempre distraída. Ontem, quando eu estava saindo da banheira, minha mão escorregou num corrimão... Estava apressada para pegar o jornal na televisão. Caí e bati com o lado do rosto. — E Odetta examinou o rosto *dele*. — Está pronto para começar a falar de médicos e exames, não está? Não precisa nem responder; depois de todos esses anos leio as coisas no seu rosto como num livro. Não vou ao médico, por isso não precisa se dar ao trabalho de perguntar. Na realidade nunca me senti tão bem. Vamos lá, Andrew! Pretendo comprar metade da Saks', toda a Gimbels e, entre as duas, comer tudo que tiver no Four Seasons.

— Está bem, srta. Holmes — ele tinha dito e sorrido. Um sorriso forçado, e não fora fácil forçá-lo. Aquele ferimento não tinha um *dia*; tinha uma semana ou mais... e ele não era bobo, era? Passara a semana lhe telefonando toda noite às sete, pois se havia uma hora em que a srta. Holmes podia ser encontrada em casa era durante o noticiário Huntley-Brinkley Report. A srta. Holmes era uma viciada convicta nesse noticiário. Ele havia ligado todas as noites, com exceção da anterior. Então tinha tomado uma providência e recorrido à chave-mestra de Howard. A convicção de que Odetta tivera algum acidente dentro de casa, talvez no banheiro, crescera firmemente dentro dele... e em vez de ficar com uma contusão ou um osso quebrado, ela havia morrido, morrido sozinha e estava estirada lá dentro. Ele havia entrado com cuidado no apartamento e, com o coração acelerado, sentira-se como um gato num quarto escuro repleto de cordas de piano esticadas. Mas não encontrou nada que o alarmasse. Havia um prato de manteiga no balcão da cozinha e, embora coberta, a manteiga já estava fora da geladeira por tempo suficiente para exibir uma boa camada de mofo. Tinha chegado lá às dez para as sete e saído às sete e cinco. No decorrer de seu rápido exame do apartamento, dera uma olhada no banheiro. A banheira estava seca, as toalhas cuidadosamente — até mesmo austeramente — arrumadas, os muitos suportes de metal transformados pelo polimento em brilhantes coisas douradas, onde não havia sequer manchas de água.

Andrew sabia que o acidente que ela havia descrito não acontecera.

Mas Andrew também não acreditava que ela estivesse mentindo. Ela *acreditava* no que havia lhe contado.

Olhou de novo pelo retrovisor e viu-a esfregar levemente as têmporas com a ponta dos dedos. Não gostou. Muitas e muitas vezes já a vira fazer isso antes de um dos seus desaparecimentos.

3

Andrew deixou o motor funcionando para não desligar a calefação, depois saltou e foi até a mala. Observou as duas valises com outro tremor. Tinham a aparência de ter sido chutadas furiosamente por homens agressivos, com pouca cabeça e corpo demais, jogando-as de um lado para o outro, danificando a bagagem com uma raiva que não se atreveram de todo a aplicar à srta. Holmes — raiva que poderiam ter voltado, por exemplo, contra Andrew, se ele tivesse estado lá. Não se tratava apenas de ela ser mulher; era uma negra, uma orgulhosa negra do norte se metendo onde não era chamada, e eles provavelmente achavam que uma mulher como aquela merecia o que levasse. Para complicar, ela era também uma negra *rica*. Para complicar, era quase tão conhecida do público americano quanto Medgar Evers ou Martin Luther King. Para complicar, tinha aparecido com sua rica cara negra na capa da revista *Time* e era mais difícil sumir com uma pessoa dessas no meio do mato e depois dizer: *O quê? Não, patrão, a gente nunca viu uma dona como essa por aqui, vimos, pessoal?* Para complicar, era mais difícil alguém se dispor a ferir uma mulher que era a única herdeira da Indústria Dental Holmes, numa época em que existiam doze fábricas da Holmes no Sul ensolarado, uma delas só a um condado de distância de Oxford Town, Mississípi.

Então tinham feito às malas o que não se atreveram a fazer com ela.

Andrew contemplou aqueles indícios silenciosos da estada de Odetta em Oxford Town com vergonha, fúria e amor, emoções tão mudas quanto as cicatrizes numa bagagem que partira com aparência elegante e voltara com aspecto bronco e espancado. Ele continuou encarando a bagagem, temporariamente incapaz de se mexer, o bafo da respiração se condensando no ar gelado.

Howard se aproximava para ajudar, mas Andrew esperou um pouco mais antes de pegar as alças das maletas. *Quem é a senhora, srta. Holmes? Quem é a senhorita de verdade? Onde a senhorita vai às vezes e o que faz que parece ser tão ruim a ponto de obrigá-la a inventar uma história falsa para justificar, até para si mesma, as horas ou dias perdidos?* E ele pensou outra coisa um momento antes de Howard chegar, algo estranhamente perspicaz: *onde está o resto de você?*

É melhor parar de pensar desse jeito. Se alguém por aqui deve ter algum pensamento assim, é a própria srta. Holmes, mas ela não faz isso e você também não precisa fazer.

Andrew tirou as valises da mala e passou-as a Howard, que perguntou em voz baixa:

— Tudo bem com ela?

— Acho que sim — respondeu Andrew, também falando baixo. — Só está cansada. Cansada até os ossos.

Howard assentiu, pegou as maltratadas valises e começou a entrar. Só parou para inclinar o chapéu para Odetta Holmes — que estava quase invisível atrás das vidraças de vidro fumê — numa saudação breve e respeitosa.

Quando Howard desapareceu, Andrew tirou a plataforma dobrada de aço inox do fundo da mala e começou a abri-la. Era uma cadeira de rodas.

Desde 19 de agosto de 1959, uns cinco anos e meio antes, a parte de Odetta Holmes dos joelhos para baixo estava tão perdida quanto aquelas horas e dias vazios.

4

Antes do incidente no metrô, Detta Walker só estivera consciente algumas vezes — ocasiões como ilhas de coral que pareciam isoladas a quem nelas estivesse mas que eram, de fato, meros elos na espinha de um comprido arquipélago em sua maior parte submerso. Odetta não suspeitava absolutamente de Detta e Detta não fazia a menor ideia da existência de alguém como Odetta... mas Detta tinha pelo menos uma nítida compreensão de que *alguma coisa* estava errada, que alguém estava sacaneando a sua vida. A imaginação de Odetta encarava como fantasias o que acontecia quando Detta tomava conta de seu corpo; Detta não era tão sutil. *Achava* que se lembrava de coisas, de *algumas coisas*, pelo menos, mas grandes períodos de tempo lhe escapavam.

Detta era pelo menos parcialmente consciente dos *brancos*.

Conseguia se lembrar do prato de porcelana. Conseguia se lembrar disso. Conseguia se lembrar de enfiá-lo no bolso do vestido, dar uma olhada sobre os ombros para ter certeza de que a Mulher de Azul não estava lá, espiando. Tinha de ter certeza porque o prato de porcelana pertencia à Mulher de Azul. O prato de porcelana era, Detta percebia de uma forma vaga, *especialíssimo*. Por isso é que Detta o havia pegado. Ela se lembrava de levá-lo para um lugar que chamava (embora não soubesse por que chamava) de O Estreito, um enfumaçado buraco cheio de lixo onde um dia vira um bebê com pele de plástico que pegava fogo. Lembrava-se de ter depositado cuidadosamente o prato no cascalho do solo e depois começado a pisar nele e parado, lembrava-se de ter tirado a calcinha feia de algodão e a colocado no bolso onde o prato estivera e depois, cuidadosamente, de ter deslizado o primeiro dedo da mão esquerda cuidadosamente para dentro da fenda que tinha porque o Velho Deus Estúpido tinha juntado a ela e a todas as outras moças e mulheres de forma imperfeita, ainda que *alguma coisa* envolvendo aquele lugar devesse estar certa porque ela se lembrava do tremor, se lembrava da vontade de pressionar, se lembrava de não pressionar, se lembrava de como sua vagina ficara deliciosa nua, sem a calcinha de algodão no caminho entre ela e o mundo, e Detta não havia pressionado, não até o sapato apertar, o sapato de couro preto, não até o sapato fazer pressão sobre o prato, *então* ela fez pressão na fenda com o dedo do modo como seu pé estava pressionando o prato de porcelana *especialíssimo* da Mulher de Azul, ela se lembrava do modo como o sapato de couro preto cobrira o delicado rendilhado azul na beirada do prato, ela se lembrava da pressão, sim, ela se lembrava de pressionar no Estreito, pressionar com dedo e pé, lembrava-se da deliciosa promessa de dedo e fenda, lembrava-se de que, quando o prato estalou com um estalo nervoso e triste, um prazer igualmente trêmulo tinha subido como uma flecha, partindo daquele corte em suas entranhas, e ela se lembrava do gemido que irrompera de seus lábios, um desagradável grasnar, como o barulho de um corvo afugentado de um milharal, e ela se lembrava de ficar olhando estupidamente para os cacos do prato e depois tirar devagarinho a feia calcinha de algodão branco do bolso do vestido e tornar a vesti-la, *brincadeiras*, assim ouvira chamarem essas coisas em algum momento aleatório de sua memória, recordações rolando livres como torrões de terra e pedaços de mato numa enchente, *brincadeiras*, bom, porque primeiro você dá um passo para fora e faz o que tem de fazer e depois você volta, dá um passo para dentro, primeiro com um sapato de couro brilhante e genuíno, depois com outro, bom, as calcinhas eram boas, ela podia se lembrar tão nitidamente de puxá-las pernas acima, fazendo-as passar pelos joelhos, uma casca de ferida no joelho esquerdo quase pronta a cair e a deixar um rosado limpo, parecido com a pele nova de um bebê, sim, conseguia se lembrar tão nitidamente que poderia não ter sido há uma semana ou ontem, mas no instante anterior, podia lembrar como a cintura da saia tinha se juntado à bainha do seu vestido de festa, o nítido contraste do algodão branco contra a pele escura, como creme, sim, como isso, como creme de uma jarra sobre café, a textura, a calcinha desaparecendo sob o contorno do vestido, só que o vestido já era de um alaranjado ouro e a calcinha não estava subindo mas descendo, embora ainda fosse branca, mas não de algodão, era de náilon, calcinhas baratas e transparentes de náilon, baratas em mais de um sentido, e ela se lembrava de tirá-las, se lembrava de como o tecido cintilava sob a luz do teto do Dodge DeSoto 46, sim, como era branca, como era barata, não algo honrado com o título de lingerie, mas calcinhas baratas, a moça era barata e era bom ser barata, bom estar em liquidação, estar à disposição não exatamente como uma puta, mas como uma boa leitoa; ela se lembrava não do redondo prato de porcelana, mas do rosto redondo e branco de um garoto, um universitário bêbado e surpreso, ele não era um prato de porcelana mas sua cara era tão *redonda* quanto fora o prato de porcelana da Mulher de Azul, e havia rendilhados no rosto dele, e o rendilhado parecia tão azul quanto fora o rendilhado no prato de porcelana *especialíssimo* da Mulher de Azul, mas isso só acontecia porque o néon era vermelho, o néon era berrante, no escuro o néon do letreiro do bar na beira da estrada fazia o sangue nos pontos da cara dele onde Detta o arranhara parecerem azuis, e ele tinha dito *por que você fez isso por que você fez isso por que você fez isso*, e então abriu a janela para colocar a cara do lado de fora e vomitar e ela se lembrou de estar ouvindo Dodie Stevens na jukebox cantando sobre sapatos amarelos com laços cor-de-rosa e sobre um grande chapéu Panamá com uma fita roxa, ela lembrava que o barulho do vômito do rapaz era como brita num misturador de cimento, e seu pênis, que pouco antes era um rígido ponto de exclamação brotando do emaranhado de tufos de seus pelos pubianos, estava desmoronado num débil e branco ponto de interrogação; ela se lembrava dos ásperos ruídos de cascalho de seu vômito parando e depois começando de novo e ela pensou *bem acho que ele não é o suficiente para entrar* neste *edifício* e rindo e pressionando o dedo (que agora vinha equipado com uma unha comprida) em sua vagina que estava nua mas não de todo nua porque coberta de um grosso e agreste emaranhado de pelos, e então o mesmo estalo trêmulo irrompera dentro dela, o que foi tão doloroso quanto gostoso (melhor, muito melhor do que nada), e então ele estava estendendo cegamente os braços para ela e dizendo num tom magoado e *entrecortado ah sua maldita negra escrota* e ela continuava rindo do mesmo jeito, esquivando-se facilmente dele e puxando a calcinha e abrindo a porta do seu lado do carro, sentindo as últimas batidas cegas dos dedos dele nas costas de sua blusa e correndo para uma noite de maio perfumada das primeiras madressilvas, e a luz do néon rosa-avermelhado salpicando o cascalho de algum estacionamento do pós-guerra, e ela socando a calcinha, a barata e lisa calcinha de náilon socada não no bolso do vestido mas numa bolsa coalhada de uma animada coleção de cosméticos de adolescente, ela corria, a luz tremia, e então ela estava com vinte e três e não era uma calcinha mas um cachecol de raiom, e ela o foi introduzindo distraidamente na bolsa enquanto ultrapassava um balcão em uma das seções da Macy's — um cachecol vendido na época por 1,99 dólar.

Vagabundo.

Vagabunda como a calcinha branca de náilon.

Vagabunda.

Como ela.

O corpo que ela habitava era o de uma mulher que tinha herdado milhões, mas ela não sabia disso e pouco importava — o cachecol era branco, a borda azul, e aquela mesma pequena sensação de prazer irrompeu quando ela se sentou no banco traseiro do táxi e, ignorando o motorista, segurou o cachecol numa das mãos, olhou-o fixamente e deixou a outra mão deslizar sob a saia de tweed, por baixo do elástico da calcinha branca até aquele comprido dedo escuro cuidar do assunto que precisava ser cuidado num movimento simples e decidido.

Então às vezes ela se perguntava, de maneira um pouco distraída, onde estava quando não estava *ali*, mas em geral suas necessidades eram demasiado repentinas e urgentes para dar espaço a qualquer reflexão mais profunda; ela simplesmente preenchia o que precisava ser preenchido, fazia o que precisava ser feito.

Roland teria compreendido.

5

Odetta podia ter andado de limusine para qualquer lugar, mesmo em 1959, embora seu pai ainda estivesse vivo e ela ainda não fosse tão incrivelmente rica como se tornaria quando ele faleceu em 1962 — o dinheiro mantido sob a guarda de um curador tornou-se seu aos vinte e cinco anos, quando ela pôde começar a usá-lo como bem entendesse. Mas se importava um pouco com uma expressão que um colunista conservador havia cunhado um ou dois anos antes: a expressão era "liberal-de-limusine" e Odetta era suficientemente jovem para não querer ser vista como um deles, por mais que realmente *fosse* um deles. Ainda assim não era jovem o bastante (ou suficientemente tola!) para acreditar que algumas calças jeans desbotadas, as camisas cáqui que habitualmente usava ou andar de ônibus ou de metrô quando podia usar o carro (porém autocentrada demais para perceber como Andrew ficava magoado e profundamente confuso; Andrew gostava dela e encarava aquilo como uma espécie de rejeição pessoal) alterassem, em qualquer sentido real, seu status essencial. Era, no entanto, jovem o bastante para ainda acreditar que determinada postura podia às vezes superar (ou pelo menos abafar) a verdade.

Na noite de 19 de agosto de 1959, ela pagou pela postura com metade das pernas... e metade de sua mente.

6

Odetta fora primeiro arrastada, depois puxada e finalmente agarrada pela onda que acabaria se transformando num maremoto. Em 1957, quando ela começou a se envolver, a coisa que acabaria se tornando conhecida como o Movimento ainda não tinha nome. Conhecia um pouco de sua história, sabia que a luta pela igualdade havia sido travada não desde a Proclamação da Emancipação mas quase desde que o primeiro navio cheio de escravizados aportara nos Estados Unidos (na realidade na Geórgia, a colônia que a Inglaterra havia fundado para se livrar de criminosos e devedores). Para Odetta, no entanto, a luta sempre parecia começar no mesmo ponto, com as mesmas quatro palavras: *não vou sair daqui*.

O cenário fora um ônibus urbano em Montgomery, Alabama, as palavras tinham sido ditas por uma mulher negra chamada Rosa Lee Parks e o lugar de onde Rosa Lee Parks não estava saindo era da frente para a traseira do ônibus, que era, lógico, a parte destinada aos negros. Muito depois, Odetta cantaria "Não vamos sair daqui" com o resto deles, o que sempre a fazia pensar em Rosa Lee Parks — e ela nunca cantou isso sem um sentimento de vergonha. Era tão fácil cantar *nós* com os braços unidos aos braços de toda uma multidão; era fácil até mesmo para uma mulher sem pernas. Tão fácil cantar nós, tão fácil ser *nós*. Mas não existira um *nós* naquele ônibus, aquele ônibus que tinha um fedor de couro velho e de anos de charuto e fumaça de cigarro, aquele ônibus com os cartazes de publicidade dizendo coisas do tipo LUCKY STRIKE e FREQUENTE UMA IGREJA PELO AMOR DE DEUS e BEBA OVOMALTINE! VOCÊ VAI SENTIR A DIFERENÇA! e CHESTERFIELD, VINTE E UM GRANDES TABACOS PARA VINTE EXCELENTES CIGARROS, nenhum *nós* sob o olhar incrédulo do motorista, dos passageiros brancos entre os quais ela estava sentada, os olhares igualmente incrédulos dos negros na parte de trás.

Nenhum *nós*.

Nenhuma marcha aos milhares.

Apenas Rosa Lee Parks iniciando uma revolução com quatro palavras: *não vou sair daqui*.

Odetta pensava: *se eu pudesse fazer uma coisa dessas... se conseguisse ser assim tão valente... acho que seria feliz para o resto da vida. Mas esse tipo de coragem não existe dentro de mim.*

Lera sobre o que acontecera com Parks, mas a princípio sem grande interesse. Ele veio pouco a pouco. Era difícil dizer exatamente quando ou como sua imaginação fora atraída e excitada por esse a princípio quase silencioso terremoto racial que viria a sacudir o sul.

Cerca de um ano mais tarde, um rapaz com quem estava saindo mais ou menos regularmente começou a levá-la para o Village, onde alguns dos jovens (geralmente brancos) cantores de música folk que ali se apresentavam tinham acrescentado novas e alarmantes canções a seu repertório — de repente, junto a todas aquelas antigas músicas sobre como John Henry havia pegado seu velho martelo e batido mais rápido que a máquina (perdendo a própria vida ao fazê-lo, uh, uh) e como Bar'bry Allen havia rejeitado cruelmente um jovem pretendente tomado por amor (e acabara morrendo de vergonha, uh, uh), havia canções sobre como era estar por baixo, por fora e ser ignorado na cidade, como era ser afastado de um emprego que era capaz de exercer só porque a sua pele não era da cor certa, como era ser jogado numa cela de cadeia e chicoteado pelo sr. Charlie porque sua pele era negra e você tinha se atrevido, uh, uh, a se sentar na área reservada às pessoas brancas no balcão da F. W. Woolworths em Montgomery, Alabama.

Por mais absurdo que seja, foi apenas a partir daí que ela ficou curiosa sobre os próprios pais, e os pais deles, e os pais dos pais antes deles. Nunca havia lido *Raízes*, vivia em outro mundo e outro tempo, muito antes de tal livro ser escrito, ou mesmo pensado por Alex Haley, mas foi naquele momento absurdamente tardio de sua vida que, pela primeira vez, brotou na frente dela a ideia de que, havia relativamente poucas gerações, seus antepassados tinham sido postos em correntes por homens brancos. Certamente o *fato* já lhe ocorrera antes, mas apenas como um fragmento de informação, sem qualquer verdadeiro significado; como uma equação, jamais como algo que tocasse verdadeiramente sua própria vida.

Odetta somou o que conhecia e ficou chocada com a pequenez da soma. Sabia que a mãe nascera em Odetta, Arkansas, a cidade de onde vinha o seu nome (filha única). Sabia que o pai fora um dentista de uma cidade pequena que inventara e patenteara um processo de jaquetas dentárias. Esse processo, depois de dez anos hibernando, ignorado, acabou por transformá-lo da noite para o dia num homem razoavelmente rico. Odetta sabia que o pai havia desenvolvido outros processos dentários durante os dez anos que precederam e os quatro anos que se seguiram ao afluxo de riqueza, processos em geral de natureza ortodôntica ou cosmética. Também sabia que, pouco depois de se mudar para Nova York com a mulher e a filha (que nascera quatro anos após o registro da patente original), o pai abrira uma empresa chamada Indústria Dental Holmes, que era agora para os dentes o que a Squibb era para os antibióticos.

Mas quando Odetta perguntava como havia sido sua vida durante os anos antes que ela nascesse, o pai não respondia. Falava de todo tipo de coisa, mas não lhe *contava* nada. Essa parte era porta fechada para ela. Um dia sua mãe, Alice — ele a chamava de ma ou, às vezes, de Allie, quando tinha tomado algumas e estava se sentindo bem —, um dia a mãe disse:

— Conte sobre aquela vez em que aqueles homens atiraram quando você estava dirigindo o Ford pela ponte coberta, Dan. — E ele lançou à mãe de Odetta um olhar tão sombrio e repressor que ma, sempre lembrando um pardal, encolheu-se na poltrona e não falou mais nada.

Odetta sondara a mãe quando estava sozinha mais uma ou duas vezes depois daquela noite, porém sem sucesso. Se tivesse tentado antes, talvez tivesse conseguido alguma coisa, mas depois que o pai deixou claro que não queria falar no assunto, a mãe também não falaria. Para ele, Odetta percebeu, o passado — aqueles parentes, aquelas estradas de barro vermelho, aqueles armazéns, aqueles cubículos de chão de terra com janelas sem vidro e sem sequer uma cortina que fosse, aqueles incidentes de perseguição e mágoa, aquelas crianças do vizinho vestidas com camisões que tinham começado a vida como sacos de farinha —, tudo aquilo estava enterrado como dentes sem nervo sob capinhas brancas perfeitamente impermeáveis. O pai não falaria, talvez não conseguisse falar, talvez tivesse propositalmente se deixado levar por uma amnésia seletiva; os dentes com capa eram sua vida nos Apartamentos Greymarl de Central Park South. Todo o resto estava escondido sob essa intransponível cobertura externa. O passado fora tão bem guardado que não havia brecha por onde passar para olhá-lo, era impossível ultrapassar a perfeita barreira daquela capa e adentrar nas lembranças reveladoras.

Detta sabia de coisas, mas Detta não conhecia Odetta e Odetta não conhecia Detta, e assim, também ali, os dentes permaneciam tão ordenados e trancados quanto um portão de fortaleza.

Odetta possuía um pouco da timidez da mãe, assim como da impassível (mesmo que silenciosa) dureza do pai. A única vez que se atrevera a interrogá-lo de maneira firme sobre o assunto — sugerindo que o pai estava lhe negando um manancial de memória e a confiança que ele, numa relação madura, deveria depositar nela — foi numa noite na biblioteca dele. O pai havia sacudido cuidadosamente, fechado e dobrado o seu *Wall Street Journal*. Depois o pousara na mesinha ao lado do abajur de pé, removera os óculos de aro fino e os colocara em cima do jornal. Então olhara para a filha. Era um homem negro magro, magro quase a ponto de ser esquálido, cujo cabelo grisalho, muito crespo, recuava rapidamente das fundas entradas nas têmporas onde veias de relevos delicados pulsavam, e tinha se limitado a dizer: *Não falo sobre essa parte da minha vida, Odetta, nem penso nela. Não faria sentido. O mundo seguiu adiante desde então.*

Roland teria compreendido.

7

Quando abriu a porta com a inscrição A DAMA DAS SOMBRAS, Roland viu coisas que não entendeu em absoluto — mas entendeu que não tinham importância.

Era o mundo de Eddie Dean, mas além disso era apenas uma confusão de luzes, pessoas e objetos — mais objetos do que jamais tinha visto. Coisas femininas, a julgar pela aparência, e à venda. Algumas atrás de vidros, outras arrumadas em tentadoras pilhas e mostruários. Mas até isso deixou de importar quando o quadro se movimentou e o novo mundo fluiu pelas beiradas da porta. A porta eram os olhos da Dama. Ele estava olhando através deles exatamente como tinha olhado através dos olhos de Eddie quando Eddie avançara pelo corredor da carruagem celeste.

Eddie, por sua vez, estava atônito. O revólver tremia na sua mão e se inclinava um pouco para baixo. O pistoleiro poderia facilmente recuperá-lo, mas não o fez. Ficou parado, quieto. Era uma manobra que tinha aprendido havia muito tempo.

Então a vista através da porta deu um daqueles giros que o pistoleiro achava tão vertiginosos — mas para Eddie, essa mudança brusca foi estranhamente confortadora. Roland nunca tinha visto um filme; Eddie vira milhares, e o que estava vendo agora lembrava uma daquelas panorâmicas tão comuns em filmes como *Halloween* e *O iluminado*. Sabia até como chamavam o suporte da câmera que permitia esse movimento. Giroscópio. Era isso.

— Em *Star Wars* também — murmurou ele. — Estrela da Morte. Aquela porra de fenda, lembra?

Roland olhou para ele e não disse nada.

Mãos — mãos marrom-escuras — penetraram no que Roland via como uma porta e no que Eddie já começava a imaginar como uma espécie de tela mágica de cinema… uma tela de cinema que, sob certas circunstâncias, podia ser penetrada pela pessoa, assim como aquele cara saía da tela e entrava no mundo real em *A rosa púrpura do Cairo*. Um puta filme.

Só naquele momento Eddie conseguiu perceber o quanto era um filme do caralho.

Só que ali, do outro lado da porta através da qual ele estava olhando, aquele filme ainda não fora feito. Tudo bem, era Nova York — bastava o barulho das buzinas dos táxis, por mais abafadas e distantes que pudessem parecer, para deixar isso óbvio — e era uma loja de departamentos de Nova York, uma loja onde ele já havia entrado algumas vezes, mas era… era…

— É mais antiga — murmurou.

— Antes do seu quando? — perguntou o pistoleiro. Eddie olhou para ele e deu uma risada.

— É. Se quiser colocar dessa forma, está certo.

— Olá, sra. Walker — disse uma voz hesitante. A visão na porta se elevou tão bruscamente que até mesmo Eddie ficou um pouco tonto. Viu uma vendedora que obviamente conhecia a dona das mãos negras — conhecia e ou não gostava dela ou a temia. Ou ambas as coisas.

— Posso ajudá-la hoje?

— Este. — A dona das mãos negras levantava um cachecol branco com uma vistosa beirada azul. — Não precisa embrulhar, meu bem, basta enfiar numa sacola.

— À vista ou…

— À vista. Sempre é à vista, não é?

— Sim, está ótimo, sra. Walker.

— Que bom que aprova, querida.

Houve uma ligeira careta no rosto da vendedora — Eddie captou-o de relance quando ela se virou. Talvez se explicasse pelo fato de a vendedora estar sendo tratada com tanta intimidade por uma mulher que ela considerava uma "negra rica" (foi novamente mais a experiência de Eddie com o cinema e não qualquer conhecimento de história ou da vida nas ruas que provocou essa reflexão, pois era como ver um filme ambientado ou produzido nos anos 1960, como aquele com Sidney Steiger e Rod Poitier, *No calor da noite*), mas a careta também podia ser resultado de uma coisa ainda mais simples: talvez a Dama das Sombras de Roland, negra ou branca, fosse uma tremenda escrota.

O que realmente não tinha importância, não é? Nada daquilo tinha a menor importância. Eddie só se importava com uma coisa e apenas uma: se mandar da porra daquele lugar.

Aquilo era Nova York, quase podia sentir o *cheiro* de Nova York.

E Nova York significava heroína.

Quase podia cheirar isso também.

Só que havia um obstáculo, não é?

Um grande filho da puta de um obstáculo.

8

Roland observava Eddie cuidadosamente e, embora pudesse tê-lo matado seis vezes consecutivas em praticamente qualquer momento que escolhesse, preferira permanecer quieto, silencioso, deixando Eddie lidar sozinho com a situação. Eddie era um monte de coisas e várias delas não eram boas (sendo um sujeito que deixara conscientemente uma criança ir ao encontro da morte, o pistoleiro sabia muito bem a diferença entre coisas boas e más), mas Eddie não era estúpido.

Ele era um rapaz inteligente.

Ele entenderia.

E foi o que Eddie fez.

Tornou a olhar para Roland, sorriu sem mostrar os dentes, girou uma vez o revólver do pistoleiro no dedo, desajeitadamente, parodiando um mocinho de teatro, e depois estendeu a coronha para Roland.

— Essa coisa é inútil feito um pedaço de merda na minha mão, não é?

Você consegue se expressar muito bem quando quer, pensou Roland. *Só não entendo por que essa preferência em falar como um idiota, Eddie. Será porque era o modo como se falava nos lugares onde seu irmão gostava de ir?*

— Não é? — repetiu Eddie.

Roland assentiu.

— Se eu *tivesse* lhe dado um tiro — disse Eddie —, o que teria acontecido com aquela porta?

— Não sei. Suponho que o único modo de descobrir fosse dando o tiro.

— Bem, o que você *acha* que ia acontecer?

— Acho que a porta ia sumir.

Eddie assentiu. Era o que ele achava também. Puf! Sumiu como mágica! Num instante ela está lá, amigão, e no outro se foi. No fundo não era diferente do que aconteceria se o projecionista de um cinema levasse seis tiros e um deles acertasse o projetor, não é mesmo?

Se você acertasse o projetor, o filme parava.

Eddie não queria que o filme parasse.

Eddie não queria perder o ingresso.

— Você pode passar sozinho — disse Eddie devagar.

— Sim.

— Até certo ponto.

— Sim.

— Você entrou na cabeça dela. Assim como entrou na minha.

— Sim.

— Então você pode pegar carona no meu mundo, mas é só.

Roland não disse nada. *Pegar carona* era uma das expressões que Eddie às vezes usava e que ele não compreendia exatamente... mas cujo sentido geral captava.

— Mas você também *pode* ir em seu próprio corpo. Como no bar de Balazar. — Embora falasse em voz alta, Eddie estava na realidade falando consigo mesmo. — Só que precisaria de mim para fazer isso, não é?

— Sim.

— Então me leve com você.

O pistoleiro abriu a boca, mas Eddie já estava se adiantando.

— Não agora, não precisa ser agora — disse. — Sei que causaria um tumulto ou alguma coisa pior se... aparecêssemos de repente, saindo do ar. — Riu um tanto amargamente. — Como um mágico tirando coelhos de uma cartola, só que sem a cartola. Vamos esperar até ela estar sozinha e...

— Não.

— Vou voltar com você — disse Eddie. — Prometo, Roland. Quero dizer, sei que tem uma tarefa a cumprir e sei que faço parte dela. Sei que salvou minha pele na alfândega, mas acho que salvei a sua no bar de Balazar... é verdade ou não?

— Acho que sim — disse Roland. Lembrava-se do modo como Eddie se levantara atrás da mesa, sem pensar no risco, e teve um momento de dúvida sobre o que fazer com ele.

Mas apenas um momento.

— E então? Pedro paga a Paulo. Uma mão lava a outra. Só quero dar um passeio por algumas horas. Comer um frango frito, talvez comprar um pacote de rosquinhas. — Eddie inclinou a cabeça para a porta, onde as coisas tinham começado de novo a se mexer. — Então, o que me diz?

— Não — falou o pistoleiro, embora naquele instante não estivesse pensando muito em Eddie. O movimento corredor acima... Bem, aquela Dama, quem quer que ela fosse, não estava se movendo do modo como alguém normalmente se moveria... Não estava se movendo, por exemplo, do modo como o próprio Roland se movia ou do modo como Eddie se movia quando Roland olhava através dos olhos dele (percebia isso agora, quando tinha parado para pensar no assunto, o que jamais fizera antes, assim como jamais parara para pensar nem nunca realmente notara a presença de seu nariz no limite inferior de sua visão periférica). Quando a pessoa andava, a visão se tornava um suave pêndulo: perna esquerda, perna direita, perna esquerda, perna direita, o mundo balançando de um lado para o outro, tão sutil e suavemente que após algum tempo — talvez logo após se começar a andar — a pessoa simplesmente ignorava o movimento. Não havia esse tipo de movimento de pêndulo no caminhar da Dama... Ela simplesmente avançava pelo corredor, como se deslizasse sobre trilhos. Ironicamente, Eddie tivera a mesma percepção... só que para ele a coisa parecia como um movimento de uma câmera cinematográfica. Achara a sensação agradável, porque já lhe era familiar.

Para Roland era estranha... mas logo Eddie quebrou o silêncio, a voz aguda.

— Bem, por que não? Simplesmente me diga por que porra não?

— Porque você não quer um frango frito — disse o pistoleiro. — Sei como chama as coisas que quer, Eddie. Você quer um "pico". Você quer "chapar".

— E daí? — gritou Eddie, quase se esgoelando. — E daí se quero? Eu disse que voltaria com você! Tem a minha palavra! Tem a porra da minha palavra de HONRA! O que mais você quer? Quer que eu jure pela minha mãe morta? Tudo bem, juro pela minha mãe morta! Quer que eu jure em nome do meu irmão Henry? Tudo bem, eu juro! Eu juro! EU JURO!

Enrico Balazar teria lhe dito, mas o pistoleiro não precisava que tipos como Balazar lembrassem uma realidade tão simples da vida: jamais confie num viciado.

Roland apontou com a cabeça na direção da porta.

— Pelo menos até chegarmos à Torre — disse —, essa parte da sua vida está encerrada. O que vai acontecer depois não me importa. Depois você terá a liberdade de ir para o inferno como bem entender. Até lá eu preciso de você.

— Ah, seu mentiroso fodido do caralho — disse Eddie em voz baixa. A emoção não transparecia em sua voz, mas o pistoleiro viu um brilho de lágrimas em seus olhos. Não disse nada e Eddie continuou. — Você sabe que não vai haver nenhum depois, nem para mim, nem para ela, nem para a tal da terceira pessoa escolhida, seja quem for. Provavelmente nem para você... porque você parece tão fodido quanto Henry quando estava mais chapado. Se não morrermos a caminho de sua Torre, vamos sem dúvida nenhuma morrer quando chegarmos lá. *Por que está mentindo para mim*?

O pistoleiro experimentou um deprimente sentimento de vergonha, mas limitou-se a repetir:

— Ao menos por ora, essa parte de sua vida está encerrada.

— Sério? — disse Eddie. — Bem, tenho uma novidade para você, Roland. Sei o que vai acontecer a seu *verdadeiro* corpo quando atravessar para lá e entrar no corpo dela. Sei porque já vi antes. Não preciso de seus revólveres. Eu estou segurando você pelo saco, meu amigo. Vire a cabeça dela do modo como virava a minha e fique observando o que vou fazer com seu corpo enquanto você for apenas seu maldito ka. Gostaria de esperar até anoitecer, e aí arrastá-lo para a beira da água. Aí você vai poder observar as lagostas mastigarem o resto de você. Mas você pode estar com pressa demais para assistir a isso.

Eddie fez uma pausa. O áspero quebrar das ondas e o contínuo e cavernoso murmúrio do vento pareciam muito altos.

— Então, acho que vou ter mesmo de usar sua faca para cortar a sua garganta.

— E fechar a porta para sempre?

— Bem, você não disse que essa parte da minha vida está encerrada? E não estava se referindo só à droga. Mas a Nova York, aos Estados Unidos, à minha época, a *tudo*. Se é isso mesmo, quero também encerrar esse lance da praia. O cenário não é bom e a companhia é péssima. Às vezes, Roland, você faz o Jimmy Swaggart parecer quase equilibrado.

— Temos grandes maravilhas à frente — disse Roland. — Grandes aventuras. Mais do que isso, temos uma jornada a realizar e você tem uma chance de recuperar sua honra. Há outra coisa, também. Você pode ser um pistoleiro. Eu não preciso ser o último, afinal de contas. A coisa está em você, Eddie. Posso vê-la. Posso *senti-la*.

Eddie riu, embora agora as lágrimas escorressem pelo seu rosto.

— Ah, maravilha — disse ele. — *Maravilha*! Exatamente o que eu estava precisando! Negativo. Meu irmão Henry. *Ele* sim era um pistoleiro. Num lugar chamado Vietnã. Foi ótimo para ele. Você deveria ter visto quando o Henry ficava chapado pra valer. Era incapaz de achar o caminho para a porra do banheiro sem ajuda. Se não havia ninguém por perto para ajudar, ficava sentado no chão, ligava a televisão em algum programa de luta livre e fazia tudo na porra da calça. É ótimo ser um pistoleiro! Sei que é. Só que meu irmão foi um pistoleiro e acabou como um drogado, assim como você está perdendo a porra da sua cabeça.

— Talvez seu irmão fosse um homem sem uma ideia clara de honra.

— Talvez não. Nem sempre tínhamos uma imagem realmente clara do que poderia ser isso no conjunto habitacional onde morávamos. Era só uma palavra que se usava na expressão "dou minha palavra de honra", quando éramos pegos fumando maconha ou roubando calotas de um carro qualquer. Era o que dizíamos tentando escapar de sermos levados perante um juiz.

Eddie estava chorando ainda mais agora, mas também estava rindo.

— E seus amigos... Por exemplo esse sujeito de quem você fala dormindo, este tal de Cuthbert...

O pistoleiro estremeceu involuntariamente. Nem todos os seus longos anos de treinamento puderam impedir o tremor.

— Será que *eles* conseguiram ter essas coisas de que você fala como a porra de um sargento de treinamento: aventuras, jornadas, honra?

— Sim, eles entendiam o que era honra — disse Roland devagar, pensando em todos que não mais existiam.

— E isso os levou mais longe do que ser pistoleiro levou o meu irmão?

O pistoleiro não disse nada.

— Conheço você — disse Eddie. — Já conheci muitos caras como você. Só mais um fanático cantando "Avante Soldados de Cristo" com uma bandeira numa das mãos e o revólver na outra. Não quero honra nenhuma. Só quero frango frito no jantar e uma boa dose. Nessa ordem. Então é o que estou lhe dizendo: vá em frente, passe. Você consegue. Mas no minuto em que virar as costas, vou matar o que resta de você.

O pistoleiro não disse nada.

Eddie sorria com um ar malicioso e enxugava as lágrimas com as costas das mãos.

— Quer saber como chamamos isso no meu mundo?

— Como?

— Impasse mexicano.

Por um momento um se limitou a olhar para o outro, e então Roland cravou os olhos na porta. Ambos haviam estado parcialmente conscientes — Roland um pouco mais que Eddie — de que ocorrera outra daquelas guinadas, dessa vez para a esquerda. Lá estava uma cintilante coleção de joias. Algumas sob a proteção de um vidro, mas como a maioria não estava protegida os dois deduziram que eram pedras de imitação... aquilo que Eddie teria chamado de bijuterias. Enquanto as mãos marrom-escuras examinavam certas peças de um modo nitidamente descuidado, outra vendedora apareceu. Houve uma conversa em que nenhum deles prestou muita atenção e a Dama (que dama, pensou Eddie) pediu para ver mais alguma coisa. A vendedora se afastou e foi então que os olhos de Roland se voltaram atentamente.

As mãos marrons reapareceram, só que agora segurando uma bolsa. A bolsa se abriu. E de repente as mãos estavam recolhendo coisas — aparentemente, quase certamente, ao acaso — e colocando na bolsa.

— Bem, você está reunindo uma equipe e tanto, Roland — disse Eddie, num tom amargamente divertido. — Primeiro consegue o seu viciado branco de praxe, depois outra peça fundamental, uma negra ladra de loja...

Mas Roland já andava para o portal entre os mundos, andava depressa, sem nem olhar para Eddie.

— Estou falando sério! — gritou Eddie. — Você atravessa e corto sua garganta, corto a porra da sua gar...

Antes que ele tivesse tempo de terminar, o pistoleiro sumiu. O que restou foi seu corpo inerte jogado na praia, respirando.

Por um momento Eddie ficou parado, incapaz de acreditar que Roland fizera aquilo, que realmente fora adiante e fizera aquela idiotice a despeito de tudo que ele dissera, da sincera *garantia* que Eddie tinha dado sobre quais seriam as consequências.

Ficou um instante parado, olhos observando tudo como os olhos de um cavalo assustado no início de um temporal... só que, lógico, não havia temporal, exceto dentro da sua cabeça.

Tudo bem. Tudo bem, porra.

Só poderia haver um instante. Poderia ser tudo que o pistoleiro lhe daria, e Eddie bem sabia. Deu uma olhada na porta e viu as mãos negras paralisadas com um colar de ouro, metade dentro e metade fora da bolsa que já brilhava como a caverna dos tesouros de um pirata. Embora não pudesse ouvir o que estava sendo dito, Eddie sentiu que Roland estava falando com a dona das mãos negras.

Então ele tirou a faca da mochila do pistoleiro e se aproximou do corpo inerte jogado diante da porta. Os olhos abertos, vítreos e revirados, exibiam a parte branca.

— Observe, Roland! — gritou Eddie. Aquele vento monótono, idiota, incessante soprava em seus ouvidos. Meu Deus, só isso já era suficiente para deixar qualquer um maluco. — Observe com muita atenção! Quero completar a porra de sua educação! Quero mostrar o que acontece quando você sacaneia os irmãos Dean!

Baixou a faca para a garganta do pistoleiro.

2. CHECANDO AS OPÇÕES

1

Agosto, 1959:

Quando o residente saiu meia hora depois, encontrou Julio encostado na ambulância que ainda estava estacionada na vaga da emergência do Hospital Irmãs da Misericórdia na rua 23. O salto de uma das botas de bico pontudo de Julio estava apoiado na grade da frente. Ele trocara de roupa e usava agora uma calça rosa brilhante e uma camisa azul com seu nome bordado em dourado sobre o bolso esquerdo: era o uniforme da liga de boliche. George consultou o relógio e viu que a equipe de Julio — Ases da Supremacia — já devia estar jogando.

— Achei que você fosse jogar — falou George Shavers. Era um residente do hospital. — Como eles vão vencer sem o Lançador Prodígio?

— Chamaram o Miguel Basale para ficar no meu lugar. Não é dos melhores, mas às vezes consegue se virar. Eles vão ficar bem. — Julio fez uma pausa. — Estou curioso para saber como terminou. — Ele era o motorista, um cubano com um senso de humor que George achava que nem ele mesmo sabia que tinha. George olhou em volta. Não viu nenhum dos paramédicos que tinham vindo na ambulância.

— Onde estão? — George perguntou.

— Quem? Os incríveis irmãos Bobbsey? Onde você acha que estão? Indo atrás de mulher no Village. Tem ideia se ela vai sobreviver?

— Não sei.

George tentou parecer sábio e senhor da situação, mas o fato é que primeiro o residente de plantão e depois uma dupla de cirurgiões tiraram a mulher negra das suas mãos mais depressa do que alguém poderia dizer *ave-maria cheia de graça* (palavras que realmente haviam estado na ponta da língua de George — a mulher negra não parecia que ia conseguir resistir por muito mais tempo).

— Ela perdeu uma enorme quantidade de sangue.

— É.

George era um dos dezesseis residentes no Irmãs da Misericórdia e um dos oito indicados para um novo programa chamado Carona da Emergência. A ideia era que um residente integrado a uma dupla de paramédicos poderia, às vezes, significar a diferença entre a vida e a morte numa situação de emergência. George sabia que a maioria dos motoristas de ambulância e paramédicos achava que residentes sem nenhuma experiência serviam tanto para matar as pessoas que estavam nas macas quanto para salvá-las, mas George achava que às vezes dava certo.

Às vezes.

De qualquer maneira, era ótimo para a reputação do hospital e embora os residentes participantes do programa andassem meio putos por causa das oito horas extras (sem ganhar a mais), o programa foi ganhando força a cada semana. George Shavers não deixava de pensar que a maioria dos colegas se sentia como ele próprio: orgulhoso, empenhado, capaz de pegar qualquer bola que lhe atirassem.

Então chegou a noite em que o Tri-Star da TWA se espatifou. Sessenta e cinco pessoas a bordo, sessenta delas na situação que Julio Estevez classificava como ML — Mortas no Local. Três das cinco restantes pareciam o tipo de coisa que alguém poderia ter resgatado do fundo de uma fornalha de carvão… só que aquilo que a pessoa resgatasse do fundo de uma fornalha de carvão não iria gemer, gritar, nem implorar para alguém lhe aplicar morfina ou matá-lo, certo? *Se você consegue aguentar isto*, pensou George mais tarde, recordando os membros decepados entre as sobras do alumínio dos flaps, as almofadas dos assentos e o pedaço rombudo de cauda com o número 17, um grande T vermelho e parte de um W, recordando o olho que vira pousado em cima de uma mala Samsonite carbonizada, ou recordando o urso de pelúcia de uma criança, os botões dos olhos arregalados ao lado de um pequeno tênis vermelho com o pé da criança ainda lá dentro, *se você consegue aguentar isto, garoto, consegue aguentar qualquer coisa*. E George conseguira aguentar tudo muito bem. Continuou aguentando tudo muito bem até chegar em casa. Continuou aguentando tudo muito bem durante o jantar, tarde da noite, em que comeu um peru da Swanson vendo televisão. Foi dormir sem nenhum problema, o que provava sem a menor sombra de *dúvida* que estava aguentando tudo muito bem. Então, numa hora escura e morta da madrugada, despertara de um pesadelo infernal no qual a coisa pousada em cima da mala Samsonite, a mala carbonizada, não era um urso de pelúcia, mas a cabeça da sua mãe, e os olhos dela tinham se aberto, e eles tinham sido queimados; eram os olhos de botão, arregalados e inexpressivos do ursinho, e a boca tinha se aberto, revelando os restos dos caninos que tinham feito parte de uma dentadura até o Tri-Star da TWA ser atingido por um relâmpago no último trecho da aproximação final e ela ter murmurado: *você não conseguiu me salvar, George, nós juntamos os trocados por sua causa, nós economizamos por sua causa, nós andávamos sem nada por sua causa, seu pai deu um jeito na encrenca em que você se meteu com aquela garota e MESMO ASSIM VOCÊ NÃO CONSEGUIU ME SALVAR MALDITO SEJA*, e ele acordara gritando, com a vaga noção de alguém batendo na parede, mas a essa altura já estava correndo para o banheiro, onde mal teve tempo de se ajoelhar em posição de penitente diante do altar de porcelana antes de o jantar lhe subir pela garganta. Veio como uma entrega especial, quente, soltando vapor e ainda cheirando a peru industrializado. Ele ficou ali ajoelhado, olhando para dentro do vaso, vendo os pedaços do peru meio digeridos e as cenouras que ainda nem tinham perdido o tom fluorescente original. Então uma palavra lampejou em sua mente em grandes letras vermelhas:

CHEGA

Correto.

Era:

CHEGA.

Ele iria sair do negócio de serrar ossos. Iria sair porque:

CHEGA PRA MIM.

Iria sair porque o lema de Popeye era *isso é tudo que posso aguentar, e não aguento mais isso*, e Popeye estava certíssimo.

Deu a descarga no vaso, voltou para a cama, dormiu quase instantaneamente e acordou para descobrir que ainda queria ser médico, e era muito bom ter certeza disso, talvez o programa valesse mesmo a pena, quer o chamassem de *Carona da Emergência*, *Balde de Sangue* ou *Qual é a Música*.

Ele *ainda* queria ser médico.

Conhecia uma senhora que fazia bordados. Pagou-lhe dez dólares, que não tinha para gastar, por um pequeno retângulo de tecido, de aparência antiquada, dizendo:

SE VOCÊ CONSEGUE AGUENTAR ISTO, CONSEGUE AGUENTAR QUALQUER COISA

Sim. Correto.

O sangrento negócio do metrô aconteceu quatro semanas depois.

2

— Era uma senhora esquisita pra cacete, sabe? — disse Julio.

Por dentro, George suspirou de alívio. Se Julio não houvesse puxado o assunto, ele não teria dito nada. George era um residente e um dia seria médico habilitado, agora acreditava de verdade nisso; mas Julio era um veterano de guerra e não se podia dizer uma bobagem na frente de um veterano. O veterano se limitaria a rir e a comentar: *Cara, eu vi essa merda milhares de vezes. Pegue uma toalha e enxugue atrás das orelhas, porque está muito suado e o suor está escorrendo pelo lado do rosto.*

Mas aparentemente Julio *não tinha* visto aquilo milhares de vezes, o que era bom, porque George *queria* conversar sobre o assunto.

Era esquisita, sem dúvida. Era como se fosse duas pessoas.

Ficou espantado ao ver que agora era *Julio* quem parecia aliviado, mas foi tomado por uma súbita sensação de vergonha. Julio Estavez, que nunca iria fazer mais do que pilotar uma limusine com algumas luzes vermelhas pulsando na capota, pelo resto da vida, acabara de demonstrar mais coragem do que ele fora capaz.

— Com certeza, doutor. Era cem por cento esquisita. — Puxou um maço de Chesterfields e enfiou um deles no canto da boca.

— Essas coisas ainda vão matar você, meu amigo — disse George.

Julio assentiu e estendeu o maço.

Os dois fumaram algum tempo em silêncio. Os paramédicos talvez estivessem indo atrás de mulher, como Julio dissera... ou talvez aquilo tivesse sido demais para eles. *George* ficara assustado, nenhuma dúvida quanto a isso. Mas também fora *ele* quem salvara a mulher, não os paramédicos, e sabia que Julio também sabia. Talvez tivesse sido esse o motivo de Julio ter esperado. A mulher negra idosa ajudara, e um garoto branco chamara a polícia, mas fora esses dois todo mundo se limitara a ficar parado observando, como se aquilo fosse um maldito filme, programa de televisão ou coisa do gênero. Seja como for, no fim das contas sobrara tudo para ele, George Shavers, um gato apavorado cumprindo seu dever da melhor forma possível.

A mulher estava esperando o trem que Duke Ellington tinha em tão alta conta: aquele famoso trem A. Apenas uma bela jovem negra, de calça jeans e camisa cáqui, à espera do famoso trem A que a levaria a algum ponto ao norte da cidade.

Alguém a empurrara.

George Shavers não tinha a menor ideia se a polícia pegara o patife que fizera aquilo — não era problema dele. Seu problema era a mulher que caíra gritando na boca do túnel, diante daquele famoso trem A. Fora um milagre que tivesse escapado da terceira linha; a famosa terceira linha que teria feito com ela o que o estado de Nova York fazia com os maus elementos em Sing-Sing, que faziam uma viagem grátis no famoso trem que os condenados chamavam de Velha Faísca.

Ah, os milagres da eletricidade.

Ela tentou rastejar para longe, mas não houve tempo e o famoso trem A entrou guinchando na estação, resfolegando, vomitando centelhas porque o condutor vira a mulher, mas infelizmente tarde demais, tarde demais para ele e tarde demais para ela. E as rodas de aço do famoso trem A cortaram as pernas da moça de cima dos joelhos para baixo. E enquanto todos os homens (exceto o garoto branco que chamara a polícia) tinham ficado parados coçando o saco (assim como as mulheres ficaram também paradas coçando suas partes, George refletiu), uma negra idosa havia pulado na linha, deslocando um quadril ao fazê-lo (mais tarde receberia uma Medalha de Bravura do prefeito), e usara a fita que tinha na cabeça para fazer um torniquete e amarrá-lo em volta de uma das coxas da jovem, de onde o sangue esguichava. O rapaz branco gritava por uma ambulância num dos lados da estação e a velha senhora negra gritava para alguém ajudar, para alguém lhe dar pelo amor de Deus uma gravata, qualquer coisa, não importava o quê, e finalmente um branco também idoso, tipo executivo, havia relutantemente passado seu cinto enquanto a idosa dama negra erguia os olhos para ele e falava as palavras que, no dia seguinte, virariam manchete no *Daily News* de Nova York, palavras que a transformariam numa autêntica e exemplar heroína americana: "Obrigada, cara". Então ela enrolou o cinto em volta da perna esquerda da mulher, na metade do caminho entre a virilha e o ponto onde ficava seu joelho esquerdo antes da chegada do famoso trem A.

George tinha ouvido alguém dizer a alguém que as últimas palavras da jovem negra antes de desmaiar tinham sido: QUEM FOI O FIODAPUTA? VOU ENCONTRAR ELE E DAR UM TIRO NO SEU CU!

Não havia modo de prender o cinto, pois não havia mais buracos na altura certa. Então a senhora negra segurou tudo no muque até Julio, George e os paramédicos chegarem.

George se lembrava da linha amarela, de como a mãe lhe dissera para nunca, nunca, nunca ultrapassar a linha amarela enquanto estivesse esperando um trem (famoso ou não). Quando saltou para os trilhos, o fedor de óleo e eletricidade se misturava ao calor que havia por todos os lados. O calor parecia estar emanando dele, da senhora negra, da jovem negra, do trem, do túnel, do céu invisível lá em cima e do próprio inferno lá embaixo. Lembrava-se de ter pensado de forma meio incoerente: *Se tirassem agora a minha pressão, eu arrebentaria o mostrador do aparelho*, e então ficou calmo e gritou pedindo pela sua maleta, e quando um dos paramédicos tentou pular com ela até onde George estava ele lhe disse para ficar longe, e o paramédico pareceu surpreso, como se estivesse vendo George Shavers pela primeira vez, e tinha *mesmo* ficado longe.

George suturou a maior quantidade possível de veias e artérias e, quando o coração dela começou a falhar, aplicou-lhe uma seringa cheia de Digitalina. Chegou mais sangue. Trazido por policiais. *Quer trazê-la para cima, doutor?*, um deles perguntara e George tinha dito que ainda não e em seguida pegou a agulha e enfiou o líquido na veia dela como se ela fosse uma viciada tremendamente necessitada de uma dose.

Então deixou que a levassem para cima.

Então a levaram embora.

No caminho ela acordou.

Então a esquisitice começou.

3

George deu-lhe uma injeção de Demerol quando os paramédicos a puseram na ambulância — ela começara a se mexer e a chorar baixinho. Aplicou-lhe uma dose capaz de garantir que continuasse apagada até chegarem ao Irmãs da Misericórdia. Tinha noventa por cento de certeza de que, quando chegassem lá, ela *ainda* continuaria entre eles, e isso era uma vitória para os mocinhos.

Os olhos da moça, no entanto, começaram a se agitar enquanto eles ainda estavam a seis quadras do hospital. Ela deixou escapar um gemido profundo.

— Podemos sedá-la de novo, doutor — disse um dos paramédicos.

George mal se deu conta de que era a primeira vez que um paramédico se dignara a chamá-lo de qualquer outra coisa além de George ou, pior ainda, Georgie.

— Está maluco? Quer causar uma overdose nela?

O paramédico recuou.

George tornou a olhar para a jovem negra e os olhos dela o contemplavam, despertos e conscientes.

— O que aconteceu comigo? — perguntou ela.

George se lembrou do homem que contara ao outro o que ela supostamente teria dito (como acharia o filho da puta e daria um tiro no seu cu etc. etc.). O homem era um branco. George concluiu agora que isso fora pura invenção, inspirada pela estranha pulsão humana de tornar situações naturalmente trágicas ainda mais trágicas ou por puro e simples preconceito. Tratava-se, afinal, de uma mulher culta, inteligente.

— A senhorita teve um acidente — disse ele. — A senhorita estava…

Os olhos se fecharam de repente e George achou que ela iria tornar a dormir. Ótimo. Que outra pessoa lhe contasse que tinha perdido as pernas. Alguém que ganhasse mais do que 7600 dólares por ano. Ele havia se deslocado um pouco para a esquerda, para verificar de novo sua pulsação, quando ela abriu os olhos mais uma vez. E nesse momento George Shavers teve a impressão de estar olhando para uma mulher diferente.

— A porra du trem rapô minhas perna. Sinti quandu elas foram simbora. Tô numa ambulânsss?

— S-s-sim — disse George, de repente sentindo necessidade de uma bebida. Não necessariamente álcool. Só tomar alguma coisa. Sua garganta estava seca. Aquilo era como ver Spencer Tracy em *O médico e o monstro*, só que agora na vida real.

— Cunsiguiram pegá a porra daquele safado?

— Não — disse George, pensando: *o cara ouviu direito, droga, o cara realmente ouviu direito o que ela falou.*

Estava vagamente ciente de que os paramédicos, que pareciam distraídos (talvez torcendo para ele fazer uma coisa errada), voltavam agora a prestar atenção.

— Bom. Di qualqué jeitu num importa si u cara correu. Eu pego ele. Corto o piru dele. Fiodaputa! Tu num sabi u qui vô fazê cum aquele fiodaputa! Eu te digo uma coisa, sua porra de médico! Vou te dizer... te dizer...

Os olhos dela tornaram a se fechar e George pensou: *sim, vá dormir, por favor durma, não sou pago para isto, não entendo isto, falaram em entrar em choque, mas ninguém mencionou esquizofrenia como uma das...*

Os olhos se abriram de novo. A primeira mulher voltara.

— Que tipo de acidente foi? — perguntou. — Me lembro de sair do...

— De onde? — disse ele estupidamente.

Ela deu um sorriso breve. Um sorriso doloroso.

— ... do Hungry I. É um café.

— Ah. Claro. Certo.

A outra mulher, ferida ou não, fizera com que ele se sentisse sujo e meio doente. Esta o fazia se sentir como um cavaleiro num conto do rei Artur, um cavaleiro que conseguira resgatar a Bela Donzela das garras do dragão.

— Lembro de estar descendo as escadas para a plataforma e depois disso...

— Alguém a empurrou. — Soava péssimo, mas qual era o problema disso? *Era* péssimo.

— Me jogou na frente do trem?

— Sim.

— Perdi as minhas pernas?

George tentou engolir em seco e não conseguiu. Parecia não haver nada em sua garganta para lubrificá-la.

— Não totalmente — disse sem inflexão, e os olhos dela se fecharam.

Por favor que seja um desmaio, George pensou, *por favor que ela tenha des...*

Os olhos se abriram, inflamados. Uma das mãos se levantou e deu cinco golpes no ar a centímetros do rosto dele — um pouco mais perto e George estaria agora na Emergência, suturando o rosto, não fumando cigarros com Julio Estavez.

— CÊS NUM PASSA DUM MONTE DE BRANCO FIO DA PUTA! — gritou ela. Seu rosto agora era monstruoso, os olhos cheios da própria luz do inferno. Não era sequer a face de um ser humano. — VOU MATÁ CADA SAFADO BRANCO QUE EU VÊ! MÁ PRIMERO VÔ CAPÁ! VÔ CORTÁ AS BOLA E CUSPI AS BOLA NA CARA DELES! VÔ...

Era loucura. Ela falava como uma caricatura de mulher, uma espécie de Madame Butterfly cantando árias completamente loucas. Ela... ou aquilo... também parecia super-humano. A coisa estridente, que se contorcia na maca, não tinha como ter sido submetida a uma cirurgia improvisada por um trem de metrô meia hora atrás. Ela mordia. Estendia repetidamente as garras contra ele. Vazava muco do nariz. Jorrava cuspe dos lábios. Imundície da boca.

— *Dá alguma coisa pra ela, doutor*! — gritou um dos paramédicos. O rosto dele estava pálido. — *Pelo amor de Deus, cala essa boca*! — O paramédico estendeu a mão para o estojo de medicamentos. George empurrou a mão dele.

— Pare com isso, porra.

Ao se virar para a paciente, George via agora o olhar calmo e refinado da outra a observá-lo.

— Vou sobreviver? — perguntou ela no tom descontraído de uma conversa num salão de chá. E George pensou: *Ela não tem consciência dos lapsos. Nenhuma consciência.* E após um instante: *E a outra também não.*

— Eu... — Ele engoliu em seco, esfregou através do jaleco o coração que batia acelerado e ordenou a si mesmo que controlasse a situação. Tinha salvado a vida dela. Os problemas mentais daquela paciente não eram da sua conta.

— *Você* está bem? — perguntou ela, e a genuína preocupação na voz da mulher fez George sorrir... *ela* se preocupando com *ele*.

— Sim, senhora.

— A que pergunta está respondendo?

Ele demorou um pouco para compreender.

— Às duas — disse por fim, pegando a mão dela. Ela apertou a mão de George, que, ao encarar aqueles olhos brilhantes, luminosos, pensou: *Seria fácil um homem se apaixonar por esta mulher*. E foi quando a mão dela se converteu numa garra e ela começou a chamá-lo de branco safado. Já não queria apenas pegar as suas *bolas*, mas ela ia *mastigar* aquelas bolas.

George se afastou, procurando ver se sua mão não estava sangrando, pensando incoerentemente que, se estivesse, alguma providência teria de ser tomada, porque ela era venenosa, a mulher era venenosa e ser mordido por ela seria mais ou menos como ser mordido por uma jararaca ou uma cascavel. Não havia sangue. E quando ele tornou a olhar, já era a outra mulher... a primeira mulher.

— Por favor — dizia ela. — Não quero morrer. Por... — Então ela perdeu de vez os sentidos, o que foi bom. Para todo mundo.

4

— Então, o que acha? — perguntou Julio.

— Sobre quem vai estar na final do beisebol? — George esmagou a guimba do cigarro com o salto do mocassim. — O White Sox. Apostei neles no bolão.

— O que acha daquela mulher?

— Acho que ela pode ser esquizofrênica — disse George devagar.

— Sim, *disso* eu sei. Mas o que acha que vai acontecer com ela?

— Não sei.

— Ela precisa de ajuda, cara. Quem vai ajudar?

— Bem, já fiz o que pude — disse George, mas seu rosto estava quente, como se estivesse corando.

Julio o olhava.

— Se já fez tudo que podia fazer por ela, deveria deixá-la morrer, doutor.

George encarou Julio por um instante, mas descobriu que não conseguia suportar o que encontrou nos olhos dele — não julgamento, mas tristeza.

Então se afastou.

Tinha coisas a fazer.

5

A Hora da Escolha:

Pela maior parte do tempo transcorrido desde o acidente, Odetta Holmes continuara no controle, mas Detta Walker havia passado a tomar cada vez mais a frente, e a coisa que Detta mais gostava de fazer era roubar. Pouco importava que em geral o roubo se limitasse a besteiras, como também não importava que muitas vezes ela depois as jogasse fora.

O que importava era o *ato* de roubar.

Quando o pistoleiro entrou em sua cabeça, na Macy's, Detta gritou numa combinação de fúria, confusão e terror, as mãos paralisadas sobre as bijuterias que estava colocando na bolsa.

Gritou porque quando Roland entrou em sua mente, quando ele *tomou a frente*, por um instante ela sentiu o *outro*, como se uma porta tivesse sido aberta dentro da sua cabeça.

E gritou porque a presença que a invadia e a estuprava era um branco.

Podia não ver mas mesmo assim *sentiu* a brancura dele.

As pessoas olhavam em volta. O gerente viu a mulher gritando na cadeira de rodas com a bolsa aberta, viu a mão imobilizada no ato de enfiar a bijuteria numa bolsa que parecia (mesmo de uma distância de dez metros) valer três vezes a coisa que estava sendo roubada.

O gerente gritou "*Ei, Jimmy*!" e Jimmy Halvorsen, um dos seguranças da loja, virou a cabeça e viu o que estava acontecendo. Começou a se dirigir para a mulher negra na cadeira de rodas numa pressa desnecessária. Não conseguiu não correr — fora policial durante dezoito anos e estava condicionado pelo sistema —, mas já estava pensando que ia ser um problema. Crianças pequenas, deficientes, freiras... tudo isso dava num belo e completo problema. Mexer com eles era como tocar um tambor. Elas gritavam um pouco na frente do juiz e depois se livravam. Era difícil convencer os jurados que deficientes físicos também podiam ser desonestos.

Mas mesmo assim ele correu.

6

Roland ficou momentaneamente horrorizado pela cova brutal de raiva e desprezo em que estava mergulhado... e então ouviu a mulher gritando, viu o sujeito grande com a barriga proeminente correndo em sua direção, reparou como as pessoas olhavam e assumiu o controle.

De repente ele *era* a mulher com as mãos escuras. Sentiu uma estranha dualidade dentro dela, mas não teve tempo de refletir sobre isso naquele momento.

Virou a cadeira e começou a empurrá-la para a frente. O corredor passava correndo por ele/ela. As pessoas se desviavam para um lado ou para o outro. A bolsa foi perdida, derramando os documentos de Detta e o tesouro roubado, os deixando em uma longa trilha pelo chão. O homem com a grande barriga escorregou em falsas correntes de ouro e tubos de batom e caiu de bunda no chão.

7

Merda!, pensou Halvorsen furioso e, por um momento, sua mão entrou sob o casaco esportivo, onde havia um .38 num coldre preso ao ombro. Então pensou com clareza. Aquilo não era uma blitz em um ponto de venda de drogas ou um roubo à mão armada; tratava-se de uma mulher negra paralítica numa cadeira de rodas. Ela podia estar fazendo a cadeira rolar como se fosse um moleque em um pega, mas nem por isso deixava de ser apenas uma mulher negra deficiente. O que ele iria fazer, atirar nela? Essa seria ótima, não? E para onde ela poderia ir? A única coisa que havia no final do corredor eram dois provadores.

Ele se levantou, massageando o próprio traseiro, e voltou a correr atrás dela, agora mancando um pouco.

A cadeira de rodas voou para dentro de um dos provadores. A porta se escancarou, a maçaneta de empurrar foi e voltou.

Peguei você, sua escrota, pensou Jimmy. *E vou te dar um senhor susto. Pouco me importa se precisar sustentar cinco crianças órfãs e não tiver mais de um ano de vida. Não vou machucá-la, mas, ah, garota, vou te dar uma prensa pra valer.*

Ultrapassou o gerente até o vestiário, escancarou a porta com o ombro esquerdo, mas o aposento estava vazio.

Nenhuma mulher negra. Nenhuma cadeira de rodas. Absolutamente nada.

Virou os olhos arregalados para o gerente.

— Abra o outro! — gritou o gerente. — O outro!

Antes que Jimmy tivesse tempo de se mexer, o gerente tinha escancarado a porta do outro provador. Uma mulher de saia de linho e sutiã soltou um grito estridente e cruzou os braços sobre o peito. Era muito branca e sem nenhuma deficiência.

— Perdão — disse o gerente, sentindo um forte tom escarlate tomando conta do rosto.

— Sai daqui, tarado! — gritou a mulher de saia de linho e sutiã.

— Sim, senhora — disse o gerente, fechando a porta.

Na Macy's, o cliente tinha sempre razão.

Ele olhou para Halvorsen.

Halvorsen retribuiu o olhar.

— Que porra foi essa? — perguntou Halvorsen. — Ela entrou aí ou não?

— Sim, entrou.

— Então onde está?

O gerente apenas conseguia balançar a cabeça.

— Vamos voltar e pegar o que caiu no chão.

— Você pega — disse Jimmy Halvorsen. — Estou sentindo como se tivesse quebrado o rabo em nove pedaços. — Fez uma pausa. — Para dizer a verdade, meu caro, também estou me sentindo extremamente confuso.

8

No instante em que o pistoleiro ouviu a porta do provador bater atrás de si, deu uma rápida meia-volta com a cadeira de rodas, à procura da porta. Se Eddie tivesse feito o que prometera, a porta já não estaria mais lá.

Mas a porta estava aberta. Roland empurrou a Dama das Sombras através dela.

3. ODETTA DO OUTRO LADO

1

Não muito tempo depois, Roland iria pensar: *Imagine qualquer outra mulher, deficiente ou não, sendo de repente empurrada pelo corredor da loja onde estava fazendo compras (mesmo que fossem compras suspeitas) por um estranho que entrou na sua cabeça, sendo depois jogada num pequeno provador enquanto alguém lá atrás grita para que pare, sendo depois bruscamente girada para o lado, empurrada de novo para onde, pela lógica, não deveria haver nenhum espaço, e levada para um mundo inteiramente diferente... Acho que qualquer outra mulher, em tais circunstâncias, com toda a certeza perguntaria "onde estou?" antes de tudo.*

Em vez disso, Odetta Holmes perguntou num tom quase amável:

— O que exatamente está planejando fazer com essa faca, rapaz?

2

Roland olhou para Eddie, que estava agachado com a faca suspensa a menos de meio centímetro da sua pele. Mesmo com sua excepcional velocidade, não haveria como o pistoleiro atacar a tempo de desviar a lâmina se Eddie resolvesse usá-la.

— Sim — disse Roland. — O *que* está planejando fazer com isso?

— Não sei — disse Eddie, parecendo extremamente revoltado consigo mesmo. — Cortar o anzol, eu acho. Não parece que eu vim aqui para pescar, não é?

Atirou a faca na direção da cadeira da Dama, mas bem para a direita.

A faca entrou na areia até o cabo e tremeu. Então a Dama virou a cabeça e começou:

— Quem sabe você não poderia, por favor, me explicar para onde exatamente me trouxe...

Parou. Tinha dito *quem sabe você* antes que a cabeça tivesse tempo de se virar e ver que não havia ninguém atrás dela. O pistoleiro, no entanto, observou com algum interesse genuíno que, mesmo assim, ela levou a pergunta até o fim, pois sua condição transformava certas coisas em verdades elementares da vida: por exemplo, se tinha se movido, era porque alguém a movera. Mas não havia ninguém atrás dela.

Absolutamente ninguém.

Tornou a olhar para Eddie e para o pistoleiro, os olhos escuros agitados, confusos, alarmados. Então perguntou:

Onde estou? Quem me empurrou? Como posso estar aqui? E ainda, como posso estar vestida se estava em casa de roupão, vendo o noticiário da meia-noite? Quem sou eu? Onde fica este lugar? Quem são vocês?

"Quem sou eu?", ela perguntou, pensou o pistoleiro. *O dique estourou e houve uma inundação de perguntas; o que já era de se esperar. Mas acho que uma dessas perguntas — "quem sou eu?" — ela não sabe que fez.*

Nem quando fez.

Porque tinha perguntado *antes*.

Mesmo antes de ter perguntado quem eram *eles*, ela havia perguntado quem era *ela*.

3

O olhar de Eddie passou do belo rosto jovem/velho da mulher negra na cadeira de rodas para o rosto de Roland.

— Como ela não sabe quem é?

— Não sei. Choque, imagino.

— O choque levou-a de volta à sala de sua casa antes de ela sair para a Macy's? Está me dizendo que a última coisa de que ela se lembra é realmente estar sentada de roupão ouvindo um apresentador engomadinho falar sobre como encontraram aquele mafioso em Florida Keys com a mão esquerda da Christa McAuliff pendurada na parede do escritório ao lado do troféu de pesca?

Roland não respondeu.

Mais atordoada do que nunca, a Dama perguntou:

— Quem é Christa McAuliff? É uma daquelas Viajantes da Liberdade?

Agora era a vez de Eddie não responder. Viajantes da Liberdade? Que diabo era *aquilo*?

O pistoleiro olhou para Eddie, que foi capaz de ler com bastante facilidade nos olhos do outro: não pode ver que ela está em estado de choque?

Sei o que está querendo dizer, Roland, meu caro, mas a coisa só fica explicada até certo ponto. Também fiquei mais ou menos em choque quando você entrou na minha cabeça como um maluco doido de crack, mas isso não limpou os meus bancos de memória.

Falando em choque, Eddie levara outro belo susto quando ela atravessou. Estava ajoelhado na frente do corpo inerte de Roland, a faca bem em cima da pele vulnerável da garganta... mas a verdade era que não poderia realmente ter usado a faca — não naquele momento, pelo menos. Estava olhando para a porta, hipnotizado, quando o corredor da Macy's avançou para ele — tornou a se lembrar de *O iluminado*, onde você vê o que o menino está vendo quando pedala o velocípede através dos corredores do hotel mal-assombrado. Lembrava-se de que o menino tinha visto a arrepiante dupla de gêmeas mortas num daqueles corredores. O fim deste corredor, no entanto, era muito mais banal: uma porta branca. As palavras SÓ DUAS PEÇAS DE CADA VEZ, POR FAVOR estavam discretamente escritas nela. Certo, era a Macy's, tudo bem. Com certeza a Macy's.

A mão negra de alguém se adiantou e escancarou a porta enquanto uma voz de homem (uma voz de policial, se é que Eddie já tinha ouvido um deles, e já tinha ouvido muitos em sua vida) gritava para que saísse, que não havia meio de escapar, que ela só estava tornando as coisas tremendamente piores para si mesma. No espelho à esquerda, Eddie captou de relance a mulher negra na cadeira de rodas e se lembrou de ter pensado: *Meu Deus, ele a pegou, não há dúvida, e com certeza ela não parece nada satisfeita com isso.*

Então a imagem rodopiou e *Eddie estava olhando para si mesmo*. A visão correu para ele, que sentiu vontade de levantar a mão com a faca para proteger os olhos porque de imediato a sensação de olhar através de dois pares de olhos pareceu demais, louca demais, ia deixá-lo maluco se ele não a fizesse sumir, mas tudo aconteceu muito depressa e ele não teve tempo de fazer nada.

A cadeira de rodas atravessou a porta. Uma passagem um pouco apertada; Eddie ouviu os centros dos aros rasparem nos umbrais. No mesmo instante ouviu outro som: um barulho grave de rasgar que o fez pensar numa palavra

(*placentário*)

que não conseguiu inteiramente pensar porque nem sabia que tinha consciência de sua existência. Então a mulher foi rolando para ele na areia socada e já não parecia uma louca varrida — quase nem parecia a mulher que Eddie vira de relance no espelho, mas ele não achou que *aquilo* fosse de espantar; quando a pessoa passa num piscar de olhos de um provador da Macy's para o litoral de um mundo abandonado por Deus, onde há lagostas do tamanho de cachorros, é normal ficar um pouco agitado. Eddie Dean sentia que isso era algo que ele tinha propriedade para falar.

A mulher rodou pouco mais de um metro antes de parar e só chegou ao ponto que chegou por causa do declive e da natureza extremamente compacta da areia. As mãos não empurravam mais as rodas (*amanhã quando a senhora acordar com dor nos ombros, milady, pode ter certeza de que a culpa é de Sir Roland, Eddie pensou amargamente*); em vez disso, as mãos foram para os braços da cadeira e os agarraram com força enquanto a Dama fitava os dois homens.

Atrás dela, a porta já havia desaparecido. Desaparecido? Isso não era de todo exato. A porta parecia ter se *dobrado* sobre si mesma, como um rolinho de filme correndo para trás. Aquilo começou a acontecer assim que o gerente da loja escancarou a outra porta, bem mais trivial — aquela que ficava entre a loja e o provador. O homem veio com tudo, achando que a ladra poderia ter trancado a porta e Eddie achou que ele daria uma bela de uma porrada contra a parede oposta, mas Eddie não ia ver isso acontecer ou não acontecer. Antes que o estreito interior do provador que ligava a porta com aquele outro mundo desaparecesse por completo, Eddie viu tudo que ele continha se congelar.

O filme havia se transformado numa fotografia.

Tudo que restava agora era a trilha, com as duas marcas da cadeira de rodas, começando num ponto qualquer da areia e avançando pouco mais de um metro até onde ela, a cadeira, e sua ocupante se achavam.

— Será que alguém faria a gentileza de me explicar onde estou e como vim parar aqui? — perguntou a mulher na cadeira de rodas… quase num tom de súplica.

— Bem, vou te dizer uma coisa, Dorothy — disse Eddie. — Você não está mais no Kansas.

Lágrimas cintilaram nos olhos da mulher. Eddie viu como ela tentava reprimi-las, mas em vão. Ela começou a soluçar.

Furioso (e também meio enojado de si mesmo), Eddie se virou para o pistoleiro, que conseguira ficar de pé. Roland se moveu, mas não para a Dama que chorava. Ao invés disso avançou para pegar a sua faca.

— Diga a ela! — gritou Eddie. — Você a trouxe, *portanto vá em frente e conte a ela, cara!* — E após um instante acrescentou num tom mais baixo. — E depois conte a mim como é possível que ela não se lembre de nada.

4

Roland não respondeu. Não de imediato. Curvou-se, apertou o cabo da faca com os dois dedos restantes da mão direita, transferiu cuidadosamente a faca para a mão esquerda e a enfiou na bainha ao lado de um dos cinturões. Ainda estava tentando lidar com o que sentira ao entrar na mente da Dama. Ao contrário de Eddie, ela havia lutado contra ele, lutado como um gato, do momento em que Roland *tomara a frente* até quando atravessaram a porta. A luta tinha começado no momento em que ela o sentiu. Não houvera hesitação, porque não houvera surpresa. Ele percebera as reações da mulher, mas não entendera de absoluto. A mulher não revelara nenhuma surpresa por ter a mente invadida por outra pessoa, apenas uma raiva instantânea, o terror e o início da batalha para se libertar. Não chegara nem perto de vencer aquela batalha — não podia, ele suspeitava —, mas isso não a impedira de lutar como uma leoa. Roland sentira a presença de uma mulher insana, cheia de medo, raiva, ódio.

Sentira apenas escuridão nela — a mente sepultada numa caverna.

Só que…

Só que no momento em que irromperam pela porta e os dois se separaram, ele havia lamentado — lamentado com *desespero* — não ter podido permanecer por mais um instante. Um instante teria significado muito. Porque a mulher que agora estava diante deles não era a mulher em cuja mente ele adentrara. Estar na mente de Eddie fora como estar num quarto com paredes instáveis, trêmulas. Estar na mente da Dama fora como estar deitado sem roupa no escuro, com cobras venenosas rastejando em cima do corpo.

Menos no fim.

Ela mudara no fim.

E houvera outra coisa, algo que ele sabia que era de vital importância, mas que não conseguia compreender nem lembrar. Algo como

(*um olhar*)

a própria porta, mas na mente dela. Algo envolvendo

(*você quebrou o prato* especialíssimo *foi você*)

algum repentino clarão de compreensão. Como num exame, quando você finalmente se lembra…

— Ah, vá se foder — disse Eddie num tom de repulsa. — Você não passa de uma porra de uma máquina.

Cruzou por Roland em passos largos, se aproximou da mulher, se ajoelhou a seu lado e, quando ela apertou os braços em volta dele, cheios de pânico, como os braços de um nadador se afogando, Eddie, em vez de recuar, colocou os próprios braços em volta dela e puxou-a num abraço.

— Tudo bem — disse. — Não está ótimo, é claro, mas está tudo bem.

— *Onde estamos?* — chorava ela. — *Eu estava sentada em casa vendo televisão. Queria saber se iam mostrar meus amigos saindo vivos de Oxford e agora estou aqui e* NÃO SEI SEQUER ONDE FICA ESTE LUGAR*!*

— Bem, eu também não sei — disse Eddie, abraçando-a com mais força, começando a balançá-la um pouco —, mas acho que estamos no mesmo barco. Sou de onde você veio, da boa e velha Nova York, e passei pela mesma experiência… bem, foi um pouco diferente, mas o princípio era o mesmo… e vai ficar tudo bem com você.

Em seguida, distraído, ele acrescentou:

— Desde que goste de lagosta.

Ela o abraçou, chorando. Eddie a segurava, balançava um pouco, e Roland pensou: *Agora vai ficar tudo bem com Eddie. Seu irmão está morto mas agora apareceu uma pessoa para ele cuidar, por isso vai ficar tudo bem com Eddie.*

Mas ele sentiu uma pontada: uma profunda mágoa recriminadora no coração. Era capaz de atirar (pelo menos com a mão esquerda), de matar, de fazer mais e mais, de avançar com brutal determinação através de quilômetros e anos, até mesmo dimensões, em busca da Torre. Era capaz de sobreviver, às vezes era até capaz de proteger — tinha salvado o garoto chamado Jake de uma morte lenta no posto de parada e da absorção sexual pelo Oráculo no sopé das montanhas —, mas no fim deixara Jake morrer. E isso não acontecera por acaso; ele havia cometido um ato consciente de danação. Observava os dois, via Eddie abraçá-la, garantindo que tudo iria ficar bem. O pistoleiro não teria sido capaz de fazer aquilo. Agora o remorso no peito se unia a um medo crescente.

Se pensou em abrir mão de suas emoções para só se concentrar na Torre, Roland, você já perdeu. Uma criatura sem coração é uma criatura sem amor e uma criatura sem amor é um animal. Ser um animal pode ser suportável, embora o homem que se torna um certamente acabe, no final, pagando o preço do próprio inferno, mas e daí se você alcançar o seu objetivo? E daí se você, implacável, conseguir realmente tomar a Torre Negra e conquistá-la? Se nada houver em seu coração além de escuridão, o que você poderia fazer a não ser degenerar de animal a monstro? Atingir seu objetivo como animal seria sem dúvida amargamente cômico — como dar uma lente de aumento a um elefaunte. *Mas atingir o objetivo como monstro...*

Pagar o preço *do inferno é uma coisa. Mas será que ele iria querer* possuí-lo *definitivamente?*

Pensou em Allie e na garota que um dia havia esperado por ele na janela, pensou nas lágrimas que tinha derramado sobre o cadáver de Cuthbert. Ah, então ele tinha amado. Sim. Então.

Eu realmente *quero amar*!, gritou, mas embora agora Eddie estivesse também chorando um pouco com a mulher na cadeira de rodas, os olhos do pistoleiro permaneciam secos como o deserto que ele havia cruzado para alcançar aquele mar sem sol.

5

Ele responderia depois à pergunta de Eddie. Ele faria aquilo porque era bom deixar Eddie alerta. A razão pela qual a mulher não se lembrava de nada era simples. Ela não era uma mulher, mas duas.

E uma delas era perigosa.

6

Eddie contou a ela o que podia, dando poucos detalhes do tiroteio, mas sendo honesto sobre tudo o mais.

Quando acabou, ela ficou em silêncio total por algum tempo, as mãos entrelaçadas no colo.

Pequenos riachos desciam pelas montanhas rasas, avançando alguns quilômetros para leste e sumindo. Desses riachos Roland e Eddie haviam tirado sua água enquanto marchavam para o norte. A princípio fora Eddie quem pegara a água porque Roland estava fraco demais. Mais tarde tinham se revezado em turnos, tendo sempre de ir um pouco mais longe e procurar um pouco mais antes de encontrar um regato. Iam ficando cada vez menores à medida que as montanhas se tornavam menos elevadas, mas a água não os deixara doentes.

Por enquanto.

Roland tinha ido na véspera, e embora isso fizesse com que naquele dia fosse a vez de Eddie, o pistoleiro fora novamente, com os cantis de couro no ombro, caminhando em silêncio. Eddie considerou aquilo um gesto de cortesia bastante singular. Não queria ficar comovido com o gesto — com nada que partisse de Roland, na verdade —, mas mesmo assim ficou um pouco.

A Dama ouviu Eddie com atenção, sem falar nada, olhos fixos nos dele. Num momento Eddie achava que ela era cinco anos mais velha que ele, logo depois apostava em uns quinze. Mas havia uma coisa que ele não precisava tentar adivinhar: estava se apaixonando por ela.

Quando Eddie acabou, a mulher continuou algum tempo sem dizer nada, sem olhar para ele mas além dele, contemplando as ondas que, ao cair da noite, trariam as lagostas com suas perguntas bizarras. Eddie fora particularmente cuidadoso ao *descrevê-las*. Melhor para a Dama ficar um pouco assustada agora do que muito assustada quando elas saíssem para passear na areia. Achava que ela não iria querer comê-las, não depois de saber o que tinham feito à mão e ao pé de Roland, não depois de ter oportunidade de dar uma boa olhada nelas. Mas uma hora a fome seria mais forte do que a aversão ao *did-a-chick* e *dum-a-chum*.

Os olhos dela estavam vidrados, distantes.

— Odetta? — perguntou ele após uns cinco minutos. Ela lhe dissera o nome. Odetta Holmes. Eddie achou que era um nome esplêndido.

Ela o contemplou, sobressaltada. Sorriu um pouco. Disse uma palavra.

— Não.

Eddie se limitou a observá-la, incapaz de encontrar uma resposta adequada. Achou que nunca havia compreendido, até aquele momento, como uma simples negativa podia ser arrasadora.

— Não entendo — disse por fim. — Ao que está dizendo não?

— A tudo isto. — Odetta agitou um braço (possuía, ele reparou, braços muito fortes... macios mas muito fortes) indicando o mar, o céu, a praia, os denteados contrafortes onde o pistoleiro estaria agora certamente procurando água (ou quem sabe sendo comido vivo por algum novo e interessante monstro, embora Eddie preferisse não pensar nisso). O gesto de Odetta abarcava todo aquele mundo.

— Compreendo como se sente. Eu mesmo demorei a conseguir aceitar tudo isso.

Mas *será* que tinha mesmo demorado? Em retrospecto, parecia que ele havia simplesmente aceitado, talvez porque estivesse doente, cada vez mais perturbado pela sua necessidade de se drogar.

— Vai superar isso.

— Não — ela tornou a dizer. — Acho que alguma coisa aconteceu, mas sei que no fundo continuo em Oxford, no Mississípi. Nada disto é real.

Ela continuou. Se tivesse falado mais alto (ou talvez se Eddie não estivesse se apaixonando), aquilo poderia ter soado como uma bronca. Nas atuais circunstâncias, parecia mais algo lírico do que um sermão.

Só que, Eddie precisava lembrar a si mesmo, *ela está dizendo besteira e você tem de convencê-la a acreditar no que vê. Para o próprio bem dela.*

— Posso ter levado uma pancada na cabeça — disse a mulher. — Há notórios assassinos de machadinha e porrete em Oxford Town.

Oxford Town.

Aquilo produziu um leve eco de reconhecimento no fundo da mente de Eddie. Ela pronunciou as palavras com um ritmo que ele, por alguma razão, associou a Henry… a Henry e a fraldas molhadas. Por quê? O quê? Agora não importava.

— Está tentando me dizer — falou Eddie — que isto é algum tipo de sonho que está tendo durante um período de inconsciência?

— Ou de coma — disse ela. — E não precisa me olhar como se eu estivesse falando uma coisa absurda, porque não estou. Olhe aqui.

Ela entreabriu cuidadosamente o cabelo do lado esquerdo e Eddie percebeu que não usava o cabelo penteado para o lado porque apreciasse o estilo. O velho ferimento embaixo da massa de cabelo exibia uma feia cicatriz, não roxa, mas de um cinza esbranquiçado.

— Acho que já teve alguns encontros com o azar na sua vida — disse ele.

Ela deu de ombros com impaciência.

— Algum azar, mas uma dose considerável de boa vida — disse ela. — Talvez a coisa tenha se equilibrado. Quis lhe mostrar isto porque passei três semanas em coma quando tinha cinco anos. Eu sonhava muito então. Não consigo me lembrar de como eram os sonhos, mas lembro da minha mãe dizendo que eles sabiam que eu não iria morrer porque continuei falando e parece que eu não parava de falar, embora ela dissesse que era muito difícil entender qualquer palavra. Mas eu ainda me lembro que os sonhos eram muito nítidos.

Fez uma pausa, olhando em volta.

— Tão nítido quanto este lugar parece ser. E quanto *você* parece ser, Eddie.

Quando ela disse o nome de Eddie, os braços dele formigaram. Ah, estava mesmo ficando apaixonado. Apaixonado pra valer.

— E ele. — Ela estremeceu. — *Ele* parece a coisa mais nítida de todas.

— Isso é normal. Quero dizer, é normal porque nós *somos* reais, não importa o que esteja pensando.

Ela dispensou-lhe um sorriso indulgente. Com o mais extremo ar de descrédito.

— Como aconteceu? — perguntou ele. — Essa coisa na sua cabeça.

— Não importa. Estou apenas dizendo que o que aconteceu uma vez pode muito bem acontecer de novo.

— Sim, mas estou curioso.

— Fui atingida por um tijolo. Era nossa primeira viagem para o norte. Fomos para a cidade de Elizabeth, em Nova Jersey. Fomos no vagão do Jim Crow.

— Jim Crow?

Ela o olhou com ar de descrença, quase de repreensão.

— Onde você tem vivido, Eddie? Num abrigo antibombas?

— Sou de um tempo diferente — disse ele. — Posso perguntar qual é a sua idade, Odetta?

— Sou velha o bastante para votar e não velha o bastante para depender da assistência social.

— Bem, acho que isso me coloca no meu lugar.

— Mas gentilmente, eu espero — disse ela, mostrando o mesmo sorriso radiante que tinha feito os braços de Eddie formigarem.

— Tenho vinte e três — disse ele —, mas nasci em 1964... o ano em que você estava vivendo quando Roland a pegou.

— Isso é bobagem.

— Não. Eu estava vivendo em 1987 quando ele *me* pegou.

— Bem — disse ela após um instante. — Isso realmente coloca muito crédito à sua alegação de que isto é de fato realidade, Eddie.

— O vagão Jim Crow... não era onde os pretos tinham de ficar?

— Os negros — disse ela. — Chamar um negro de preto é um tanto rude, não acha?

— Nos anos 1980 é assim que vocês vão estar se referindo a si próprios — disse Eddie. — Quando eu era criança, isso podia custar uma briga. Era quase como chamar de crioulo.

Por um momento, ela o fitou intrigada, depois balançou resignadamente a cabeça.

— Me conte sobre essa pancada — continuou Eddie.

— A irmã mais nova de minha mãe ia se casar — disse Odetta. — O nome dela era Sophia, mas minha mãe sempre a chamava de irmã Azul porque era a cor de que ela mais gostava. "Ou pelo menos achava que gostava mais", era como minha mãe dizia. Então eu sempre a chamei de tia Azul, mesmo antes de conhecê-la. O casamento foi lindo. Depois houve uma recepção. Ainda me lembro de todos os presentes.

Ela riu.

— Presentes parecem sempre tão maravilhosos para uma criança, não é, Eddie?

— Sim, pode apostar. — Ele sorriu. — Uma criança nunca esquece os presentes. Nem os que ganhou, nem os que outros ganharam.

— Meu pai tinha começado a ganhar dinheiro nessa época e eu só percebia que estávamos *prosperando*. Era como minha mãe sempre dizia e um dia, quando contei a ela que uma menina com quem eu brincava tinha perguntado se meu pai era rico, minha mãe me disse que era como eu devia falar se algum coleguinha fizesse a pergunta. Devia dizer que estávamos *prosperando*... Por isso fomos capazes de dar à tia Azul um lindo conjunto de porcelana. E me lembro...

A voz dela falhou. Uma das mãos foi até a testa, que esfregou com ar distraído, como se alguma enxaqueca estivesse começando.

— Se lembra do quê, Odetta?

— Me lembro que minha mãe deu a ela um troço *especialíssimo*.

— O quê?

— Desculpe. Estou com dor de cabeça. Fico com a língua pastosa. Bem, nem sei por que estou lhe contando tudo isto.

— E se importa de contar?

— Não. Não me importo. Quis dizer que minha mãe deu a ela um prato especial. Era branco, com um delicado traçado azul serpenteando por toda a beirada. — Odetta sorriu ligeiramente. Eddie achou que não era um sorriso inteiramente descontraído. Algo sobre aquela memória a perturbava e o modo como os fatos mais distantes de sua vida tinham ganhado precedência sobre a situação extremamente estranha em que se encontrava, uma situação que devia estar exigindo toda ou a maior parte de sua atenção, deixou *Eddie* perturbado.

— Posso ver aquele prato tão claramente quanto se estivesse com ele na mão agora, Eddie. Minha mãe deu-o à irmã Azul e ela não parava de chorar. Acho que vira um prato igual quando ela e minha mãe eram crianças, só, é claro, que os pais delas jamais poderiam ter se dado ao luxo de possuir uma coisa como aquela. Nenhuma delas teve qualquer coisa *especial* quando criança. Depois da recepção, tia Azul e o marido saíram para passar a lua de mel nos Montes Apalaches. Foram de trem. — Ela olhou para Eddie.

— No vagão de Jim Crow — disse ele.

— Isso! No vagão do Crow! Crow naquela época era onde os pretos viajavam e onde eles comiam. É o que estamos tentando mudar em Oxford Town.

Odetta o olhou, quase certamente esperando que ele repetisse que ela estava *ali*, mas Eddie caíra de novo na teia de sua própria memória: fraldas molhadas e aquelas palavras. Oxford Town. Então, de repente, chegaram outras palavras, um único verso, mas ele se lembrou de Henry a cantá-lo repetidamente até a mãe perguntar se ele não podia, por favor, parar para ela escutar a televisão.

Melhor que alguém investigue logo. As palavras eram essas. Cantadas repetidamente por Henry num monótono tom nasal. Tentou se lembrar de mais alguma coisa, mas não conseguiu, o que realmente não era de espantar. Não deveria ter mais do que três anos naquela época. *Melhor que alguém investigue logo.* As palavras lhe deram um calafrio.

— Eddie, você está bem?

— Sim. Por quê?

— Você teve um tremor.

Ele sorriu.

— O pato Donald deve ter passado sobre o meu túmulo.

Ela riu e continuou:

— De qualquer modo, pelo menos eu não estraguei o casamento. A coisa aconteceu quando estávamos voltando para a estação ferroviária. Tínhamos passado a noite na casa de um amigo de tia Azul e, de manhã, meu pai chamou um táxi. O táxi veio quase de imediato, mas quando o motorista viu que éramos negros, deu meia-volta como se tivesse a cabeça em chamas e o rabo em brasas. O amigo da tia Azul tinha ido na nossa frente para a estação, levando a nossa bagagem... Era muita coisa, porque íamos passar uma semana em Nova York. Lembro de meu pai dizendo que não podia esperar a hora de ver meu rosto se iluminar quando o relógio do Central Park desse as horas e todos os animais começassem a dançar.

"Meu pai disse que podíamos então ir a pé até a estação. Minha mãe concordou em menos de uma fração de segundo, dizendo que era uma ótima ideia, não passava de um quilômetro e meio e seria bom esticarmos as pernas depois de passarmos três dias em um trem e com mais meio dia em outro pela frente. Meu pai disse que sim, e o clima estava sem dúvida muito agradável, mas acho que, mesmo aos cinco anos, percebi que ele estava furioso, ela constrangida e ambos com medo de chamar outro táxi porque o mesmo poderia acontecer de novo.

"Então começamos a descer a rua. Eu ia longe da calçada porque minha mãe tinha medo de me deixar muito perto dos carros. Me lembro de ter perguntado se o papai achava mesmo que meu rosto iria *brilhar* ou algo parecido quando eu visse o tal relógio no Central Park e se aquilo não iria doer. Então foi nesse momento que o tijolo caiu na minha cabeça. Durante algum tempo, tudo ficou escuro. E aí os sonhos começaram. Sonhos nítidos."

Ela sorriu.

— Como *este* sonho, Eddie — disse.

— O tijolo realmente caiu ou alguém o jogou em você?

— Nunca encontraram ninguém. A polícia, minha mãe me contou isso muito tempo depois, quando eu já tinha uns dezesseis anos, encontrou o lugar onde estivera o tijolo. Havia outros tijolos faltando e alguns soltos. Era o parapeito de uma janela de um apartamento de quarto andar, num prédio que estava condenado. Mas é claro que o lugar continuava sendo habitado por muita gente. Principalmente à noite.

— Claro — disse Eddie.

— Ninguém viu ninguém deixando o prédio, então foi determinado como um acidente. Minha mãe dizia que também achava que *tinha* sido um acidente, mas desconfio de que ela estivesse mentindo. E nunca se deu ao trabalho de dizer o que meu pai achava. O fato é que os dois continuaram se ressentindo bastante do modo como o motorista do táxi nos dispensara um olhar e fugira. Foi aqui mais do que tudo que os fez acreditar que houvera alguém na janela, talvez simplesmente nos observando, alguém que nos viu caminhando e decidiu jogar um tijolo nos crioulos... Bem, não está na hora de as criaturas-lagostas aparecerem?

— Não — disse Eddie. — Não aparecem antes de a noite cair. Então uma de suas teorias é que tudo isto é o sonho de um estado de coma, como os sonhos que teve quando foi acertada pelo tijolo. Só que desta vez acha que foi um porrete ou algo do gênero.

— Sim.

— E qual a outra teoria?

O rosto e a voz de Odetta estavam bastante calmos, mas a cabeça se enchera de uma feia teia de imagens que não paravam de se somar a Oxford Town, Oxford Town. Como era mesmo a música? *Dois homens mortos sob a luz da lua, / Melhor que alguém investigue logo*. Talvez não fosse exatamente assim, mas estava perto. Perto.

— É que posso ter ficado louca — disse ela.

7

As primeiras palavras que chegaram à mente de Eddie foram: *Se você acha que pirou, Odetta, então está louca.*

Uma breve reflexão, no entanto, fez isso parecer uma linha nada construtiva de argumentação.

E Eddie ficou algum tempo em silêncio, sentado ao lado da cadeira de rodas dela, os joelhos erguidos, as mãos entrelaçadas.

— Você foi mesmo viciado em heroína?

— *Ainda sou* — disse ele. — É como ser alcoólatra ou viciado em crack. Algo que, no fundo, você nunca vai superar. Eu costumava ouvir isso e pensava "tudo bem, tudo bem, que exagero", mas agora compreendo. Ainda quero a droga e acho que uma parte de mim sempre vai *querer*, mas a necessidade física passou.

— O que é crack? — perguntou ela.

— Uma coisa que ainda não foi inventada no seu quando. Algo que se faz a partir da cocaína, só que é como converter TNT numa bomba de hidrogênio.

— Você usava?

— Nossa, não. O meu departamento era a heroína. Já te disse.

— Mas você não parece um viciado — disse ela.

Eddie realmente tinha uma aparência razoavelmente boa... se, é claro, a pessoa ignorasse o cheiro de podre que emanava de seu corpo e roupas (ele havia tentado se lavar e havia tentado lavar também as roupas, mas, como não havia sabão, não fora muito bem-sucedido). Seu cabelo estava curto quando Roland entrou na vida dele (o melhor corte para passar na alfândega, cara, aquela passagem que acabou se convertendo na maior de todas as piadas) e se conservava num comprimento respeitável. Ele fazia a barba toda manhã, usando a lâmina afiada da faca de Roland, a princípio cautelosamente, mas com crescente confiança. Quando Henry fora para o Vietnã, Eddie ainda era muito jovem para o barbear ser parte de sua vida. E a barba também nunca fora uma grande questão para Henry; ele nunca teve muita barba, mas depois de três ou quatro dias sem fazê-la a mãe deles mandava que "aparasse o mato". Ao voltar do Vietnã, no entanto, Henry se tornara maníaco pelo assunto. O que se somava a algumas outras manias: talco nos pés depois do banho, dentes escovados três ou quatro vezes ao dia com toneladas de bochechos, roupas sempre muito bem dobradas, e Eddie também acabou se convertendo num fanático por esse tipo de ordem. A barba passou a ser raspada de manhã e no final da tarde e agora o hábito estava profundamente enraizado em sua vida, como os demais que lhe haviam sido ensinados por Henry. Incluindo, é claro, aquele que era praticado com uma agulha.

— Pareço limpinho demais? — perguntou ele, sorrindo.

— Uma aparência branca demais — disse a Dama e logo se calou, contemplando severamente o mar. Eddie também ficou calado. Se havia uma réplica para um comentário como aquele, ele não sabia qual poderia ser.

— Sinto muito — continuou ela. — Fui muito grosseira, injusta, e isso não é do meu feitio.

— Não tem problema.

— Tem *sim*. É como uma pessoa branca se virar para alguém com uma pele marrom-clara e dizer algo tipo: "Nossa, nunca me passou pela cabeça que você fosse crioulo".

— Você gosta de pensar que tem menos preconceitos — disse Eddie.

— O que gostamos de pensar de nós mesmos e o que realmente somos raramente têm muita coisa em comum, eu acho, mas sim… gosto de me imaginar como alguém com menos preconceitos. Então por favor me desculpe, Eddie.

— Desculpo com uma condição.

— Qual? — Ela estava novamente sorrindo. O que era bom. Eddie gostava quando conseguia fazê-la sorrir.

— Dê uma chance a *isto*. A condição é esta.

— Dar uma chance a *quê*? — Ela parecia estar achando graça. Eddie podia ter se irritado ouvindo aquele tom na voz de outra pessoa, podia ter sentido que não estava sendo levado a sério, mas com ela era diferente. Com ela não fazia mal. Desconfiava que com ela mais ou menos nada faria mal.

— Dê uma chance à possibilidade de existir uma terceira alternativa. De isto estar realmente acontecendo. Quero dizer... — Eddie limpou a garganta. — Não sou muito bom naquelas paradas filosóficas, tipo metamorfose ou seja lá o diabo que for...

— Quis dizer metafísica?

— Talvez. Não sei. Acho que sim. Mas sei que você não pode andar por aí sem acreditar no que seus sentidos lhe dizem. Ora, se sua teoria sobre tudo isto ser um sonho estivesse certa...

— Não falei em *sonho*...

— Seja como for, é desse jeito que você vê a coisa, não é? Uma falsa realidade.

Se um momento antes havia um tom levemente condescendente na voz da Dama, ele desaparecera.

— Filosofia e metafísica podem não estar no seu cacife, Eddie, mas você deve ter sido um excelente participante dos debates na escola.

— Nunca participei de um debate. Isso era coisa de gays, feios e perdedores. Como um clube de xadrez. E que história é essa de cacife? O que é um cacife?

— Apenas uma coisa de que você gosta. E que história é essa de gays? O que são *gays*?

Ele a encarou um instante, depois deu de ombros.

— Homos. Viados. Não importa. Podemos ficar o dia inteiro trocando gírias. Isto não vai nos levar a lugar nenhum. O que estou tentando dizer é que se tudo é um sonho, pode ser o meu sonho, não o seu. Você pode ser fruto da minha imaginação.

O sorriso dela vacilou.

— Você... ninguém bateu em você.

— Ninguém bateu em *você* também.

O sorriso se extinguiu.

— Ninguém que eu me *lembre* — ela corrigiu com certa aspereza.

— Eu também não! — disse ele. — Você disse que foram violentos em Oxford. Bem, aqueles caras da alfândega não entraram exatamente em êxtase quando não conseguiram achar a droga que estavam procurando. Algum deles pode ter batido em mim com a coronha de um revólver. Eu posso agora estar estendido numa enfermaria, imaginando você e Roland num sonho, enquanto eles fazem seus relatórios, explicando como eu me tornei violento durante o interrogatório, precisando ser contido.

— Não é o mesmo.

— Por quê? Porque você é uma inteligente e politicamente atuante madame negra sem pernas e eu sou apenas um viciado em pico de Co-Op City? — disse isso com um sorriso, sugerindo que se tratava de um comentário brincalhão, mas ela o encarou com ar severo.

— Gostaria que parasse de me chamar de *negra!*

— Tudo bem. — Ele suspirou. — Mas vou demorar a me acostumar.

— Bem, você devia ter mesmo participado de um clube de debates.

— Porra — disse Eddie, e o desviar dos olhos da Dama fez Eddie constatar que a diferença entre os dois era muito mais do que meramente a cor. Falavam um com o outro de ilhas distintas. A água que havia no meio era o tempo. Mas não importava. O palavrão chamara a sua atenção. — Não quero discutir com você. Quero fazê-la perceber que está acordada, só isso.

— Talvez eu fosse capaz de agir provisoriamente de acordo com as exigências de sua terceira alternativa se isto... esta situação... fosse coerente. Mas há um detalhe: existe uma diferença fundamental entre o que aconteceu a você e o que aconteceu a mim. Realmente fundamental, realmente grave, e você nem chegou a percebê-la.

— Então me diga qual é.

— Não há descontinuidade na sua consciência. Na minha, a descontinuidade é enorme.

— Não entendo.

— Quero dizer que você tem perfeita noção do transcorrer do tempo — disse Odetta. — As histórias que você conta progridem de um ponto a outro: o avião, a entrada disso... daquilo... *dele*...

Com evidente mal-estar, ela meneou a cabeça para a encosta das montanhas.

— O problema de se livrar das drogas, os agentes que o levaram em custódia, tudo é uma história fantástica, mas sem elos perdidos. Quanto a mim, eu voltei de Oxford, Andrew, meu motorista, veio ao meu encontro e me levou para casa. Tomei banho, queria dormir... Estava sentindo um terrível início de enxaqueca e o sono é o único remédio que dá algum resultado nas enxaquecas realmente graves. Como era quase meia-noite, fiquei com vontade de assistir ao noticiário antes de me deitar. Alguns de nós tinham sido libertados, mas muitos ainda estavam detidos quando partimos. Eu queria saber se seus casos tinham sido resolvidos.

"Eu me enxuguei, vesti o roupão e fui para a sala. Liguei a televisão no noticiário. O locutor começou a falar sobre um discurso que Krushchev tinha acabado de fazer sobre os conselheiros americanos no Vietnã. Krushchev disse: 'Temos um documento filmado do...', e então ele simplesmente desapareceu e eu estava rolando em minha cadeira por esta praia. Você diz que me viu atravessar uma espécie de porta mágica que agora sumiu, que eu estava na Macy's e que estava roubando. Tudo isso é absurdo demais, porque mesmo que eu estivesse disposta a roubar poderia ter procurado algo melhor do que bijuterias. Não uso joias."

— É melhor olhar de novo para suas mãos, Odetta — disse Eddie em voz baixa.

Por um bom tempo o olhar dela passou do "diamante" no dedo mínimo da mão esquerda, muito grande e vulgar para ser qualquer coisa além de vidro, à grande opalina no terceiro dedo da mão direita, muito grande e vulgar para ser qualquer coisa além de real.

— Nada disto está acontecendo — ela repetiu com firmeza.

— Você parece um disco arranhado! — Pela primeira vez ele parecia genuinamente irritado. — Cada vez que alguém abre um buraco em sua bela historinha, você se retira para a porra do tal "nada disso está acontecendo". Tem de abrir os olhos, Detta.

—*Não me chame assim! Detesto isso!* — ela gritou de modo tão áspero que Eddie chegou a se retrair.

— Desculpe. Nossa! Eu não imaginava...

— Passei da noite para o dia, de estar sem roupa para estar vestida, de minha sala de estar para esta praia deserta. E o que realmente houve foi que algum caipira racista e barrigudo me acertou na cabeça com um cacete. Foi isso que aconteceu *e pronto*!

— Mas suas lembranças não param em Oxford — disse ele suavemente.

— C-como? — De novo a dúvida. Ver a coisa e não querer aceitar. Como no caso dos anéis.

— Se você foi atacada em Oxford, como suas memórias não param lá?

— Coisas como essa nem sempre seguem uma lógica. — Estava esfregando novamente as têmporas. — E agora, se não fizer diferença para você, Eddie, gostaria de encerrar a conversa. Minha dor de cabeça voltou. E está muito forte.

— Acho que a dose de lógica que existe em tudo depende do que você quer acreditar. Eu a *vi* na Macy's, Odetta. Eu a vi roubando. Você diz que não faz esse tipo de coisa, mas também me disse que não usava nenhuma joia. Me disse isso baixando várias vezes os olhos para as mãos. Os anéis estavam lá, *mas era como se você não conseguisse vê-los até eu chamar sua atenção, até obrigá-la a enxergá-los.*

— Não quero falar nisso! — gritou ela. — Minha cabeça está doendo!

— Tudo bem. Mas sabe onde parou de ter consciência do tempo, e não foi em Oxford.

— Me deixe em paz — disse ela sem emoção.

Eddie viu o pistoleiro se aproximando devagar com dois cantis cheios d'água, um amarrado na cintura e outro pendurado nos ombros. Parecia muito cansado.

— Gostaria de poder ajudá-la — disse Eddie —, mas para fazer isso, acho que eu teria de ser real.

Continuou um instante a seu lado, mas Odetta estava de cabeça baixa, massageando sem parar a testa com as pontas dos dedos.

Eddie foi ao encontro de Roland.

8

— Sente-se. — Eddie pegou os cantis. — Você parece acabado.

— E estou. Estou ficando doente de novo.

Eddie olhou para o rosto e a testa vermelhos do pistoleiro, para os lábios rachados, e assentiu.

— Torci para isso não acontecer, mas não estou muito surpreso, cara. Você não completou o ciclo do remédio. O Keflex de Balazar foi pouco.

— Não estou entendendo.

— Se a pessoa não toma uma droga à base de penicilina pelo tempo necessário, a infecção não acaba. Fica apenas latente. E volta alguns dias depois. Vamos precisar de mais medicamento, mas pelo menos temos uma porta. Enquanto isso, terá de pegar leve. — Enquanto falava, Eddie pensava com tristeza na perda das pernas de Odetta e nas viagens cada vez mais longas que tinham de fazer para encontrar água. E se perguntava se Roland não podia ter escolhido um momento pior para ter uma recaída (achava que era possível, só não sabia como).

— Tenho de te dizer uma coisa sobre Odetta.

— É esse o nome dela?

— Aham.

— Muito bonito — disse o pistoleiro.

— É. Também acho. O que não é tão bonito é o modo como ela encara este lugar. Não acha que esteja aqui.

— Eu sei. E não gosta muito de mim, não é?

Não, pensou Eddie, *mas isso não a impede de o encarar como uma* senhora *alucinação.* Ele não falou isso, apenas assentiu.

— As razões são quase as mesmas — continuou o pistoleiro. — Ela não é a mulher que eu trouxe para cá, percebe? Não é em absoluto.

Eddie olhou-o fixamente, depois de repente assentiu, agitado. Aquele reflexo borrado no espelho… aquela face contorcida… o homem tinha razão. Meu Deus, é claro que tinha! Não era absolutamente Odetta.

Então ele se lembrou das mãos que tinham tateado aparentemente distraídas pelo mostruário e, com a mesma distração, iam enfiando as joias falsas numa grande bolsa — quase como se ela *quisesse* ser apanhada.

Os anéis estavam lá.

Os mesmos anéis.

Mas isso não significava necessariamente as mesmas mãos, pensou ele febrilmente. A ideia, no entanto, só se sustentou por um segundo. Tinha examinado as mãos delas. Eram as mesmas, de dedos longos, delicadas.

— Não — continuou o pistoleiro. — Não é ela. — Seus olhos azuis estudaram Eddie cuidadosamente.

— As mãos dela…

— Escute — disse o pistoleiro —, e escute com atenção. Nossa vida pode depender disso. A minha porque estou ficando outra vez doente e a sua porque você se apaixonou por ela.

Eddie não disse nada.

— Ela é duas mulheres no *mesmo corpo*. Era uma pessoa quando entrei nela e outra quando voltei para cá.

Agora Eddie não *conseguiu* dizer nada.

— Havia mais alguma coisa nela — continuou Roland —, alguma coisa estranha. Ou não fui capaz de compreendê-la ou fui capaz, num primeiro momento, mas ela me escapou. Parecia importante.

O olhar de Roland, ultrapassando Eddie, se concentrou na cadeira de rodas na praia, sozinha na extremidade de um curto rastro que vinha de lugar nenhum. Então Roland tornou a olhar para Eddie.

— Entendo muito pouco disto, de como algo assim pode estar acontecendo, mas *você precisa ficar alerta*. Entendeu?

— Sim. — Eddie tinha a sensação de estar faltando ar em seus pulmões. Percebia… ou pelo menos tinha uma percepção de espectador do tipo de risco a que o pistoleiro estava se referindo… mas não tinha condição ainda de falar em voz alta, ainda não. Era como se Roland tivesse drenado toda sua capacidade de fala.

— Ótimo. Porque a mulher em que eu entrei no outro lado da porta é tão letal quanto aquelas coisas-lagostas que surgem à noite.

4. DETTA DO OUTRO LADO

1

Você precisa ficar alerta, dissera o pistoleiro e Eddie havia concordado, mas o pistoleiro sabia que Eddie não sabia muito bem do que ele estava falando; toda a metade de trás da mente de Eddie, onde a sobrevivência tem êxito ou não, deixara de captar a mensagem.

O pistoleiro viu isso.

Foi uma boa coisa para Eddie ele ter percebido.

2

No meio da noite, os olhos de Detta Walker se abriram de repente. Estavam cheios do brilho das estrelas e de perspicácia.

Ela se lembrava de tudo: de como os enfrentara, de como a tinham amarrado na cadeira, de como tinham zombado dela, chamando-a *crioulaputa, crioulaputa*.

Lembrava-se dos monstros saindo das ondas e lembrava de como um dos homens — o mais velho — matara um dos monstros. O mais jovem acendera uma fogueira, cozinhara o monstro e, sorrindo, lhe oferecera carne de monstro fumegante no espeto. Ela se lembrava de ter cuspido no rosto dele, lembrava-se do sorriso se convertendo numa irada carranca branca. Ele batera em seu rosto e dissera: *Bem, está bem então, você vai mudar de ideia, crioulaputa. Espere só para ver*. Então ele e o Homem Realmente Mau tinham rido e o Homem Realmente Mau comera um pedaço da carne que havia posto no espeto e cozinhado devagar na fogueira, ali no litoral daquele lugar estranho para onde a haviam levado.

O cheiro da carne sendo lentamente assada era apetitoso, mas ela não demonstrara nada. Mesmo quando o mais jovem sacudiu um pedaço perto de seu rosto, cantarolando *Morda isso, crioulaputa, vá e morda isso*, continuou imóvel como pedra, mantendo-se firme.

Depois dormira e agora estava acordada. As cordas com que fora amarrada haviam sumido. Não estava mais em sua cadeira, mas estendida num cobertor e debaixo de outro, bem longe dos limites da maré alta, onde as coisas-lagostas continuavam perambulando, fazendo suas perguntas e interrompendo o voo de uma solitária e desafortunada gaivota.

Ela olhou para a esquerda e não viu nada.

Olhou para a direita e viu dois homens dormindo enrolados em duas pilhas de cobertores. O mais novo estava mais próximo e o Homem Realmente Mau tirara os cinturões dos revólveres e os depositara a seu lado.

Os revólveres continuavam nos cinturões.

Cometeu um tremendo erro, fiodaputa, pensou Detta, rolando para a direita. O raspão e o chiado de seu corpo na areia eram inaudíveis sob o vento, as ondas, as criaturas indagadoras. Ela rastejou devagar pela areia (como se fosse uma das lagostrosidades), os olhos brilhando.

Estendeu a mão para os cinturões e pegou um dos revólveres.

Era muito pesado, o cabo liso e particularmente letal em sua mão. O peso não a incomodava. Detta Walker tinha braços fortes.

Ela rastejou um pouco mais.

O homem mais novo não era mais do que uma pedra que roncava, mas o Homem Realmente Mau se mexeu um pouco no sono e ela ficou imóvel, o rosnado despontando entre os dentes até ele se aquietar de novo. *O cara é um safado fiodaputa. Ti cuida, Detta. Presta atenção, ti cuida.*

Encontrou o pino que soltava o tambor, tentou empurrá-lo para cima, nada aconteceu, então puxou-o para baixo. O tambor estava solto.

Carregado! Porra, carregado! Primeru tu pega u pica moli du más novo. Quandu aquele Homem Realmente Mau acordar tu mostra pra ele um baita sorriso — sorria cuco pra qui eu possa vê onde tu tá — e aí tu dá uma capada no cuco.

Fechou o tambor, começou a puxar o cão... e esperou.

Quando o vento ficou mais forte, puxou o cão inteiramente para trás.

Detta apontou o revólver de Roland para a têmpora de Eddie.

3

O pistoleiro contemplava tudo isso com um olho semiaberto. A febre estava de volta, mas ainda não era alta, pelo menos não a ponto de ele perder a confiança em si próprio. Então esperou, aquele olho semiaberto e o corpo preparado como um gatilho, o corpo que sempre fora uma arma quando não havia um revólver à mão.

A mulher puxou o gatilho.

Clique.

É claro, *clique*.

Ao voltarem com os cantis depois de sua confabulação, Eddie e o pistoleiro tinham encontrado Odetta Holmes profundamente adormecida na cadeira de rodas, caída para um lado. Depois de preparar-lhe a melhor cama possível na areia, tiraram com cuidado Odetta da cadeira e a carregaram para os cobertores estendidos no chão. Eddie tinha certeza de que ela iria acordar, mas Roland sabia que não.

Roland matara uma lagosta, Eddie acendera a fogueira e os dois tinham comido, guardando um pedaço para Odetta comer de manhã.

Então conversaram e Eddie dissera algo que explodira na cabeça de Roland como um repentino clarão de relâmpago. A coisa fora sucinta e intensa demais para ser compreendida ao todo, mas Roland percebeu boa parte dela, da maneira como uma pessoa consegue distinguir uma extensão de terra numa simples piscada de raio.

Ele poderia ter dito então a Eddie, mas não o fez. Compreendia que tinha de ser o Cort de Eddie e quando um dos alunos de Cort ficava ferido e sangrando em virtude de algum golpe inesperado, a resposta de Cort era sempre a mesma: *Uma criança só entende o que é um martelo depois que seu dedo é confundido com um prego. Levante-se e pare de se queixar, seu verme! Você esqueceu o rosto de seu pai!*

Então Eddie adormecera, embora Roland o tivesse mandado ficar alerta e, quando Roland teve certeza de que os dois haviam dormido (ele tinha esperado mais tempo por causa da Dama, que podia, ele achava, ser dissimulada), recarregou os revólveres com balas já utilizadas, tirou os cinturões (o que provocou um certo barulho) e colocou os revólveres ao lado de Eddie.

Depois esperou.

Uma hora; duas; três.

Na metade da quarta hora, quando seu corpo cansado e febril queria cochilar, o pistoleiro primeiro sentiu e só depois viu a Dama despertar, e ele próprio ficou inteiramente desperto.

Viu-a rolar pela areia. Viu-a transformar as mãos em garras e rastejar pela areia até onde se encontravam os cinturões do pistoleiro. Viu-a puxar um deles, se aproximar de Eddie, parar um instante empinando a cabeça, as narinas inchando e se contraindo, fazendo mais do que cheirar o ar; *sentindo* o gosto dele.

Sim. Aquela era a mulher que atravessara com ele a porta.

Quando ela olhou para o pistoleiro ele fez mais do que fingir dormir, porque a mulher teria percebido a simulação: ele *foi* dormir. Quando sentiu o olhar dela se desviar, acordou e tornou a abrir um único olho. Viu a mulher começando a erguer o revólver — fez isso com menos esforço do que Eddie da primeira vez que Roland o viu fazendo o mesmo — e começando a apontá-lo para a cabeça de Eddie. De repente ela fez uma pausa, o rosto coberto de um implacável ar malicioso.

E nesse momento ela o fez se lembrar de Marten.

Mexeu no tambor, primeiro desajeitada, depois conseguindo abrir. Examinou-o de cima. Tenso, Roland esperava para ver se ela descobriria que as balas boas já tinham sido retiradas; bastaria olhar pelo outro lado do tambor para descobrir que só havia câmaras vazias em vez de balas (pensara em carregar os revólveres com as balas que tinham falhado, com as câmaras intactas, mas Cort ensinara que cada revólver era, em última instância, governado pelo Homem do Casco Fendido, e uma bala que tinha falhado uma vez poderia muito bem disparar numa segunda tentativa). Se ela visse as câmaras vazias, ele entraria em ação na mesma hora.

Mas ela tornou a encaixar o tambor, começou a puxar o cão… e então parou de novo. Esperando para que o vento amortecesse o clique baixo do engatilhar.

Mais um, ele pensou. *Meu Deus, ela é malévola e sem pernas, mas é com certeza uma pistoleira, assim como Eddie.*

Esperou com ela.

O vento aumentou.

Ela acabou de engatilhar e colocou o revólver a pouco mais de um centímetro da têmpora de Eddie. Com um sorriso que lembrava a careta de uma assombração, puxou o gatilho.

Clique.

Roland esperou.

Ela tornou a puxar. De novo. E de novo.

Clique-Clique-Clique.

— FIODAPUTA! — a mulher gritou e virou com agilidade o revólver como quem ia usar a coronha.

Roland armou o bote, mas não se mexeu. Uma criança só entende o que é um martelo depois que seu dedo é confundido com um prego.

Se Eddie for morto, depois vai ser sua vez.

Não importa, aconselhou a voz de Cort com total secura.

Eddie se mexeu. E seus reflexos não foram maus; ele se moveu com rapidez suficiente para evitar um golpe que poderia deixá-lo inconsciente ou morto. Em vez de acertar no lado vulnerável de sua testa, a pesada coronha do revólver bateu do lado do seu maxilar.

— O quê… Meu Deus!

— FIODAPUTA! BRANCO FIODAPUTA PUTO! — Detta gritava, e Roland viu--a levantar pela segunda vez o revólver. E embora ela não tivesse pernas e Eddie estivesse se afastando, não ousou esperar mais. Bem, se Eddie não aprendera a lição agora, jamais iria aprender. Da próxima vez que o pistoleiro mandasse Eddie ficar alerta, Eddie *ficaria*. Além do mais, a escrota era rápida. Não seria sensato continuar contando com a rapidez de Eddie ou com a debilidade da Dama.

O pistoleiro se lançou para a frente, passando por cima de Eddie, atingindo a mulher, atirando-a para trás e parando sobre ela.

— *É isso mesmo que tu qué, fiodaputa?* — gritou ela, simultaneamente apertando a virilha contra o sexo dele e erguendo a mão, sempre segurando o revólver, sobre sua cabeça. — *É u qui tu qué? Vou dá o qui tu qué, vou!*

— *Eddie!* — ele gritou. Não era apenas um tom alto, mas um tom de comando. Por um momento Eddie continuou agachado, os olhos arregalados, o sangue escorrendo do queixo (que já começara a inchar), imóvel. *Mexa-se, não pode se mexer?*, pensava Eddie, *ou não se mexe porque não quer?* Ia perdendo as forças e na próxima arriada da pesada coronha o braço dele seria quebrado… se ele, lógico, conseguisse levantar o braço a tempo para se defender. Senão a mulher quebraria sua *cabeça*.

Então Eddie se mexeu. Pegou o revólver em pleno ar e ela gritou, virando-se para atacá-lo, mordendo como um vampiro, amaldiçoando-o num dialeto de zona de prostituição, algo tão carregadamente sulista que nem mesmo Eddie conseguiu compreender; para Roland era como se a mulher tivesse começado a falar numa língua estrangeira. Mas Eddie conseguiu arrancar o revólver da mão dela e, com a coronha da arma parando de ameaçar como uma marreta, Roland conseguiu segurar a Dama.

Mesmo assim ela não desistiu, continuando a golpear com as mãos, a chutar e xingar, o suor cobrindo completamente seu rosto.

Eddie olhava chocado, a boca se abrindo e fechando como a boca de um peixe. Encostou hesitantemente a mão no queixo, estremeceu, recolheu os dedos, examinou-os e viu o sangue neles.

A mulher gritava que ia matar os dois; podiam tentar estuprá-la, mas ela ia matá-los com a própria boceta, eles iam ver, a dela era uma terrível caverna filha da puta com dentes cercando toda a entrada e se eles a tentassem explorar iam ver o que era bom.

— Mas que diabo… — disse Eddie, pasmo.

— A correia num dos meus cinturões — disse o pistoleiro, arfando asperamente. — Pegue. Vou fazê-la rolar por cima de mim, aí você agarra os braços dela e amarra as mãos atrás das costas.

— NUNCA *vão fazê isso!* — gritou Detta, sacudindo o corpo sem pernas com tamanha e tão repentina força que quase obrigou Roland a soltá-la. Ele sentia como ela tentava repetidas vezes erguer o que sobrava da coxa direita, querendo lhe acertar os testículos.

— Eu… eu… ela…

— *Mexa-se. Ah, que Deus amaldiçoe o rosto de seu pai!* — vociferou Roland, e por fim Eddie se mexeu.

4

Por duas vezes quase perderam o controle sobre ela durante a operação de amarrá-la. Mas Eddie acabou conseguindo dar um nó de correr em volta dos pulsos com uma das correias dos cinturões de Roland enquanto Roland — usando toda a sua força — conseguia unir os pulsos atrás das costas (o tempo todo o pistoleiro teve de se esquivar dos botes que ela dava para mordê-lo; como um mangusto se esquivando de uma cobra, conseguiu evitar as mordidas, mas antes de Eddie terminar, estava ensopado de cuspe). Depois Eddie arrastou-a pelo que sobrou de correia no improvisado nó de correr. Não queria machucar aquela coisa que não parava de xingar e gritar. Era muito pior do que as lagostrosidades por ser mais inteligente, mas sabia que ela também podia ser bela. Não queria machucar a outra pessoa escondida em algum lugar lá dentro (como a pomba escondida no fundo de um dos compartimentos secretos da caixa de um mágico).

Odetta Holmes estava em algum lugar dentro daquela coisa uivante e estridente.

5

Embora sua última montaria — uma mula — tivesse morrido muito tempo antes, o pistoleiro ainda tinha um pedaço da corda com que ela era amarrada (que, por sua vez, já havia sido uma ótima corda de laçar). Usaram-na para amarrar a mulher na cadeira de rodas, como havia pouco ela havia imaginado (ou fantasiado, e no final as duas coisas dão no mesmo, não é?) que eles já tivessem feito. Depois se afastaram.

Se não fosse pelo medo das rastejantes coisas-lagostas, Eddie teria descido até a água e lavado as mãos.

— Sinto como se fosse vomitar — disse ele numa voz cujo tom oscilava, subindo e descendo como a voz de um adolescente.

— *Por que vocês não comem o* PAU *um do outro?* — guinchou a coisa que se debatia na cadeira. — *Pru qui não fazem logo isso se tão cum medo da boceta duma preta? Andi logo com isso! Ô! Chupem o mastro um do outro! Façam isso enquanto podem pru qui Detta Walker vai conseguir saí desta cadeira e tirá toda a pele branca dus mastru fora e dá u restu praquelas serras ambulantes que tão andando lá embaixo!*

— *Ela* é a mulher em que eu entrei. Agora acredita em mim?

— Acreditei *antes* em você — disse Eddie. — Já disse isso.

— Você *acreditou* que acreditou. Acreditou com uma parte da mente. Será que agora as outras partes já aceitaram a ideia? Até o fundo?

Eddie olhou para a coisa estridente, convulsionada na cadeira e depois desviou a cabeça, o rosto pálido com exceção do talho no queixo, de onde o sangue ainda pingava um pouco. Esse lado do rosto estava começando a ficar meio parecido com um balão.

— Sim — disse ele. — Nossa, sim.

— Essa mulher é um monstro.

Eddie começou a chorar.

O pistoleiro teve vontade de consolá-lo, não pôde cometer tal sacrilégio (lembrava-se muito bem de Jake) e saiu caminhando para a escuridão com aquela nova febre queimando e latejando dentro dele.

6

Naquela noite, bem mais cedo, enquanto Odetta ainda dormia, Eddie disse que talvez entendesse o que havia de errado com ela. *Talvez*. O pistoleiro perguntou o que ele queria dizer.

— Pode ser esquizofrênica.

Roland apenas balançou a cabeça. Eddie explicou o que sabia de esquizofrenia, noções recolhidas de filmes como *As três faces de Eva* e vários programas de TV (em particular as novelas que costumava assistir com Henry quando os dois estavam chapados). Roland assentira. Sim. A doença que Eddie descrevia parecia se adaptar àquilo. Uma mulher com duas faces, uma luminosa e uma sombria. Sombria como a que o homem de preto mostrara ao pistoleiro na quinta carta de tarô.

— E eles não sabem... esses esquizofrênicos... que têm outro?

— Não — disse Eddie. — Mas... — Deixou a voz morrer, contemplando com ar deprimido as lagostrosidades indagando e rastejando, rastejando e indagando.

— Mas o quê?

— Não sou terapeuta — disse Eddie —, por isso eu realmente não sei...

— *Terapeuta*? O que é um *terapeuta*?

Eddie bateu na testa.

— Um médico de cabeça. Um cara que lida com a mente. Na verdade são chamados de psiquiatras.

Roland assentiu. Era do que sem dúvida precisava a mente daquela Dama, que era grande demais. Duas vezes maior que o normal.

— Mas acho que os esquizos quase sempre sabem que *algo* não está certo com eles — disse Eddie. — Porque há lapsos. Talvez eu esteja errado, mas sempre achei que eles eram geralmente duas pessoas acreditando que tinham amnésia parcial, por causa dos brancos na memória quando a outra personalidade assumia o controle. *Ela*... ela diz que se lembra de tudo. Ela *realmente acha* que se lembra de tudo.

— Mas você não disse que ela não acreditava que isto estivesse acontecendo?

— Disse — respondeu Eddie —, mas agora o problema é outro. Estou tentando dizer que, não importa no que ela *acredite*, o que ela se *lembra* vai direto da sala de estar onde estava sentada de roupão vendo o noticiário da meia-noite até aqui, sem absolutamente qualquer lapso. Ela não tem qualquer sensação de que alguma outra pessoa tenha se apoderado dela entre a hora do noticiário e o momento em que você a agarrou na Macy's. Porra, isso pode ter acontecido no dia seguinte ou até *semanas* depois. Sei que ainda era inverno, porque a maioria dos clientes daquela loja estava usando casacos...

O pistoleiro assentiu. As percepções de Eddie estavam se aguçando. Isso era bom. Ele não falara das botas e cachecóis, nem das luvas saindo dos bolsos do casaco, mas era um bom começo.

— ... mas de outra forma é impossível dizer quanto tempo Odetta foi essa outra mulher porque ela mesma não sabe. Acho que está numa situação que nunca experimentou antes e seu modo de proteger os dois lados é essa história sobre ter levado uma pancada na cabeça.

Roland assentiu.

— Os anéis. Ver aquilo realmente abalou-a. Ela tentou não demonstrar, mas deu pra ver.

— Se essas duas mulheres — perguntou Roland — não sabem que existem no mesmo corpo e se nem mesmo suspeitam de que possa haver algo de errado, se cada uma tem sua própria cadeia de lembranças, parcialmente real mas parcialmente inventada para justificar o período em que a personalidade oposta está lá, o que vamos fazer? Como vamos conseguir conviver com a Dama?

Eddie deu de ombros.

— Não pergunte pra mim — disse ele. — O problema é seu. É você quem diz que precisa dela. Porra, você arriscou o pescoço para trazê-la até aqui.

Eddie refletiu brevemente sobre isso, lembrando de como estivera agachado na frente do corpo de Roland com a faca suspensa sobre a garganta dele. De repente estava rindo, mas sem humor. *LITERALMENTE arriscou seu pescoço, cara*, pensou ele.

Um silêncio caiu. Odetta tinha começado a respirar mais serenamente. Quando o pistoleiro ia reiterar sua advertência para Eddie ficar alerta e informá-lo de que iria dormir (alto o bastante para a Dama ouvir, se ela estivesse apenas fingindo), Eddie disse a coisa que iluminou a mente de Roland como um repentino clarão, a coisa que o fez compreender ao menos parte do que precisava tão intensamente saber.

Foi no fim, quando eles atravessaram...

Ela mudara no fim.

E Eddie tinha *visto* alguma coisa, alguma *coisa*...

— Vou te dizer uma coisa — disse Eddie, mexendo com ar melancólico nas cinzas da fogueira com uma garra retirada da lagosta morta naquela noite —, quando você atravessou com ela, achei que *eu* fosse esquizofrênico.

— Por quê?

Eddie pensou, depois deu de ombros. Era muito difícil explicar ou talvez ele estivesse apenas cansado demais.

— Não tem importância.

— *Por quê?*

Eddie olhou para Roland, viu que ele estava fazendo uma pergunta séria por uma razão séria — ou pelo menos achava isso — e pensou por um instante.

— É realmente difícil descrever, cara. Eu estava observando aquela porta. Foi o que me assustou. Quando você vê alguém se movendo ali, é como se estivesse se movimentando com a pessoa. Você sabe do que estou falando.

Roland assentiu.

— Bem, eu observei a coisa como se fosse um filme... não importa, isto não vem ao caso... até o fim. Então você a virou para este lado da porta e pela primeira vez eu estava olhando *para mim mesmo*. Era como... — Tentou, mas não encontrou as palavras. — Não sei. Acho que era como se eu estivesse olhando num espelho, mas não estava, porque... porque era também como olhar para outra pessoa. Era como estar sendo virado pelo avesso. Como estar em dois lugares ao mesmo tempo. Porra, sei lá.

Mas o pistoleiro estava estupefato. Fora *isso* que sentira quando atravessaram; era *isso* que tinha acontecido a ela, não, não apenas a *ela*, às *duas*: por um momento Detta e Odetta tinham olhado uma para a outra, não do modo como duas pessoas contemplariam seus reflexos num espelho, mas como *duas pessoas distintas*; o espelho se tornava uma vidraça de janela e, por um momento, Odetta tinha visto Detta e Detta tinha visto Odetta e ambas ficaram horrorizadas.

Elas sabem, o pistoleiro pensou sombriamente. *Talvez não soubessem antes, mas agora sabiam. Podem tentar esconder isso de si mesmas, mas por um momento elas viram, souberam, e esse conhecimento deve continuar com elas.*

— Roland?

— O quê?

— Só queria ter certeza de que não tinha pegado no sono de olhos abertos. Porque por um minuto você pareceu estar, sabe como é, muito tempo atrás e muito longe daqui.

— Se foi isso mesmo, agora estou de volta — disse o pistoleiro. — Vou dormir. Lembre-se do que eu disse, Eddie: fique alerta.

— Vou ficar — disse Eddie, mas Roland sabia que, doente ou não, a vigília daquela noite caberia a ele.

Tudo mais tinha se seguido a isso.

7

Depois do tumulto, Eddie e Detta Walker acabaram dormindo de novo (ela na realidade não pareceu adormecer, mas cair num exausto estado de inconsciência em sua cadeira, inclinada para um lado contra as cordas que restringiam seus movimentos).

O pistoleiro, contudo, continuou acordado.

Vou precisar trazer as duas para a batalha, pensou ele, mas não era necessário ser um dos médicos de cabeça de Eddie para saber que tal batalha podia ser fatal. *Se a inteligente, Odetta, vencesse a batalha, tudo ainda poderia dar certo. Mas se a sombria vencesse, tudo estaria certamente perdido.*

Sentiu, no entanto, que o que precisava acontecer não era a morte, mas a *união*. Já reconhecera alguma coisa que poderia ter valor para ele — para *eles* — na grosseira baixaria de Detta Walker e a queria... mas a queria sob controle. Havia um longo caminho a ser percorrido. Detta achava que ele e Eddie eram monstros de alguma espécie, que ela chamava *Brancos Fiodaputas*. Isso era apenas um delírio perigoso, mas iam surgir verdadeiros monstros ao longo do caminho — as lagostrosidades não eram os primeiros, nem seriam os últimos. A mulher que lutava até não poder mais, a mulher que Roland trouxera e que saíra de novo do esconderijo naquela noite, se pudesse ser temperada pela calma humanidade de Odetta Holmes, poderia ser muito útil numa luta contra tais monstros... especialmente agora, quando faltavam ao pistoleiro dois dedos da mão e ele estava quase sem balas e se sentindo cada vez mais febril.

Mas isso está um passo à frente. Acho que se eu puder estabelecer um conhecimento mútuo entre as duas, elas vão entrar em confronto. Mas como fazer isso?

Ficou acordado toda a longa noite, pensando, e embora sentisse a febre que havia nele aumentar, não achou resposta para a sua pergunta.

8

Eddie acordou pouco antes do raiar do dia. Viu o pistoleiro sentado perto das cinzas da fogueira da noite anterior, o cobertor enrolado em volta do corpo, e juntou-se a ele.

— Como está se sentindo? — perguntou em voz baixa. A Dama ainda dormia em sua teia de cordas, embora ocasionalmente estremecesse, murmurando e gemendo.

— Bem.

Eddie lançou-lhe um olhar avaliador.

— Não parece bem.

— Obrigado pelo interesse, Eddie — disse secamente o pistoleiro.

— Você está tremendo.

— Vai passar.

A Dama deu um tranco e tornou a murmurar... dessa vez com uma palavra que foi quase compreensível. Talvez fosse *Oxford*.

— Meu Deus, odeio vê-la amarrada desse jeito — murmurou Eddie. — Como um bezerro rebelde num celeiro.

— Logo ela vai acordar. Talvez então possamos soltá-la.

Era a maneira mais lógica de um ou outro manifestar em voz alta a esperança de que, quando a mulher na cadeira abrisse os olhos, fossem agraciados pelo olhar calmo, mesmo que ligeiramente confuso, de Odetta Holmes.

Quinze minutos mais tarde, quando os primeiros raios do sol desceram sobre as colinas, aqueles olhos de fato se abriram — mas o que os dois viram não foi o olhar calmo de Odetta Holmes, mas a fúria de Detta Walker.

— Quantas vez me estupraram enquanto eu tava apagada? — perguntou ela. — Minha boceta parece toda lisa e sebosa, como se alguém tivesse entrado lá cum as duas velinhas brancas que cês putos otários chamam de paus.

Roland suspirou.

— Bem, vamos em frente — disse ele, ficando de pé com uma careta.

— Não vou a lugar nenhum com tu, puto — cuspiu Detta.

— Ah, vai sim — disse Eddie. — Sinto imensamente, minha querida, mas vai.

— Onde acha que eu vou?

— Bem — disse Eddie —, o que estava atrás da Porta Número Um não foi lá muito bom e o que estava atrás da Porta Número Dois conseguiu ser ainda pior, e agora, em vez de irmos embora como pessoas sensatas, vamos em frente, dar uma olhada na Porta Número Três. Do jeito que estão as coisas, é claro, podemos encontrar alguma coisa tipo Godzilla, ou Ghidra, monstro das Três Cabeças, mas sou um otimista. Ainda estou esperando que a gente encontre um conjunto de panelas de aço inox.

— Eu não vou.

— Lógico que vai — disse Eddie, indo para trás da cadeira. Ela começou de novo a se debater, mas os nós que o pistoleiro fizera eram resistentes e os movimentos só serviam para apertá-los ainda mais. Ela rapidamente percebeu isso e parou. A Dama era cheia de veneno, mas estava longe de ser burra. E olhou pelo ombro com um sorriso que fez Eddie recuar um pouco. Ele considerou aquilo a mais maléfica expressão que já vira num rosto humano.

— Bem, talvez eu vá, um pouco — disse ela —, mas não tão longe quanto tu acha, garoto branco. E claro, só Deus sabe, não tão rápido quanto você espera.

— O que está querendo dizer?

De novo aquele olhar malicioso, sobre os ombros.

— Tu vai descobrir, garoto branco. — Os olhos dela, insanos mas convincentes, se deslocaram brevemente para o pistoleiro. — Tu aí vai logo.

Eddie pôs as mãos em volta dos guidons que brotavam de duas alças metálicas atrás da cadeira de rodas e começou de novo a rumar para o norte, deixando agora para trás, enquanto subiam pela praia aparentemente interminável, não apenas pegadas, mas os dois sulcos paralelos da cadeira da Dama.

9

O dia foi um pesadelo.

É difícil calcular a distância quando a pessoa viaja por uma paisagem que muda tão pouco, mas Eddie sabia que o avanço deles estava agora submetido à velocidade de um rastejar.

E sabia quem era o responsável por isso.

Ah, sabia.

Tu aí vai descobrir logo, dissera Detta, e não levou nem meia hora de avanço para começarem a descobrir.

Empurrar.

Foi a primeira coisa. Empurrar a cadeira de rodas por uma praia de areia fina teria sido tão impossível quanto dirigir um carro em estradas onde não tivessem removido a neve. Aquela praia, com sua superfície áspera, coberta de cascalho, tornava o movimento da cadeira possível, embora longe de fácil. A cadeira rolava suavemente por algum tempo, esmagando conchas e atirando pedrinhas com os duros pneus de borracha... Então, de repente, atingia uma vala para onde a areia mais fina fora soprada e Eddie tinha de empurrar com mais força, grunhindo, para conseguir tirar da vala a cadeira e sua passageira pouco prestativa. A areia se agarrava avidamente às rodas. Era preciso simultaneamente empurrar e fazer peso contra os guidons da cadeira para ela não cair de frente na areia da praia com sua ocupante amarrada.

Detta gargalhava enquanto ele tentava empurrar sem levantar a cadeira.

— Tá se divertindo aí atrás, meu querido? — perguntava ela cada vez que a cadeira esbarrava numa daquelas fendas.

A certa altura o pistoleiro se aproximou para ajudar, mas Eddie fez sinal para que se afastasse.

— Mais tarde vai ser a sua vez — disse. — Vamos nos revezar. — *Mas acho que meu turno vai ser bem mais demorado que o dele*, falou uma voz em sua cabeça. *Pela aparência de Roland, acho que muito em breve ele terá dificuldade até para se mover, que dirá mover a mulher que está nesta cadeira. Não, senhor, estou desconfiado que a parada vai ser toda sua. É a vingança divina, sabia? Por todos aqueles anos que passou como viciado... E sabe de uma coisa? Enfim você agora é uma mula, só que empurrando uma cadeira.*

Deixou escapar um risinho breve e sem fôlego.

— O que é tão engraçado, branquelo? — perguntou Detta, e embora Eddie achasse que ela pretendia parecer sarcástica, a coisa soou com o timbre de uma pequena raiva.

Não deveria ter nenhuma graça para mim, pensou ele. *Absolutamente nenhuma. Não segundo ela.*

— Você não entenderia, garota. Deixe estar.

— Tô deixando tu estar antes de eu resolvê acabá cum a diversão — disse ela. — Qui inda vou vê tu e teu companheiro pé no saco reduzido a pó por toda esta praia. Claro. Enquanto isso é melhó tu guardá o fôlego pra continuá empurrando esta coisa. E já parece meio sem ar.

— Bem, você fala por nós dois, não é? — Eddie estava ofegante. — Você *nunca* parece perder o fôlego.

— Sei engolir o vento, otário! Pra depois despejar na tua cara morta!

— Ameaças, ameaças. — Eddie empurrava a cadeira para fora de uma vala e pegava um trecho de cascalho onde era relativamente mais fácil andar... pelo menos por alguns metros. O sol ainda não estava inteiramente no alto, mas Eddie já estava suando.

Vai ser um dia divertido e informativo, pensou ele. *Já consigo perceber isto.*

Parar.

Essa foi a coisa seguinte.

Tinham atingido um trecho de praia com solo mais firme. Eddie empurrava a cadeira com mais rapidez, pensando vagamente que se pudesse manter aquele adicional de velocidade extra, talvez conseguisse transpor a vala seguinte apenas no embalo.

Então a cadeira parou. Bruscamente. A barra que ligava os guidons atingiu com força o peito de Eddie. Ele grunhiu. Roland olhou em volta, mas nem mesmo os reflexos de gato do pistoleiro puderam impedir a cadeira da Dama de emborcar, exatamente como ameaçara fazer em cada uma das outras valas que atravessara. A cadeira virou e Detta foi junto, amarrada e indefesa, mas rindo sem parar. Ainda ria quando Roland e Eddie finalmente conseguiram endireitar a cadeira. Algumas das cordas tinham ficado tão esticadas que, com certeza, deviam estar deixando marcas cruéis na carne de Detta, levando a circulação para as extremidades; havia um talho em sua testa e o sangue gotejava para as sobrancelhas. Mesmo assim ela não parava de rir.

Os dois homens estavam arquejantes, sem fôlego, quando enfim conseguiram repor a cadeira em sua posição normal. Os pesos combinados da cadeira e da mulher deviam ter totalizado mais de cem quilos, a maioria dos quais saída da cadeira. Ocorreu a Eddie que se o pistoleiro tivesse pegado Detta no mesmo *quando* dele, 1987, a cadeira poderia ter pesado uns vinte e cinco quilos a menos.

Detta deu uma risadinha, depois bufou e piscou para afastar o sangue dos olhos.

— Olhem o que fizeram, vocês me derrubaram! — disse.

— Chame seu advogado — murmurou Eddie. — Nos processe.

— E que dificuldade tiveram pra me colocá no lugá. Acho que levaram mais de dez minutos.

O pistoleiro pegou um pedaço da camisa — agora quase toda a camisa já se fora e o resto, portanto, não tinha muita importância — e estendeu a mão esquerda para tirar o sangue da testa dela. Detta mordeu e, pelo clique selvagem que os dentes fizeram ao se juntar, Eddie pensou que se Roland tivesse demorado uma fração de segundo a mais para recuar, Detta Walker teria igualado o número de dedos nas duas mãos do pistoleiro.

Ela deu uma gargalhada e encarou Roland com um olho sorridente e mau, mas o pistoleiro viu o medo escondido lá no fundo. Medo dele. Medo porque ele era o Homem Realmente Mau.

Por que ele era o Homem Realmente Mau? Porque talvez, em algum nível mais profundo, Detta pressentisse o que Roland sabia sobre ela.

— Quase te peguei, otário — disse ela. — Desta vez quase te peguei.

E de novo a gargalhada de feiticeira de bruxa.

— Segure a cabeça dela — disse o pistoleiro com voz firme. — Ela morde forte.

Eddie segurou-a enquanto o pistoleiro limpava cuidadosamente o ferimento. Não era grande e não parecia profundo, mas Roland não arriscou; desceu devagar até a beira-mar, ensopou o pedaço de camisa com água salgada e voltou.

Detta começou a gritar quando ele chegou perto.

— Não encoste essa coisa em mim! Não encoste em mim essa água onde vivem aquelas coisas venenosas! Fique longe de mim! Fique *longe* de mim!

— Segure a cabeça dela — disse Roland com a mesma voz serena. Detta se debatia de um lado para o outro. — Não quero arriscar.

Eddie segurou-a... e apertou quando ela tentou se libertar. Quando viu que resistir seria inútil, Detta ficou imediatamente quieta, não demonstrando mais medo do trapo úmido. Não passara de uma encenação.

Sorria para Roland enquanto ele banhava o corte, limpando-o com cuidado das últimas partículas de areia grudadas.

— Na verdade, é *tu* quem parece que tá cumpletamente liquidado — Detta observou. — Tu parece *doente*, otário. Num acho que teje pronto pruma viagem longa. Num acho que teje pronto pra nada desse tipo.

Eddie examinou os controles rudimentares da cadeira. Tinha um freio de mão de emergência que brecava as duas rodas. Detta havia pousado ali a mão direita, esperado pacientemente até Eddie ganhar velocidade e então puxara com força o freio, se derrubando junto com a cadeira. Por quê? Para retardar a jornada, só isso. Não havia motivo para fazer uma coisa dessas, mas uma mulher como Detta, pensou Eddie, não precisava de motivos. Uma mulher como Detta estava sempre perfeitamente disposta a fazer coisas por pura maldade.

Roland afrouxou um pouco os laços para o sangue fluir mais livremente, depois amarrou-lhe a mão com firmeza, longe do freio.

— Não tem problema, senhor— disse Detta, mostrando um sorriso brilhante com uma infinidade de dentes. — Mesmo assim não tem problema nenhum. Há outros meios de atrasar vocês. Todo *tipo* de meios.

— Vamos — disse o pistoleiro com uma voz sem entonação.

— Tudo bem com você, cara? — perguntou Eddie. O pistoleiro parecia muito pálido.

— Tudo. Vamos.

Recomeçaram a caminhada praia acima.

10

O pistoleiro insistiu em empurrar por uma hora e Eddie cedeu com relutância. Roland conseguiu fazer a cadeira atravessar bem a primeira fenda na areia, mas na segunda Eddie teve de interferir e ajudar a puxar. O pistoleiro estava com falta de ar e o suor lhe corria pela testa em gotas enormes.

Eddie deixou-o continuar um pouco mais e Roland contornava habilidosamente os pontos onde a areia, solta, poderia fazer as rodas atolarem. Mesmo assim a cadeira acabou atolando de novo. Eddie não ficou muito tempo parado vendo Roland lutar para liberá-la, ofegante, o peito arfando, enquanto a bruxa (pois era como Eddie passara a pensar nela) uivava de rir e atirava o corpo para trás, complicando ainda mais a tarefa... Eddie, então, empurrou o pistoleiro com os ombros e puxou a cadeira com um movimento irritado e brusco. A cadeira ainda oscilava e Eddie viu como Detta se deslocava *para a frente* o máximo que as cordas permitiam, o que fazia com estranha precisão, em cada momento adequado, tentando novamente se derrubar.

Ajudado por Eddie, Roland atirou todo o seu peso nas costas da cadeira e conseguiu equilibrá-la.

Detta olhou para o lado e deu-lhes uma piscadela tão obscena que Eddie sentiu os braços ondularem com um arrepio.

— Cês quasi mi derrubaram di *novo*, rapazes — disse ela. — Esperava que me dessem mais atenção. Sou apenas uma velha senhora inválida e cês mi devem um certo cuidado.

Ela riu... pareceu que ia explodir de rir.

Embora Eddie se importasse com a mulher que era a outra parte dela — já estava muito perto de amar Odetta apenas com o breve tempo em que a vira e conversara com ela —, sentiu as mãos tentadas a se aproximarem daquela traqueia para sufocar aquele riso, sufocar até que Detta nunca mais pudesse rir.

Ela tornou a espreitar em volta, percebeu o que Eddie estava pensando como se a coisa estivesse impressa na testa dele com tinta vermelha e riu ainda mais alto. Seus olhos o desafiavam. *Vá em frente, otário. Vá em frente. Não quer fazer isso? Vá em frente e faça.*

Em outras palavras, não fique apenas empurrando a cadeira; empurre a mulher, pensou Eddie. *Derrube-a para sempre. É o que ela quer. Ser morta por um homem branco talvez seja o único objetivo real da vida de Detta.*

— Vamos lá — disse ele, começando novamente a empurrar. — Continuamos nosso tour pela beira-mar, doçura, quer você goste ou não.

— Vá se foder — cuspiu ela.

— Cale a boca, querida — respondeu Eddie num tom amável.

O pistoleiro caminhava ao lado dele, de cabeça baixa.

11

Chegaram a um considerável afloramento de rochas quando o sol indicava cerca de onze horas e ali pararam por quase uma hora, aproveitando as sombras enquanto o sol não atingia o alto do céu. Eddie e o pistoleiro comeram as sobras da matança da noite anterior. Eddie ofereceu uma porção a Detta, que mais uma vez recusou, dizendo que sabia o que eles queriam fazer e, se queriam mesmo fazer, era melhor fazê-lo com as próprias mãos e parar de tentar envenená-la. Esse, ela falou, era o modo covarde.

Eddie tem razão, refletiu o pistoleiro. *Esta mulher construiu sua própria cadeia de memórias. Sabe tudo que lhe aconteceu ontem à noite, embora na verdade estivesse profundamente adormecida.*

Detta acreditava que tinham lhe trazido pedaços de carne que cheiravam a morte e a podridão. Para zombar dela enquanto os dois comiam bife salgado e bebiam cerveja dos cantis. Acreditava que, de vez em quando, tinham lhe oferecido bocados de seu próprio jantar, retirando-os no último instante, quando ela tentava agarrá-los com os dentes... E riam fazendo isso, é claro. No mundo (ou pelo menos na mente) de Detta Walker, os *Brancos Fiodaputas* só faziam duas coisas às mulheres negras: estuprá-las ou rir delas. Ou as duas coisas ao mesmo tempo.

Era quase engraçado. Eddie Dean vira um bife pela última vez durante sua viagem na carruagem celeste e Roland não via carne desde que consumira o último pedaço de seu charque, só Deus sabia quanto tempo antes. E quanto à cerveja... Roland tentou lembrar.

Tull.

Houvera cerveja em Tull. Cerveja e bife.

Meu Deus, como seria bom uma cerveja. Sua garganta doía e seria tão bom uma cerveja para amortecer a dor. Melhor até do que a *asmina* do mundo de Eddie.

Distanciaram-se um pouco de Detta.

— Não sirvo pra companhia de rapazes brancos como cês? — rosnou ela atrás dos dois. — Ou quem sabe cês num tão preferindo brincar um pouquinho cum a velinha um do outro?

Detta atirou a cabeça para trás e riu com tanta estridência que fez as gaivotas, a quatrocentos metros dali, esvoaçarem aos gritos das rochas onde estavam reunidas.

O pistoleiro sentou-se com as mãos pendendo entre os joelhos, pensando. Por fim, ergueu a cabeça e falou com Eddie:

— Só consigo entender uma palavra em cada dez que ela fala.

— Estou bem na sua frente — respondeu Eddie. — Pego pelo menos duas em cada três. Não importa. A maioria delas se resume a *branco fiodaputa*.

Roland assentiu.

— Há muita gente de pele negra falando desse jeito no lugar de onde você veio? A *outra* dela não falava assim.

— Não. — Eddie balançou a cabeça e riu. — E vou te dizer algo meio engraçado... pelo menos *eu* acho meio engraçado, mas talvez seja apenas porque não há muito do que rir por aqui. A coisa não é verdadeira. Não é verdadeira e ela nem sabe disso.

Roland olhou para ele e não disse nada.

— Lembra de quando lavou a testa de Detta, como ela fingiu que estava com medo da água?

— Lembro.

— Percebeu que ela estava fingindo?

— Não a princípio, mas não demorou.

Eddie assentiu.

— A coisa era uma encenação e ela sabia que era. Mas é uma ótima atriz e, por alguns segundos, enganou a nós dois. O modo como está falando é uma encenação, também. Mas não é tão bom. É tão idiota, tão incrivelmente *falso*!

— Você acha que ela só finge bem quando tem absoluta consciência de estar fingindo?

— Sim. Porque ela parece uma mistura das pessoas negras que havia num livro chamado *Mandingo*, que li uma vez, e também lembra Butterfly McQueen, no filme *E o vento levou*. Sei que não conhece esses nomes, mas o que estou querendo dizer é que ela fala como se fosse um clichê. Conhece essa palavra?

E Eddie continuou:

— Significa o que é sempre dito ou considerado verdadeiro por pessoas que só pensam um pouco ou que não pensam absolutamente nada.

— Sim. Acho que sua maneira de explicar acertou na mosca.

— Ei, rapazes, ainda não acabaram de sacudir a vela um do outro? — A voz de Detta estava ficando rouca e trêmula. — Talvez não estejam conseguindo achá-las. É isso?

— Vamos lá. — O pistoleiro ficou lentamente de pé. Oscilou um instante, viu Eddie olhando para ele e sorriu. — Vou ficar bem.

— Por quanto tempo?

— Pelo tempo que for preciso — respondeu o pistoleiro, e a serenidade em sua voz gelou o coração de Eddie.

12

Naquela noite o pistoleiro usou a última munição considerada efetivamente boa para a caça. Na noite do dia seguinte, começaria a testar as que acreditava estarem defeituosas, mas achava que a coisa se apresentava realmente como Eddie dissera: iam precisar matar a pedradas os malditos bichos.

Foi como as outras noites: acender a fogueira, cozinhar, abrir as lagostas, comer... comida que parecia agora sem gosto e que era servida sem entusiasmo. *Estamos apenas passando o tempo*, pensou Eddie. Ofereceram comida a Detta, que gritou, riu, disse palavrões, perguntou por quanto tempo iriam tratá-la como burra e começou a atirar freneticamente o corpo de um lado para o outro, não se importando com o fato de os laços irem apertando cada vez mais. Queria era derrubar a cadeira para um lado ou para o outro, para que tivessem novamente de suspendê-la antes que pudessem comer.

Antes que ela conseguisse ter êxito, Eddie agarrou-a e Roland escorou as rodas de ambos os lados com pedras.

— Vou afrouxar um pouco as cordas se ficar quieta — Roland disse a ela.

— Chupe a merda do meu cu, puto!

— Não sei se essa resposta significa sim ou não.

Ela o encarou, olhos estreitados, suspeitando de alguma farpa oculta de deboche naquela voz calma (Eddie também suspeitou e não chegou à conclusão se havia ou não). Após um momento, Detta respondeu num tom mal-humorado:

— Vou ficar quieta. Faminta demais pra ficá dando chute. Vão mi dá alguma cumida di verdade ou vão me deixá morrer de fome? É esse o plano? São muito covardes pra me estrangulá e eu nunca vou comer aquele veneno, por isso o plano deve ser pur aí. Me matá de fome. Bem, vamo ver, claro. Vamo ver. Claro que vamo.

Ela tornou a lhes oferecer aquele arreganho de dentes que congelava até os ossos.

Não muito tempo depois adormeceu.

Eddie encostou a mão no rosto de Roland. O pistoleiro olhou para ele, mas não se esquivou do toque.

— Estou bem.

— Sim, você está beleza. Bem... Sabe de uma coisa, belezura, hoje não fizemos grandes progressos.

— Eu sei. — Havia também o problema de ter usado a última bala garantida, o pistoleiro pensou, mas Eddie não precisava ficar sabendo disso de imediato, pelo menos naquela noite. Eddie não estava doente, mas estava exausto. Exausto demais para mais notícias ruins.

Não, ele não está doente, ainda não, mas se ficar muito mais tempo sem descansar, se levar o cansaço um pouco mais longe, vai ficar doente.

De certa maneira, Eddie já estava; os dois estavam. Machucados tinham surgido nos cantos da boca de Eddie e sua pele tinha áreas esfoladas. O pistoleiro, por sua vez, podia sentir os dentes se soltando das gengivas e a carne entre os dedos dos pés começara a se abrir e a sangrar, o mesmo acontecendo entre os dedos que lhe sobravam nas mãos. Estavam comendo, mas comendo a mesma coisa, dia após dia. Poderiam continuar assim durante algum tempo, mas isso acabaria por levá-los à morte, tão certamente quanto teriam morrido de fome caso não comessem nada.

O que temos é escorbuto, embora não estejamos a bordo de nenhum navio, pensou Roland. *Simples assim. Engraçado assim. Precisamos de frutas. Precisamos de verduras.*

Eddie apontou a cabeça para a Dama.

— Detta vai continuar piorando as coisas para nós.

— A não ser que a outra que existe dentro dela volte.

— Seria ótimo, mas não podemos contar com isso — disse Eddie, agarrando um pedaço de garra escurecida e começando a fazer distraidamente desenhos na areia. — Alguma ideia da distância até a próxima porta?

Roland balançou a cabeça.

— Só pergunto porque se a distância entre a Número Dois e a Número Três for a mesma que a distância entre a Número Um e a Número Dois, podemos ficar realmente na merda.

— Já estamos bem enterrados na merda.

— Até o pescoço — concordou Eddie com ar melancólico. — E só fico me perguntando quanto tempo vamos nos manter à tona.

Roland bateu-lhe no ombro, um gesto tão raro de afeto que Eddie estremeceu.

— Há uma coisa que a Dama não sabe — disse Roland.

— É? O quê?

— Que nós, os *Brancos Fiodaputas*, podemos nos manter um bom tempo à tona.

Eddie riu, riu com vontade, tentando sufocar o riso contra o braço para que Detta não acordasse. Ela já enchera bastante o seu saco por aquele dia, obrigado e que passasse bem.

O pistoleiro olhou para ele, sorrindo:

— Vou dormir — disse. — Fique…

— … alerta. Sim. Vou ficar.

13

Em seguida foram os gritos.

Eddie adormeceu no instante em que sua cabeça encostou na trouxa da camisa enrolada e talvez só tenham se passado cinco minutos quando Detta começou a gritar.

Ele acordou na mesma hora, pronto para qualquer coisa, tipo alguma Lagosta Rainha emergindo das profundezas para vingar os filhos chacinados ou algum horror vindo das colinas. *Parecia* que tinha acordado de imediato, mas já encontrou o pistoleiro de pé, com um revólver na mão esquerda.

Quando viu que os dois tinham acordado, Detta parou de gritar.

— Quis tirá a prova pra vê se cês ia acordar — disse ela. — Pode tê lobo por aqui. Parece um terreno muito bom pra eles. Quis ter certeza que, se vir um lobo subindo por cima de mim, posso conseguir acordar ocês a tempo. — Mas não havia medo nos olhos dela; eles brilhavam com maligna satisfação.

— Meu Deus — disse Eddie, grogue. A lua aparecera, mas ainda bem próxima do horizonte; tinham dormido menos de duas horas.

O pistoleiro guardou o revólver no coldre.

— Não faça isso de novo — disse ele à Dama na cadeira de rodas.

— O que *você* vai fazer se *eu* fizer? Me estuprar?

— Se fôssemos estuprá-la, já teria acontecido — disse o pistoleiro num tom tranquilo. — Não faça de novo.

Ele tornou a se deitar, puxando o cobertor.

Deus, meu Deus, pensou Eddie, *que caos ela criou, que porra...* e foi o ponto máximo que o pensamento atingiu antes de tornar a desaparecer num sono exausto. Logo, no entanto, ela estava estilhaçando o ar com novos gritos, como se um meteoro estivesse caindo em sua cabeça. Em dois tempos Eddie estava de novo de pé, o corpo inflamado de adrenalina, as mãos cerradas — e de repente ela estava rindo, uma risada rouca, áspera.

Eddie ergueu os olhos e viu que a lua tinha avançado menos de dez graus desde que Detta os acordara pela primeira vez.

Ela vai continuar fazendo isto, pensou fatigado. Vai ficar acordada nos observando e, quando tiver certeza de que estamos pegando mesmo no sono, chegando àquele lugar onde você recarrega as energias, vai abrir a boca e começar novamente a berrar. Vai fazer isso de novo, de novo e de novo até não lhe restar mais nenhuma voz para gritar.

O riso dela morreu de repente. Roland avançava em sua direção, uma sombra escura sob o luar.

— Tu fica longe de mim, puto — disse Detta, mas havia um tremular nervoso em sua voz. — Num vai fazê nada comigo.

Roland parou na frente dela. Por um momento, Eddie teve certeza, certeza absoluta, de que a paciência do pistoleiro chegara ao fim e ele iria simplesmente abatê-la como uma mosca. Em vez disso, espantosamente, Roland pôs um joelho no chão na frente dela, como um pretendente querendo propor casamento.

— Escute — disse ele, e Eddie mal pôde acreditar que a voz de Roland pudesse ter aquele tom sedutor. Viu o mesmo espanto profundo no rosto de Detta, só que ali havia também medo. — Escute o que vou dizer, Odetta.

— Por que está me chamando de *O*-Detta? Meu nome não é esse.

— Cale a boca, puta — disse o pistoleiro num rosnado, e então, voltou àquela mesma voz sedutora. — Se estiver me ouvindo e se puder exercer algum controle sobre ela...

— Por que está falando assim comigo? Por que está falando como se estivesse falando com outra pessoa? Pare com essa enrolação de branco! Está me ouvindo, cara, pare agora com isso!

— ... mantenha a boca dela fechada. Posso amordaçá-la, mas não quero fazer isso. Uma mordaça apertada é coisa perigosa. As pessoas sufocam.

— ESQUEÇA ISSO SEU VUDU PORCO DE BRANCO PUTO!

— Odetta. — A voz dele era um sussurro, como o início de chuva.

Ela ficou silenciosa, encarando-o com olhos arregalados. Eddie nunca vira em sua vida tamanha raiva e medo combinados em um olhar humano.

— Não acho que esta escrota se importaria se *realmente* morresse por causa de uma mordaça apertada. Ela quer morrer, mas talvez ainda pior, quer que *você* morra. Mas você *não* morreu, não até agora e não acho que Detta seja algo recente na sua vida. Ela se sente demasiado em casa, por isso talvez você possa ouvir o que estou dizendo e talvez possa exercer algum controle sobre ela, mesmo que ainda não possa tomar a frente.

“Não deixe que ela nos acorde pela terceira vez, Odetta.

“Não quero amordaçá-la.

“Mas se for preciso, vou fazer isso.”

Ele se levantou, se afastou sem olhar para trás, tornou a se enrolar no cobertor e logo caiu no sono.

Ela continuou a encará-lo, olhos arregalados, narinas dilatadas.

— Vudu porco de branco — murmurou.

Eddie se deitou, mas desta vez, e apesar do profundo cansaço, o sono demorou bastante a chegar. Ele quase adormecia, esperava ouvir os gritos dela e acordava de novo.

Cerca de três horas mais tarde, com a lua indo agora para o outro lado, Eddie finalmente pegou no sono.

Detta não gritou mais naquela noite. Ou porque Roland a tivesse conseguido assustar, ou porque quisesse conservar a voz para futuros alvoroços e escaramuças, ou — talvez, só talvez — porque Odetta ouvira e estava exercendo controle como o pistoleiro pedira.

Eddie finalmente adormeceu, mas quando despertou estava encharcado de suor e nada descansado. Olhou para a cadeira, esperando, contra todas as probabilidades, encontrar Odetta ali sentada, por favor meu Deus que seja Odetta esta manhã...

— Bom-dia, coisa branca — disse Detta, mostrando o sorriso de tubarão. — Achei que tu fosse durmi té meio-dia. Mas tu num pode fazer isso, né? Ainda vamo tê de andá uns quilômetro, é ou num é? Claro! E acho que é tu qui vai ter de fazê a maioria do esforço, porque aquele outro sujeito, aquele com olho de vudu, tá olhando pra mim como se estivesse nas últimas, como tenho certeza que está! É! Acho mesmo que daqui a pouco ele não vai tá mais comendo *coisa nenhuma*, nem aquela incrível carne defumada que cês coisas brancas continuam mastigando enquanto um sacode a velinha branca do outro. Então vamos, coisas brancas! Detta não qué sirvi de estorvo pra vocês.

As pálpebras e a voz caíram um pouco; os olhos espreitavam Eddie maliciosamente.

— Qui tal puxá de novo o carro, pelo menos vamo tentá.

Este vai ser um dia de que você vai se lembrar, coisa branca, prometeram os olhos dissimulados. *Vai ser um dia de que você vai se lembrar por muito, muito tempo.*

Podi crê.

14

Fizeram cinco quilômetros naquele dia, ou algo muito próximo disso. A cadeira de Detta virou duas vezes. Uma vez ela fez de propósito, movendo os dedos devagar e não encontrando obstáculos até atingir de novo o freio de mão e puxá-lo. Da segunda vez Eddie não precisou da ajuda dela. A cadeira virou quando foi impelida com muita força por uma das malditas valas. Isso aconteceu quase no final do dia e ele simplesmente entrou em pânico, achando que daquela vez *não* iria conseguir levantá-la, simplesmente *não* conseguiria. Mas então fez um último esforço titânico com os braços trêmulos. Mas é claro que aí foi forte demais e ela caiu para o outro lado, como Humpty Dumpty caindo de seu muro. Logo ele e Roland estavam lutando juntos para suspendê-la. Acabaram o trabalho na hora certa. A corda já se apertara demais sob os seios e na traqueia. Os eficientes nós de correr do pistoleiro ameaçavam sufocá-la até a morte. Sua face tinha adquirido uma terrível cor azul, ela estava à beira de perder a consciência, mas ainda continuava deixando escapar o riso asqueroso.

Deixe-a ir, por que não?, foi o que Eddie quase pediu quando Roland se curvou rapidamente para a frente tentando afrouxar o nó. *Deixe que sufoque! Não sei se Detta quer mesmo que acabem com ela como você disse, mas sei que quer acabar* CONOSCO*... então deixe-a ir!*

Então se lembrou de Odetta (embora o encontro dos dois tivesse sido muito breve e parecesse ter ocorrido havia tanto tempo que a lembrança já quase se apagara) e adiantou-se para ajudar.

O pistoleiro empurrou-o impaciente para o lado com uma das mãos.

— Só há espaço para um.

Quando a corda foi afrouxada e a Dama começou a arquejar com força para recuperar o fôlego (que expelia entre jorros de riso enfurecido), Roland se virou e olhou criticamente para Eddie.

— Acho que deveríamos parar por hoje.

— Mais um pouco. — Eddie quase implorava. — Posso avançar mais um pouco.

— Claro! Ele é um animal forte, consegue capiná mais uma fileira de algodão e *ainda* vai ficá cum muita energia pra dá uma ótima noite de mamada na sua velinha branca.

Detta ainda se recusava a comer e o rosto estava ficando anguloso devido à perda de peso. Os olhos brilhavam em órbitas cada vez mais fundas.

Roland nem olhou para ela, mas observou Eddie com atenção. Por fim aquiesceu.

— Um pouco mais. Não muito, só um pouco mais adiante.

Vinte minutos depois, o próprio Eddie desistiu. Tinha a impressão de que seus braços haviam virado gelatina.

Sentaram-se nas sombras das rochas, ouvindo as gaivotas, vendo a maré subir, esperando que o sol descesse e as lagostrosidades aparecessem e começassem seu interrogatório confuso.

Num tom baixo demais para Detta ouvir, Roland disse que achava que estavam sem balas aproveitáveis. A boca de Eddie se contraiu um pouco, mas foi a sua única reação. Roland ficou aliviado.

— Então você vai precisar acabar sozinho com uma lagosta — disse Roland a observá-lo. — Estou fraco demais para manejar uma pedra de tamanho suficiente para fazer o trabalho… sem correr riscos.

Agora era Eddie quem o examinava.

Não gostou nem um pouco do estado do rosto de Roland.

O pistoleiro fez um gesto para que Eddie parasse com aquele escrutínio.

— Não se preocupe — disse ele. — Não importa. O que tem de ser, *será*.

— Ka — disse Eddie.

O pistoleiro assentiu e sorriu sem energia.

— Ka — disse ele.

— Kaka. — Um olhou para o outro e os dois riram. Roland pareceu sobressaltado, talvez até um pouco assustado com o chiado que lhe saiu da boca, e seu riso não durou muito tempo. Quando parou de rir assumiu um ar distante e melancólico.

— A risada qué dizer qui cês cabaram memo cunseguindo sacudi a velinha um do outro?

E então Detta gritou naquele tom rouco, debilitado:

— Quando vão enfiar um no outro? Isso é que eu quero ver! Quero ver vocês enfiando!

15

Eddie matou o bicho.

Detta, como sempre, se recusou a comer. Eddie comeu metade de um pedaço na frente dela, depois lhe ofereceu a outra metade.

— Não, senhor! — disse Detta, olhos brilhando. — Não, SENHOR! Tu pôs o veneno na outra ponta. A ponta que tá tentando me dá.

Sem dizer nada, Eddie pegou o resto da peça, colocou-a na boca, mastigou, engoliu.

— Isso num qué dizê nada — disse Detta, rabugenta. — Me deixe em paz, puto.

Eddie não iria deixar.

Trouxe outro pedaço.

— Você corta pelo meio e me dá a metade que quiser. Eu como a metade que você me der e você come o resto.

— Num vô caí em nada dessa trucalhada branca, mister Charlie. Tira a porra dessa comida da minha frente foi o que eu disse e tira a porra dessa comida da minha frente foi o que eu quis dizer.

16

Ela não gritou durante a noite… mas ainda estava lá na manhã seguinte.

17

Naquele dia só completaram três quilômetros, embora Detta não tenha feito qualquer esforço para derrubar a cadeira; Eddie achou que ela poderia estar ficando fraca demais para tentativas de sabotagem. Ou talvez tivesse compreendido que não havia nenhuma necessidade de praticá-las. Afinal, três fatores fatais estavam convergindo de modo implacável para agravar a situação: a fraqueza de Eddie, o terreno, que após intermináveis e intermináveis dias de monotonia, começava finalmente a se alterar, e a piora do estado de Roland.

Havia menos valas na areia, mas isso não ajudava muito. O solo ia ficando mais pedregoso, lembrando cada vez mais terra árida, improdutiva, e cada vez menos areia (em certos pontos moitas de mato cresciam, parecendo quase envergonhadas de estarem ali). Brotavam tantos pedregulhos daquela estranha combinação de areia e solo que Eddie teve de começar a contorná-los com a cadeira de rodas da Dama da mesma maneira como anteriormente contornava as valas. Percebeu que em breve não haveria mais qualquer resquício de praia. Os morros, marrons e desolados, iam ficando cada vez mais próximos. Eddie podia ver as ravinas que ondulavam entre eles, como cortes feitos por um gigante desajeitado brandindo um cutelo cego. Naquela noite, antes de cair no sono, ouviu o que parecia ser um felino muito grande bufando em algum lugar bem acima deles.

A praia parecera interminável, mas Eddie começava a concluir que havia um fim, afinal de contas. Em algum lugar lá na frente, os morros iriam simplesmente espremê-la, até varrê-la da face daquela terra. As encostas marcadas pela erosão continuariam marchando para o mar até finalmente mergulharem nele, onde poderiam formar, primeiro, uma espécie de cabo ou península, depois uma série de arquipélagos.

Isso o preocupava, mas o estado de Roland o preocupava ainda mais.

Dessa vez o pistoleiro parecia não estar exatamente ardendo, mas se *extinguindo*, perdendo substância, tornando-se transparente.

As linhas vermelhas tinham ressurgido, marchando incansáveis pela parte de dentro de seu braço direito em direção ao cotovelo.

Nos últimos dois dias, Eddie não parava de olhar à frente, estreitando os olhos para o horizonte, esperando ver a porta, a porta, a porta mágica. Nos últimos dois dias ficara na expectativa do reaparecimento de Odetta.

Nem uma coisa nem outra acontecera.

Naquela noite, antes de cair no sono, dois pensamentos terríveis lhe ocorreram:

E se não houvesse porta?

E se Odetta Holmes estivesse morta?

18

— Acorde, seu puto! — gritou Detta tirando-o do sono. — Acho que a coisa agora vai sê entre tu e eu, queridão. Acho que o teu amigo finalmente zarpou. Logo vai tá cutucando o diabo no inferno.

Eddie olhou para o contorno da forma encolhida de Roland e, por um terrível instante, achou que a escrota estava certa. Então o pistoleiro se mexeu, gemeu num tom abafado e fez força para se sentar.

— Bom, mas que surpresa! — Detta havia gritado tanto que agora havia momentos em que sua voz desaparecia quase inteiramente, tornando-se não mais do que um murmúrio estranho, como o vento do inverno sob uma porta. — Achei que já tinha morrido, Senhor!

Roland se levantou com lentidão. Parecia se mexer como alguém movendo os pés nos degraus de uma escada invisível. Eddie sentiu uma espécie de piedade irritada, o que lhe sugeria uma emoção conhecida, singularmente nostálgica. Compreendeu logo depois. Era como quando ele e Henry viam as lutas na televisão e um lutador socava o outro, socava-o terrivelmente, repetidas vezes, e os espectadores gritavam pedindo mais e *Henry* gritava pedindo mais. Eddie, no entanto, ficava imóvel, sentindo aquela piedade irritada, aquele entorpecedor mal-estar; ficava imóvel mandando ondas de pensamento para o juiz. *Pare a luta, homem, porra você está cego? Ele está morrendo ali! MORRENDO! Pare a porra da luta!*

Não havia meio de parar aquela luta.

Roland encarou Detta por entre olhos intensamente febris.

— Muita gente já imaginou que eu tivesse morrido. — Olhou para Eddie. — Está pronto?

— Sim, acho que sim. E você?

— Estou.

— *Vai* conseguir?

— Vou.

Seguiram em frente.

Por volta das dez horas, Detta começou a esfregar as têmporas com os dedos.

— Parem — disse ela. — Não estou me sentindo bem. Acho que vou vomitar.

— Provavelmente por causa de toda a comida que ingeriu ontem à noite — disse Eddie, e continuou empurrando a cadeira. — Deveria ter dispensado a sobremesa. Eu lhe disse que aquela torta de chocolate ia pesar.

— Vou vomitar! Vou...

— Pare, Eddie! — disse o pistoleiro.

Eddie parou.

A mulher na cadeira de repente se contorceu convulsivamente, como se um choque elétrico tivesse passado por ela. Os olhos se projetaram arregalados, fixos em nada.

— QUEBREI SEU PRATO SUA FEDORENTA E VELHA DAMA AZUL! — gritou ela. — QUEBREI E ESTOU FELIZ PRA CACETE POR TER...

De repente ela caiu para a frente na cadeira. Se não fossem as cordas, teria desabado no chão.

Meu Deus, ela está morta, teve um ataque e morreu, pensou Eddie. Começou a circundar a cadeira, sem esquecer de como ela sabia ser dissimulada e astuciosa, mas parou. Olhou para Roland. O pistoleiro retribuiu com um olhar neutro, não revelando nada.

Então ela gemeu. Os olhos se abriram.

Os olhos *dela*.

Os olhos de *Odetta*.

— Meu Deus, tornei a desmaiar, não foi? — disse ela. — Sinto muito por terem sido obrigados a me amarrar. Minhas pernas inúteis! Talvez eu consiga sentar um pouco se vocês...

Foi nesse momento que as pernas do próprio Roland se desconjuntaram e ele desmaiou uns cinquenta quilômetros ao sul do lugar onde a praia do mar Ocidental chegava ao fim.

[illegible]

[illegible]

[illegible]

[illegible]

[illegible]

[illegible]

[illegible]

[illegible]

[illegible]

[illegible]

[illegible]

[illegible]

[illegible]

EMBARALHAR DE NOVO

1

Para Eddie Dean, ele e a Dama não pareciam mais estar avançando penosamente nem mesmo caminhando pelo que restava da praia. Pareciam estar *voando*.

Odetta Holmes ainda não gostava de Roland nem confiava nele; era evidente que não. Mas reconhecia como o estado dele se tornara desesperador e reagia a isso. Agora, em vez de empurrar um peso morto de aço e borracha ao qual por acaso estava preso um corpo humano, Eddie tinha quase a sensação de estar empurrando um planador.

Vá com ela. Antes, eu estava cuidando de você e isso era importante. Agora só vou servir para atrasá-lo.

Eddie percebeu quase de imediato como o pistoleiro estava certo. Ele empurrava a cadeira; Odetta ajudava girando as rodas.

Eddie trazia um dos revólveres do pistoleiro enfiado na cintura da calça.

Se lembra quando mandei que ficasse alerta e você não ficou?

Lembro.

Estou lhe dizendo de novo: Fique alerta. A cada momento. Se a outra pessoa que há nela voltar, não hesite um segundo sequer. Dê-lhe uma pancada na cabeça.

E se ela morrer?

Então é o fim. Mas se ela o matar, também é o fim. E se ela voltar, ela vai tentar matá-lo. Ela vai tentar.

Eddie não queria deixar o pistoleiro. Não era apenas o grito do felino à noite (embora Eddie também pensasse nisso); o problema era que Roland se tornara seu elo mais essencial com aquele mundo. Um mundo do qual ele e Odetta não faziam parte.

Contudo, percebia que o pistoleiro tinha razão.

— Quer descansar? — perguntou a Odetta. — Tem mais comida. Um pouco.

— Por enquanto não — respondeu ela, embora sua voz soasse cansada. — Daqui a pouco.

— Tudo bem, mas pelo menos pare de girar as rodas. Você está fraca. Seu… seu estômago, você sabe.

— Tudo bem. — Ela se virou, o rosto brilhando de suor, e concedeu-lhe um sorriso que ao mesmo tempo tirou e deu forças a Eddie. Ele seria capaz de morrer por aquele sorriso… e achou que morreria mesmo, se as circunstâncias o exigissem.

Esperava, pelo que havia de mais sagrado, que não fosse preciso chegar a tanto, mas sem dúvida não estava fora de questão. O tempo se tornara algo tão crucial que parecia gritar.

Odetta deixou as mãos pousadas no colo enquanto ele empurrava. Os rastros que a cadeira deixava para trás ficavam agora menos claros; o solo da praia ia se tornando cada vez mais firme, mas também se cobria de grandes pedras capazes de provocar um acidente. E seria difícil evitar que acontecesse alguma coisa na velocidade em que estavam indo. Um acidente realmente grave poderia machucar Odetta, o que seria terrível; o acidente também poderia inutilizar a cadeira, o que seria igualmente terrível para os dois e provavelmente ainda pior para o pistoleiro, que quase certamente morreria sozinho. E se Roland morresse, eles ficariam presos para sempre naquele mundo.

Com Roland doente e fraco demais para andar, Eddie fora forçado a encarar um fato muito simples: havia três pessoas ali e duas já estavam incapacitadas.

Então que esperança, que chance havia?

A cadeira.

A cadeira era a esperança, toda a esperança e nada a *não ser* esperança.

Que Deus os ajudasse.

2

O pistoleiro havia recuperado a consciência logo após Eddie arrastá-lo para a sombra de uma saliência de rocha. No seu rosto, áreas pálidas se alternavam com áreas muito vermelhas. Seu peito subia e descia muito depressa. O braço direito era uma emaranhada teia de linhas vermelhas.

— Alimente ela — grasnou Roland para Eddie.

— Você…

— Não se importe *comigo*. Eu vou ficar bem. Dê de comer a ela. Agora ela vai comer, eu acho. E você vai precisar também da energia dela.

— Roland, e se ela estiver apenas *fingindo* ser…

O pistoleiro fez um gesto de impaciência.

— Não está fingindo absolutamente nada. Está sozinha em seu corpo. Sei disso e você também sabe. Está estampado no rosto dela. Alimente-a, pelo amor de seu pai e, enquanto ela come, volte até aqui. Cada minuto conta agora. Cada *segundo*.

Eddie se levantou e o pistoleiro puxou-o de volta com a mão esquerda. Doente ou não, ainda tinha força.

— E não comente nada sobre a *outra*. Não importa o que ela diga, não importa o que ela explique, *não a contradiga*.

— Por quê?

— Não sei. Só sei que não deve. Agora faça o que eu digo e não perca mais tempo!

Sentada em sua cadeira, Odetta contemplava o mar com uma expressão de ligeiro e confuso espanto. Quando Eddie lhe ofereceu os pedaços de lagosta que haviam sobrado da noite anterior, ela deu um sorriso de pesar.

— Comeria se pudesse — disse —, mas você sabe o que acontece.

Eddie, que não fazia ideia do que ela estava falando, limitou-se a dar de ombros.

— Não custa nada tentar de novo, Odetta. Você precisa comer, sabe disso. Temos de seguir o mais depressa que conseguirmos.

Ela deu uma risada breve e tocou na mão dele. Eddie sentiu uma espécie de descarga elétrica saltar do corpo dela para o seu. E sem dúvida era ela, Odetta. Teve tanta certeza quanto Roland.

— Eu amo você, Eddie. Você tentou tanto. Tem sido tão paciente. E *ele* também… — Odetta apontou a cabeça para onde o pistoleiro continuava apoiado nas rochas, vigiando. — … mas Roland não é um homem fácil de se amar.

— Sim, eu bem sei.

— Mas vou tentar mais uma vez… Por você.

Odetta sorriu e Eddie teve a impressão de que tudo no mundo se movimentava por ela, por causa dela e pensou: *Por favor, Deus, nunca tive muito, por isso por favor não a tire novamente de mim. Por favor.*

Ela pegou os pedaços de carne de lagosta, franziu o nariz com uma expressão deprimida, cômica, e ergueu os olhos para Eddie.

— Tenho de comer?

— Só dê uma chance — disse Eddie.

— Nunca mais comi vieiras — disse ela.

— Perdão?

— Achei que já tinha lhe dito.

— Pode ter dito — disse Eddie, dando uma risada nervosa. O que o pistoleiro tinha dito sobre não deixar a Dama saber da *outra* surgiu naquele momento em letras bem grandes dentro de sua mente.

— Jantamos vieiras uma noite — disse ela —, quando eu tinha dez ou onze anos. Detestei o sabor, pareciam bolinhas de borracha. Mais tarde vomitei tudo. Nunca mais voltei a comê-las. Mas… — Ela suspirou. — Como você diz, vou "dar uma chance".

Ela colocou um pedaço na boca como uma criança tomando uma colher de remédio cujo gosto acha nojento. Odetta começou mastigando devagar, depois mais depressa. Engoliu. Pegou outro pedaço. Mastiga, engole. Outro. Agora já estava quase *devorando* a comida.

— Ei, vá devagar! — disse Eddie.

— Deve ser outra *espécie*! Quero dizer, *claro* que é! — Ela encarou Eddie com olhos brilhantes. — Avançamos mais pela praia e a espécie mudou! Parece que não sou mais alérgica! Não tem um sabor *nojento*, como antes… e eu *realmente* tentei fazer com que parasse no estômago, não é? — Ela lançou-lhe um olhar franco. — Eu tentei *muito*.

— Sim. — Eddie achou que a própria voz estava ficando parecida com uma transmissão radiofônica de sinal muito distante. *Ela acha que está co-*

mendo todos os dias, mas sempre vomitando tudo. Por isso é que estaria tão fraca. Deus Todo-Poderoso. — É, você realmente tentava não vomitar.

— Tem um gosto… — Foi difícil entender as palavras porque a boca de Odetta estava cheia. — Tem um gosto muito bom! — Ela riu. O som foi agradável, meigo. — Vai se manter! Vou conseguir me alimentar! Sei disso! *Sinto* isso!

— Mas só não exagere — advertiu ele, passando-lhe um dos cantis. — Não está acostumada. Todo esse… — Ele engoliu e houve um nítido (pelo menos para ele) estalo em sua garganta. — Todo esse vômito.

— Sim. Sim.

— Preciso conversar rapidinho com o Roland.

— Tudo bem.

Mas antes que ele se afastasse, Odetta tornou a agarrar sua mão.

— Obrigada, Eddie. Obrigada por ser tão paciente. E agradeça a *ele*. — Hesitou com um ar de seriedade. — Agradeça a ele e não diga que ele me assusta.

— Não vou dizer — respondeu Eddie, voltando para junto do pistoleiro.

3

Mesmo quando não tentava girar as rodas da cadeira por conta própria, Odetta ajudava. Navegava com a precisão de uma mulher que passara anos pilotando uma cadeira de rodas num mundo que ainda levaria muito tempo para reconhecer o direito de deficientes físicos como ela.

— Esquerda — gritava ela, e Eddie virava para a esquerda, se esquivando de uma rocha projetada do chão de cascalho como uma presa estragada. Sem a ajuda de Odetta, poderia ter visto aquilo… ou não.

— Direita — ela gritava, e Eddie ia para a direita, escapando por um triz de uma das cada vez mais raras valas na areia.

Finalmente pararam e Eddie se deitou no chão, ofegante.

— Durma — disse Odetta. — Uma hora. Eu te acordo.

Eddie olhou para ela.

— Estou falando sério — continuou ela. — Eu vi o estado do seu amigo…

— Ele não é exatamente meu amigo, você sab…

— … e sei como é importante não perder tempo. Não vou deixá-lo dormir mais do que uma hora movida por algum equivocado sentimento de pena. Tenho uma ótima noção das horas pelo sol. Você não será de nenhuma ajuda a Roland se deixando esgotar até cair, não é?

— Não — disse ele, pensando: *Mas você não entende. Se eu dormir e Detta Walker voltar…*

— Durma, Eddie — disse ela, e como Eddie estava cansado demais (e apaixonado demais) para fazer outra coisa que não confiar nela, acabou dormindo. Dormiu e ela o acordou quando disse que o faria. Era ainda Odetta e seguiram caminho. Ela agora girava novamente as rodas da cadeira com a mão, ajudando. Avançaram pela praia cada vez mais estreita em direção à porta que Eddie não parava de procurar febrilmente e continuava não vendo.

4

Quando deixou Odetta completando a primeira refeição que fazia num período de dias e se aproximou do pistoleiro, Roland parecia um pouco melhor.

— Abaixe-se — disse ele a Eddie.

Eddie se abaixou.

— Me deixe o cantil que está pela metade. É tudo de que eu preciso. Leve Odetta para a porta.

— E se eu não conseguir…

— Encontrar a porta? Vai encontrar. As duas primeiras estavam lá; esta também estará. Se chegar lá esta noite antes do pôr do sol, espere que fique escuro e mate duas lagostas. Precisará deixar Odetta com bastante comida e se certifique de que fique o mais bem abrigada que conseguir. E se não chegar lá esta noite, mate três lagostas. Com isto.

Passou a Eddie um dos revólveres.

Eddie pegou-o com cuidado, sempre espantado com o peso da arma.

— Achei que não havia mais nenhuma bala aproveitável.

— Provavelmente não há. Mas carreguei a arma com as que acredito que se molharam menos… três da cartucheira do cinto esquerdo, três da cartucheira do direito. Uma deve detonar. Duas, se você tiver sorte. Gaste no máximo uma com as criaturas. — Os olhos estudaram brevemente a expressão de Eddie. — Pode haver outras coisas lá fora.

— Já ouviu algum barulho, não foi?

— Se está se referindo a alguma coisa uivando nas colinas, sim. Se está se referindo ao bicho-papão, como dizem seus olhos, não. Ouvi um gato selvagem entre as moitas, só isso, talvez com uma voz quatro vezes maior que o tamanho de seu corpo. Talvez não passe de um bicho capaz de ser afugentado com uma pequena vara. Mas fique atento a Odetta. Se a *outra* voltar, talvez precise…

— Não vou matá-la, se é no que está pensando!

— Mas pode se ver obrigado a lidar com ela. Está entendendo?

Eddie assentiu com relutância. De qualquer modo, as malditas balas provavelmente não iriam detonar e não fazia sentido gastar energia em discussões como aquela.

— Quando chegar à porta, deixe Odetta. Proteja-a o melhor que puder, mas volte para me trazer a cadeira.

— E o revólver?

Os olhos do pistoleiro ficaram tão brilhantes que Eddie recuou, como se Roland tivesse atirado uma tocha ardente em seu rosto.

— Deuses, claro? Deixe-a com um revólver carregado, sabendo que a *outra* pode voltar a qualquer momento? Perdeu a cabeça?

— As balas talvez nem…

— *Fodam-se* as balas! — gritou o pistoleiro, e uma repentina queda no vento permitiu que as palavras seguissem com a brisa. Odetta virou a cabeça, fitou-os por um bom tempo e depois voltou a se concentrar no mar. — Não deixe o revólver com ela!

Eddie conservou a voz baixa para o caso de o vento ceder outra vez.

— E se alguma coisa sair do matagal enquanto eu estiver vindo para cá? Algum gato quatro vezes maior do que o som, em vez da hipótese contrária? Algo que não possa ser enxotado com uma vara?

— Deixe uma pilha de pedras com ela — disse o pistoleiro.

— *Pedras*! Pelo santo Deus! Cara, você é realmente um merda!

— Eu *penso* — disse o pistoleiro. — Algo que você parece incapaz de fazer. Dei-lhe o revólver para que tivesse como protegê-la de perigos como o que mencionou durante a metade da viagem que você vai fazer. Não seria pior se eu pegasse o revólver de volta? Então talvez você possa *morrer* por ela? Será que é isso que você *quer*? Sim, é muito romântico... só que, nesse caso, não só ela, mas nós três estaríamos acabados.

— Muito sensato, mas você continua sendo um merda do caralho.

— Vá ou fique. Pare de me xingar.

— Esqueceu uma coisa — disse Eddie, furioso.

— O que foi?

— Esqueceu de me mandar crescer. Era o que Henry sempre costumava dizer. "Ah, moleque, vê se cresce!"

O pistoleiro tinha mostrado um sorriso cansado, mas singularmente bonito.

— Acho que você *já* cresceu. Vai ou fica?

— Vou — disse Eddie. — O que você vai comer? Ela acabou com as sobras.

— O merda do caralho vai dar um jeito. O merda do caralho vem dando um jeito há anos.

Eddie desviou o olhar.

— Acho... acho que sinto muito por tê-lo chamado assim, Roland. Foi... — De repente ele começou a rir, um riso estridente. — Foi um dia muito cansativo.

— Sim — disse Roland sorrindo de novo. — Foi.

5

Naquele dia fizeram o melhor tempo de toda a jornada, mas ainda não havia nenhuma porta à vista quando o sol começou a derramar sua esteira dourada pelo oceano. Embora Odetta tivesse dito que era perfeitamente capaz de continuar por outra meia hora, Eddie deu uma parada e ajudou-a a sair da cadeira. Carregou-a para um trecho de solo que parecia razoavelmente plano, tirou as almofadas das costas e do assento da cadeira e as colocou embaixo dela.

— Meu Deus, é tão bom poder me esticar um pouco — suspirou Odetta. — Mas... — Ela franziu a testa. — Não paro de pensar naquele homem lá atrás, Roland, completamente sozinho, isso realmente não me agrada nem um pouco. Eddie, quem é ele? O *que* ele é?

E, de maneira quase distraída:

— E por que ele *grita* tanto?

— Só uma questão de temperamento, eu acho — disse Eddie, de repente se afastando para reunir algumas pedras. Era muito difícil Roland gritar, embora um de seus raros gritos tivesse acontecido naquela manhã (*FODAM-SE* as balas!). O comentário de Odetta era uma memória falsa: de um tempo que ela *pensara* que havia passado como Odetta.

Eddie matou três criaturas, como o pistoleiro o instruíra. Ficou tão absorvido com a última que escapou por um triz de uma quarta lagostrosidade, que se aproximava por seu lado direito. Eddie viu as garras clicarem no espaço vazio onde, um momento antes, estiveram seu pé e sua perna e pensou nos dedos perdidos do pistoleiro.

Cozinhou tudo sobre um fogo tirado de madeira seca — as persistentes colinas e a crescente vegetação tornaram a busca de bom combustível mais rápida e mais fácil, pelo menos — enquanto o resto da luz do dia se extinguia no céu poente.

— Olhe, Eddie — exclamou ela, apontando.

Eddie olhou e viu uma estrela solitária brilhando no seio da noite.

— Não é *linda*?

— É — disse ele e, de repente, sem nenhuma razão, seus olhos se encheram de lágrimas. Onde afinal passara toda a sua maldita vida? Onde estivera, o que estivera fazendo, quem estivera com ele enquanto ele o fazia e por quê, de repente, se sentira tão sombria e abissalmente deprimido?

Erguido, o rosto de Odetta era dramaticamente belo, uma beleza irrefutável sob aquela luz, mas uma beleza que ela mesma desconhecia. Odetta se limitava a olhar a estrela com olhos arregalados de admiração e a rir baixinho.

— Luz da estrela, brilho da estrela — entoou ela, e parou. Olhou para ele. — Conhece a cantiga, Eddie?

— Conheço. — Eddie conservava a cabeça baixa. Sua voz estava clara o suficiente, mas se erguesse os olhos Odetta veria que ele estava chorando.

— Então me ajude. Mas você precisa olhar.

— Está bem.

Eddie enxugou as lágrimas com a palma de uma das mãos e levantou os olhos para ver a estrela junto a Odetta.

— Luz da estrela...

Ela se virou para Eddie e ele acompanhou:

— *Brilho* da estrela...

A mão dela se estendeu, tateando, e Eddie a segurou, juntando o branco de sua mão ao delicioso marrom de chocolate da dela.

— É a primeira estrela que estou vendo esta noite — os dois falaram solenemente, em uníssono, menino e menina brincando, não homem e mulher como seriam mais tarde, quando a escuridão estivesse completa, ela o chamasse perguntando se estava dormindo, ele dissesse que não e ela perguntasse se não poderia abraçá-la, pois estava frio. — Querer é poder, querer é vencer...

Olharam um para o outro e Eddie viu que havia lágrimas escorrendo pelo rosto dela. As dele também voltaram, e Eddie deixou-as cair abertamente. Não eram uma vergonha, mas um grande alívio.

Um sorriu para o outro.

— Faça o seu pedido esta noite — disse Eddie e pensou: *Por favor, quero ficar para sempre com ela.*

— Faça o seu pedido esta noite — ela fez eco e pensou: *Se eu tiver de morrer neste estranho lugar, por favor que não seja doloroso demais e que este bom rapaz esteja ao meu lado.*

— Desculpe por eu ter chorado — disse Odetta, enxugando os olhos. — Não costumo reagir assim, mas este foi...

— Um dia muito cansativo — Eddie completou por ela.

— Sim. E você precisa comer, Eddie.

— Você também.

— Só espero que a comida não me deixe novamente enjoada.

Eddie sorriu.

— Acho que não vai acontecer.

6

Mais tarde, com estranhas galáxias dançando lentamente pelo céu, ambos pensaram que o ato de amar nunca tinha sido tão doce, tão pleno.

7

Estavam já seguindo caminho quando rompeu o dia. Avançavam depressa e, por volta das nove, Eddie lamentou não ter perguntado a Roland o que deveria fazer se chegassem a um lugar onde os morros cortassem a praia e ainda não houvesse porta à vista. Parecia algo importante, porque o final da praia *estava* chegando, não havia dúvida a esse respeito. Os morros se aproximavam cada vez mais, traçando uma diagonal em direção à água.

Na realidade a praia não era mais absolutamente uma praia; o solo estava agora firme e bastante regular. Alguma coisa — ressacas, ele supôs, ou aguaceiros em alguma estação chuvosa (não tinha caído nenhuma chuva desde que ele chegara àquele mundo, nem uma gota sequer; o céu ficara nublado algumas vezes, mas logo as nuvens se dissipavam) — tornara lisa a maioria das saliências de rocha.

— Pare, Eddie! — gritou Odetta às nove e meia. — Pare!

Ele parou tão bruscamente que ela precisou agarrar os braços da cadeira para não ser jogada longe. Num segundo, Eddie estava na frente dela.

— Desculpe — disse. — Você está bem?

— Ótima. — Ele viu que tinha confundido entusiasmo com aflição. Ela apontou. — Lá! Está vendo alguma coisa?

Eddie protegeu os olhos com as mãos, mas não viu nada. Estreitou os olhos. Por um breve momento pensou que… não, deviam ser apenas as ondas de calor se erguendo do solo compacto.

— Acho que não — disse ele, sorrindo. — Só o seu desejo de que tenha alguma coisa.

— Acho que tem mesmo! — Ela virou o rosto vibrante, sorridente. — Ali sozinha, em pé! Perto do final da praia.

Eddie olhou novamente, dessa vez estreitando a visão com tanta força que os olhos se encheram de água. Por um momento acreditou que estava vendo alguma coisa, depois achou que não. *Você viu*, pensou e sorriu. *Você viu o desejo dela.*

— Talvez… — disse ele, não porque acreditasse, mas porque ela acreditava.

— Vamos!

Eddie foi de novo para trás da cadeira, demorando um momento para massagear a lombar, onde uma dorzinha firme tinha se instalado. Ela olhou para trás.

— O que está *esperando*?

— Você realmente acha que viu alguma coisa, não foi?

— Sim!

— Bem, então vamos!

Eddie começou de novo a empurrar.

8

Meia hora depois Eddie também viu. *Meu Deus*, pensou, *os olhos dela são tão bons quanto os de Roland. Talvez melhores.*

Nenhum dos dois queria parar para comer, mas era preciso. Fizeram uma refeição rápida e depois seguiram caminho. A maré estava subindo e Eddie olhou para a direita — oeste — com crescente apreensão. Encontravam-se ainda bem acima do emaranhado limite das algas marinhas e do mato rasteiro na orla da areia molhada, mas achou que quando atingissem a porta estariam numa área terrivelmente estreita, cercados pelo mar de um lado e as encostas dos morros do outro. Podia ver os morros muito claramente agora. A vista nada tinha de agradável. Eram colinas rochosas, salpicadas de árvores baixas que enroscavam as raízes no solo como juntas humanas com artrite e conservavam um aspecto sinistro, e arbustos que pareciam espinhosos. Não eram encostas muito íngremes, mas eram íngremes o suficiente para a cadeira de rodas. Talvez ele conseguisse subir com ela até certo ponto, talvez fosse forçado a isso, mas não gostava da ideia de deixá-la sozinha ali.

Pela primeira vez estava ouvindo insetos. O som lembrava um pouco o barulho de grilos, mas com um timbre mais alto e sem nenhum ritmo... só um contínuo e monótono *riiiiiiii*, como o de cabos de alta tensão. Pela primeira vez estava vendo aves que não fossem gaivotas. Algumas eram maiores do que urubus e tinham asas compactas. Falcões, pensou ele. Observou como, vez ou outra, eles batiam as asas e mergulhavam como pedras. Caçando. Caçando o quê? Bem, pequenos animais. Até aí tudo bem.

Continuava, no entanto, pensando no uivo que ouvira durante a noite.

Pelo meio da tarde, puderam ver nitidamente a terceira porta. Era, como as outras duas, uma impossibilidade que, não obstante, parecia firme como um poste.

— Incrível — ele a ouviu dizer em voz baixa. — Absolutamente incrível.

Estava exatamente onde Eddie havia imaginado que a porta estaria, no ângulo que marcava o final de uma progressão lógica para o norte. Achava-se logo acima da linha da maré alta e a menos de nove metros do lugar onde os morros brotavam do solo como uma gigantesca mão coberta de mato verde e cinzento, em vez de pelos.

A maré alta se completou quando o sol começou a mergulhar na água e eles alcançaram a porta por volta das quatro da tarde — conforme a avaliação de Odetta, e como ela garantira ser boa para ver as horas pelo sol (e pelo fato de ser sua amada), Eddie acreditou.

9

Por um instante, apenas contemplaram a porta, Odetta em sua cadeira com as mãos no colo, Eddie parado à beira-mar. De uma certa forma a olhavam como tinham olhado para a estrela-d'alva na noite anterior (isto é, do modo como as crianças olham as coisas), mas também a fitavam de modo diferente. Na noite anterior tinham feito aquela brincadeira de criança com os desejos e a estrela. Agora estavam solenes, maravilhados, como crianças vendo a firme materialização de algo que só deveria existir nos contos de fada.

Havia duas palavras escritas na porta.

— O que quer dizer? — Odetta finalmente perguntou.

— Não sei — disse Eddie, mas as palavras tinham lhe trazido um calafrio de desespero; sentiu uma espécie de eclipse cortando o coração.

— Não sabe? — perguntou ela, olhando-o atentamente.

— Não. Eu… — Ele engoliu em seco. — Não.

Ela o observou em silêncio por mais um instante.

— Empurre-me para o outro lado da porta, por favor. Gostaria de ver o que tem lá. Sei que está querendo voltar para socorrer Roland, mas faria isso por mim?

Ele faria.

Começaram a contornar a porta, pelo lado que ficava voltado para a terra.

— Espere! — ela gritou. — Viu isso?

— O quê?

— Volte! Olhe! Preste atenção!

Dessa vez ele olhou para a porta em vez do que poderia estar à frente que lhes fizesse tropeçar. Enquanto faziam o contorno, observou a porta de uma perspectiva lateral, suas dobradiças, que pareciam não estar fixas em absolutamente nada; constatou sua solidez...

Então ela sumiu.

A porta sumiu.

A visão de Eddie da água deveria ter sido interrompida por três, talvez até mesmo dez centímetros de madeira sólida (a porta parecia extraordinariamente espessa), mas não havia nenhuma interrupção.

A porta sumira.

Sua sombra estava lá, mas a porta se fora.

Eddie voltou meio metro com a cadeira, ficando bem ao sul do ponto onde a porta se encontrava, e a solidez tornou a surgir.

— Viu isso? — perguntou ele num tom meio trêmulo.

— *Sim*! Está aqui de novo!

Avançou trinta centímetros com a cadeira. A porta continuava lá. Mais quinze centímetros. Ainda lá. Agora mais cinco centímetros. Sempre lá. Dois centímetros e meio... e ela sumira. A solidez havia sumido.

— Deus — ele murmurou. — Meu Deus.

— Será que ela vai se abrir para você? — perguntou ela. — Ou para mim?

Devagar, Eddie deu um passo à frente e agarrou a maçaneta da porta com aquelas duas palavras gravadas.

Tentou mover no sentido horário; tentou no sentido oposto.

A maçaneta não se mexeu um milímetro sequer.

— Está bem. — A voz dela era calma, resignada. — A porta só está aqui para ele. Acho que nós dois já sabíamos disso. Vá até ele, Eddie. Agora.

— Primeiro tenho de cuidar de você.

— Vou ficar bem.

— Não, não vai. Está próxima demais da linha da maré alta. Se deixá-la aqui, as lagostas vão aparecer quando escurecer e você vai virar jan...

No alto das colinas, o rosnado áspero de um felino cortou o que ele estava dizendo como faca cortando um fio fino. Fora a uma distância considerável, embora mais próxima que a do outro rosnado.

Por um breve instante, os olhos de Odetta se moveram para o revólver enfiado na cintura da calça de Eddie, depois se voltaram para os olhos dele. Eddie sentiu que corava.

— Roland mandou que não me desse o revólver, não é? — disse ela em voz baixa. — Não quer que eu fique com a arma. Por alguma razão não quer que eu fique com a arma.

— As balas se molharam — disse ele meio sem jeito. — Provavelmente não iriam nem disparar.

— Compreendo. Suba um pouco a encosta comigo, Eddie, está bem? Sei como suas costas devem estar moídas; Andrew chamava isso de Corcunda da Cadeira de Rodas, mas se subir um pouco comigo, estarei a salvo das lagostas. E duvido que alguma outra coisa, com elas por aqui, se aproxime dessa região.

Eddie pensou: *Sim, provavelmente ela está certa... quando a maré está alta... Mas o que pode acontecer quando a água começar a recuar novamente?*

— Me deixe alguma coisa para comer e algumas pedras — disse ela, e sua involuntária repetição das palavras do pistoleiro fez Eddie corar de novo. Bochechas e testa pareciam estar como as paredes de um forno de tijolos.

Odetta olhou para ele, sorriu fracamente e balançou a cabeça como se ele tivesse falado em voz alta.

— Não vamos discutir sobre isso — disse ela. — Sei qual é a situação de Roland. Ele tem muito, muito pouco tempo. Não podemos ficar aqui parados, discutindo. Suba um pouco comigo, me deixe comida e algumas pedras, depois pegue a cadeira e vá.

10

Eddie a acomodou o mais depressa que pôde, depois puxou o revólver do pistoleiro e estendeu a coronha para ela. Mas Odetta balançou a cabeça.

— Ele ficaria furioso com nós dois. Furioso com você por me dar a arma, comigo por aceitá-la.

— Merda! — gritou Eddie. — O que levou você a achar uma coisa dessas?

— Eu apenas sei — disse ela, impassível.

— Bem, suponha que seja verdade. Apenas suponha. *Eu* vou ficar furioso com você se você *não* aceitar.

— Guarde isso. Não gosto de armas. Não sei usá-las. Se alguma coisa viesse do escuro em minha direção a primeira coisa que eu faria seria molhar as calças. A segunda seria apontar para o lado errado e atirar em mim mesma. — Fez uma pausa, olhando solene para Eddie. — Há mais uma coisa e acho que deve saber. Não quero encostar a mão em nada que pertence a ele. Absolutamente *nada*. Para falar a verdade, acho que as coisas de Roland podem ter o que minha mãe chamava de vodu. Gosto de pensar que sou uma mulher moderna... mas não quero nenhum vodu perto de mim quando você for embora e eu me vir cercada pela escuridão.

Os olhos de Eddie passaram da arma para Odetta e ainda revelavam dúvida.

— Guarde *isso* — disse ela, severa como uma professora de crianças.

Eddie deu uma gargalhada e obedeceu.

— Por que está rindo?

— Porque você está parecendo a sra. Hathaway. Ela foi minha professora no primário.

Ela sorriu um pouco, sem afastar os olhos luminosos de Eddie. Cantou em voz baixa, docemente: *Camadas celestiais da noite estão caindo... é hora do crepúsculo...* A voz dela se extinguiu e os dois olharam para oeste, mas a estrela a que tinham feito seus pedidos na noite anterior ainda não aparecera, embora a sombra dos dois já estivesse bem comprida sob o resto de sol.

— Há mais alguma coisa, Odetta? — Ele sentia um impulso de continuar a adiar a própria partida. Achava que a agonia passaria assim que iniciasse a marcha de volta, mas agora o impulso de buscar qualquer justificativa para permanecer parecia muito forte.

— Um beijo. Gostaria de um beijo, se não se importar.

Ele a beijou demoradamente e quando os lábios dos dois se afastaram, ela segurou seu pulso e olhou-o atentamente.

— Ontem à noite foi a primeira vez que transei com um homem branco — disse ela. — Não sei se para você isso é importante ou não. Nem mesmo sei se é importante para *mim*. Mas achei que deveria saber.

Ele refletiu um pouco.

— Não importa para mim — disse ele. — Acho que, no escuro, nós dois éramos cinzas. Eu amo você, Odetta.

Ela colocou a mão sobre a dele.

— Você é um rapaz gentil e talvez eu também ame você, embora seja cedo demais para eu ou você...

Nesse momento, como se estivesse dando um aviso, um gato selvagem rosnou no que o pistoleiro tinha chamado de moita. Ainda parecia estar a sete ou oito quilômetros de distância, ou seja, sete ou oito quilômetros mais perto do que da última vez que o tinham ouvido, e parecia ser *grande*.

Viraram as cabeças para o som. Eddie sentiu os pelos da nuca querendo se arrepiar. Mas não chegou a ficar de fato arrepiado. *Foi mal*, pensou ele, *acho que meu cabelo já está um pouco grande demais para isso.*

O rosnado aumentou, se transformando num grito torturado, como o grito de uma criatura submetida a uma morte horrenda (embora pudesse estar revelando apenas o sucesso de um acasalamento). A coisa se prolongou por um instante, quase insuportável, e então começou a declinar, escapando para registros cada vez mais baixos até sumir por completo ou ficar enterrada sob o incessante gemido do vento. Esperaram que o uivo voltasse, mas ele não se repetiu. Eddie, no entanto, não se deixou impressionar por aquele silêncio. Tirou novamente o revólver da cintura e estendeu-o para Odetta.

— Pegue e não discuta. Se realmente *precisar* usá-lo, tenha certeza de que não vai funcionar, é sempre assim que essas coisas acontecem, mas vamos lá, pegue de qualquer maneira.

— Quer brigar?

— Ah, pode brigar. Pode brigar o quanto quiser.

Após encarar meditativamente os olhos quase cor de avelã de Eddie, ela sorriu um tanto desanimada.

— Não vou brigar, eu acho. — Pegou o revólver. — Por favor, volte o mais depressa que puder.

— Eu vou. — Tornou a beijá-la, dessa vez apressado, e quase pediu para que ela tivesse cuidado... mas falando sério, o que significava dizer uma coisa dessas numa situação assim?

Começou a descer a encosta por entre sombras cada vez mais escuras (as lagostrosidades ainda não tinham aparecido, mas não demorariam a iniciar seu passeio noturno) e tornou a olhar para as palavras escritas na porta. O mesmo arrepio brotou em sua pele. Eram palavras adequadas. Nossa, como eram adequadas. Então virou a cabeça e observou a encosta. Por um momento não conseguiu ver nada, mas de repente reparou que algo se mexia. O marrom mais claro de uma palma de mão. Ela estava acenando.

Retribuiu o gesto, virou a cadeira de rodas e começou a correr com o estribo de metal suspenso e as rodas da frente, menores e mais delicadas, sempre no ar. Correu para o sul, pelo mesmo caminho por onde viera. Aproximadamente pela primeira meia hora, sua sombra correu com ele, a improvável sombra de um gigante esquálido presa às solas de seus tênis e se esticando longos metros para o leste. Então o sol se pôs de vez, a sombra sumiu e as lagostrosidades começaram a despontar das ondas.

Cerca de dez minutos após ter ouvido o primeiro silvo das criaturas, Eddie levantou a cabeça e viu a estrela-d'alva brilhando tranquila contra o aveludado azul-escuro do céu.

Camadas celestiais da noite estão caindo... é hora do crepúsculo...

Que ela fique bem. Suas pernas já estavam doendo, a respiração acelerada e pesada demais nos pulmões, e havia ainda uma terceira viagem a fazer, dessa vez com o pistoleiro como passageiro. Embora soubesse que o peso de Roland ultrapassaria o de Odetta em quase cinquenta quilos e achasse que seria bom poupar energia, Eddie continuou correndo. *Que ela fique bem, esse é o meu desejo, que minha amada fique bem.*

E, como um mau presságio, um gato selvagem berrou em algum ponto das tortuosas ravinas que cortavam os morros... só que esse gato selvagem sugeria um bicho grande — como um leão rugindo numa selva africana.

Eddie correu mais ainda, empurrando o assento vazio da cadeira. Logo o vento começou a produzir um fino, horrível lamento entre as rodas da frente erguidas, onde os aros giravam livres.

11

Quando o guincho agudo chegou mais perto, o pistoleiro ficou tenso, mas logo relaxou ao ouvir a respiração ofegante. Era Eddie. Mesmo sem abrir os olhos, o pistoleiro soube disso.

Só quando o guincho cessou e as passadas diminuíram foi que ele abriu os olhos. Eddie estava parado na sua frente, sem fôlego, o suor escorrendo pelos lados do rosto. A camisa, ensopada no peito, era uma mancha escura. Qualquer último vestígio daquele ar de universitário que Jack Andolini identificara nele havia desaparecido. Seu cabelo caía na testa. Ele havia rasgado a calça no meio das pernas. Olheiras roxo-azuladas completavam o quadro. Eddie Dean estava uma lástima.

— Consegui — disse ele. — Estou aqui. — Olhou em volta, depois voltou a encarar o pistoleiro como se não estivesse acreditando no que via. — Meu Deus, estou realmente *aqui*.

— Deu a ela o revólver.

Eddie achou que o pistoleiro parecia estar mal — tão mal quanto antes da primeira e incompleta dose de Keflex, talvez um pouco pior. O calor da febre parecia estar se irradiando em ondas e Eddie sabia que deveria estar sentindo pena dele, mas no momento era capaz apenas de sentir uma enorme agitação.

— Quase me matei para chegar aqui em tempo recorde e tudo que você tem a dizer é: "Deu a ela o revólver". Valeu, cara. Quero dizer, eu esperava algum tipo de reconhecimento, mas isso foi simplesmente inacreditável.

— Acho que eu disse a única coisa que importa.

— Bem, já que você tocou no assunto, eu dei sim — disse Eddie, colocando as mãos na cintura e atirando um olhar truculento para Roland. — Agora você escolhe. Pode se sentar nesta cadeira ou posso dobrá-la e tentar enfiá-la no seu cu. Qual a sua escolha, mestre?

— Nenhuma das duas. — Roland sorria um pouco, o sorriso de alguém que não *quer* sorrir mas não pode evitar. — Primeiro você vai dormir um pouco, Eddie. Saberemos o que fazer quando chegar a hora, mas por enquanto você precisa dormir. Está acabado.

— Quero voltar para perto dela.

— Eu também. Mas se não descansar, vai cair no meio do caminho. Simples assim. Ruim para você, pior para mim e pior de tudo para *ela*.

Eddie ficou um instante imóvel, em dúvida.

— Chegou muito rápido — admitiu o pistoleiro, contraindo os olhos para o sol. — São quatro horas, talvez quatro e quinze. Durma cinco, talvez sete horas e ainda vai estar totalmente escuro...

— Quatro. Quatro horas.

— Está bem. Até o início da noite; acho que é o mais importante. Depois você come. E então partimos.

— Você come também.

De novo aquele sorriso fraco.

— Vou tentar. — O pistoleiro olhou calmamente para Eddie. — Sua vida agora está nas minhas mãos; imagino que saiba disso.

— Sei.

— Eu o sequestrei.

— Foi.

— Você quer me matar? Se quiser, faça isso antes que algum de nós fique sujeito a… — A respiração assobiava baixa. Eddie ouviu o chacoalhar no peito do pistoleiro e não gostou nada do som — … a ainda mais desconforto — ele concluiu.

— Não quero matá-lo.

— Então… — Roland foi interrompido por uma severa e repentina explosão de tosse — …deite-se.

Eddie obedeceu. O sono não chegou de mansinho como às vezes acontecia; agarrou-o com as mãos rudes de um amante, sem jeito em sua avidez. Eddie ouviu (ou talvez fosse apenas um sonho) Roland dizer: *Mas não deveria ter dado o revólver a ela*, e entrou simplesmente no escuro por um tempo desconhecido. Então, de repente, Roland o sacudia para que acordasse, e quando ele finalmente conseguiu se sentar tudo que havia em seu corpo era dor: dor e peso. Os músculos tinham se convertido em guinchos enferrujados e polias numa construção deserta. Sua primeira tentativa de ficar de pé não foi bem-sucedida. Tornou a cair pesadamente na areia. Conseguiu se levantar na segunda tentativa, mas teve a impressão de demorar vinte minutos para executar um ato tão simples quanto se virar. E fazer isso doeu.

Os olhos de Roland estavam pousados nele, com ar indagador.

— Está pronto?

— Estou — disse Eddie, assentindo. — E *você*?

— Também.

— *Vai* conseguir?

— Vou.

Então os dois comeram… e logo Eddie começava sua terceira e última jornada por aquela maldita extensão de praia.

12

Avançaram um bom trecho naquela noite, mas Eddie ainda ficou desapontado quando o pistoleiro quis dar uma parada. Só não discordou porque também estava cansado demais para continuar, embora tivesse esperado chegar mais longe na primeira estirada. O peso. Era esse o grande problema. Em comparação com Odetta, empurrar Roland era como empurrar um vagão com lingotes de ferro. Eddie dormiu mais quatro horas antes do amanhecer e despertou com o sol cobrindo os montes comidos pela erosão, que era o que havia restado das montanhas. Prestou atenção na tosse do pistoleiro. Uma tosse fraca, cheia de estertores, a tosse de um homem velho que estivesse com pneumonia.

Os olhos dos dois se encontraram e os espasmos de tosse de Roland transformaram-se numa risada.

— Ainda não estou acabado, Eddie, por pior que pareça. E você, como está?

Eddie pensou nos olhos de Odetta e balançou a cabeça.

— Estou bem, mas gostaria de um cheeseburger e de uma Bud gelada.

— Bud? — perguntou o pistoleiro com um ar confuso.

— Esqueça. Suba, amigo. Não estamos numa pista de boliche, mas vamos ter de rolar mesmo assim.

E foi o que fizeram, mas no segundo dia após Eddie ter se despedido de Odetta, quando chegou o pôr do sol, estavam ainda apenas chegando perto do ponto onde se encontrava a terceira porta. Eddie deitou no chão, na intenção de apagar por mais quatro horas, mas o grito estridente de um daqueles felinos arrancou-o do sono duas horas depois, com o coração acelerado. Meu Deus, a coisa parecia enorme pra caralho.

Viu o pistoleiro apoiado num cotovelo, os olhos brilhando no escuro.

— Está pronto? — perguntou Eddie se levantando devagar, arreganhando os dentes com a dor.

— *Você* está? — replicou Roland num tom muito baixo.

Eddie torceu as costas, produzindo uma série de estalos como numa fileira de minúsculas bombinhas.

— Sim. Mas eu preferia mesmo era estar na frente daquele cheeseburger.

— Achei que estivesse querendo um frango.

Eddie gemeu.

— Me dá um tempo, cara.

A terceira porta ficou plenamente visível quando o sol bateu nos morros. Duas horas depois, chegaram lá.

Todos juntos de novo, Eddie pensou, pronto a se estirar na areia.

Mas parece que não era para ser. Não havia sinal de Odetta Holmes. Não havia o menor sinal.

13

— *Odetta*! — gritou Eddie, e agora sua voz era falha e rouca como fora a voz da *outra* de Odetta.

Não houve sequer um eco em retorno, algo que pudesse pelo menos ser confundido com a voz de Odetta. Os morros baixos, carcomidos, não devolviam qualquer som. Havia apenas o estrondo das ondas, muito mais alto naquela estreita ponta de terra, o baque cavernoso, ritmado, da rebentação atingindo a saída de algum túnel cavado na rocha e o lamento contínuo do vento.

— *Odetta*!

Dessa vez Eddie gritou tão alto que a voz falhou e, por um momento, algo pontudo como uma espinha de peixe atacou suas cordas vocais. Os olhos esquadrinharam freneticamente os morros, procurando aquela superfície marrom mais clara que seria a palma da mão de Odetta, procurando por algum movimento de Odetta esticando o corpo... procurando (que Deus o livrasse) manchas brilhantes de sangue no cinzento de alguma pedra.

Pensou no que faria se visse essa última coisa ou encontrasse o revólver com profundas marcas de dentes na lisa madeira de sândalo dos cabos. Uma visão dessas poderia mergulhá-lo numa completa histeria, talvez enlouquecê-lo, mas ele continuou procurando por aquilo... ou por qualquer coisa.

Seus olhos nada viram; os ouvidos não conseguiram receber o menor retorno de seus gritos.

Enquanto isso o pistoleiro ficara examinando a terceira porta. Tinha esperado uma única palavra, a palavra que o homem de preto usara ao virar a sexta carta de tarô no gólgota poeirento onde os dois tinham confabulado. *Morte*, dissera Walter, *mas não para você, pistoleiro.*

Não havia uma palavra escrita naquela porta, mas duas… e nenhuma delas era MORTE. Leu outra vez, os lábios se movimentando silenciosamente:

O EMPURRADOR

Mas isso também significa *morte*, pensou Roland, e teve certeza disso.

O que o fez olhar para o lado foi o som da voz de Eddie, se afastando. Eddie começara a subir a primeira encosta, sempre chamando pelo nome de Odetta.

Por um momento Roland pensou simplesmente em deixá-lo ir.

Quem sabe ele a encontraria, talvez até viva, não ferida demais, e ainda ela mesma. Imaginou que talvez os dois até pudessem criar juntos uma vida neste mundo, que o amor de Eddie por Odetta e o dela por ele conseguissem de alguma forma reprimir o pesadelo que se chamava Detta Walker. Sim, entre eles dois ele achava ser possível que Detta fosse simplesmente espremida até a morte. Apesar de seu modo rude, Roland não deixava de ser um romântico… e acreditava que às vezes o amor *realmente* conquistava tudo. E quanto a ele? Mesmo que conseguisse obter no mundo de Eddie os medicamentos que quase o haviam curado, será que o curariam agora, será que sequer fariam efeito? Ele estava agora muito doente e suspeitava que as coisas já houvessem chegado longe demais. Seus braços e suas pernas doíam, a cabeça latejava, o peito estava pesado e cheio de catarro. Quando tossia havia uma dolorosa sensação de atrito do lado esquerdo, como se as costelas tivessem se quebrado. A orelha esquerda flamejava. Talvez, pensou ele, seu tempo estivesse realmente chegando ao fim; a saída se fechava.

Ao pensar nisso, tudo dentro dele se levantou em protesto.

— *Eddie!* — gritou o pistoleiro, e dessa vez não houve tosse. O tom foi profundo e enérgico.

Eddie se virou, um pé na terra nua, o outro apoiado numa beirada saliente de rocha.

— Vá em frente — disse Eddie, fazendo um curioso e curto gesto de varredura com a mão, um gesto que dizia que ele queria ficar livre do pistoleiro para cuidar de seu *verdadeiro* problema, o problema *importante*, o problema de encontrar Odetta e resgatá-la se fosse preciso. — Está tudo bem. Atravesse sozinho e pegue o que está precisando. Nós dois vamos estar aqui quando você voltar.

— Duvido muito.

— Preciso encontrá-la. — Eddie olhou para Roland e seu olhar pareceu muito jovem e completamente desarmado. — Quero dizer, eu *realmente* preciso.

— Compreendo seu amor e sua necessidade — disse o pistoleiro —, mas dessa vez quero que venha comigo, Eddie.

Eddie o encarou por um longo tempo, como se tentasse acreditar no que estava ouvindo.

— Ir com você — disse ele por fim, com ar atônito. — Ir *com* você! Santo Deus, agora acho que realmente ouvi tudo. Tudo mesmo. Da última vez você estava tão determinado que eu ficasse para trás que aceitou o risco de que eu cortasse o seu pescoço. Desta vez quer arriscar que alguma coisa corte o pescoço *dela*.

— Isso já pode ter acontecido — disse Roland, embora soubesse que não. A Dama poderia estar ferida, mas ele sabia que não estava morta.

Infelizmente, Eddie também sabia. Uma semana ou dez dias sem a sua droga tinham tornado seu raciocínio incrivelmente mais aguçado. Apontou para a porta.

— Sabe que ela não morreu. Se tivesse morrido, esta maldita coisa não estaria mais aqui. A não ser que você estivesse mentindo quando disse que a porta era impossível sem a presença de nós três.

Eddie tentou novamente pegar o caminho da encosta, mas os olhos de Roland o mantiveram onde estava.

— Está bem — disse o pistoleiro. O tom foi quase tão suave quanto o tom que usara para tentar ultrapassar a face enfurecida e a voz estridente de Detta e alcançar a mulher encurralada em alguma parte no fundo. — Ela está viva. Sendo assim, por que não responde quando você a chama?

— Bem... ela pode ter sido levada por uma daquelas coisas-gato. — A voz de Eddie parecia fraca.

— Um felino a teria matado, comido o que quisesse e largado o resto. No máximo, teria arrastado seu corpo para a sombra e voltado à noite para comer a carne que o sol não tivesse estragado. Mas, se fosse o caso, a porta não estaria mais aqui. Os felinos não são como certos insetos, que paralisam a presa e a carregam para comer mais tarde, como você bem sabe.

— Mas a coisa pode ter sido diferente — disse Eddie. Por um momento ouviu Odetta dizendo: *Você deve ter sido um excelente participante dos debates na escola, Eddie*, mas afastou o pensamento. — Pode ser que um felino a tenha ameaçado, ela tenha tentado atirar e as duas primeiras balas em seu revólver tenham falhado. Porra, talvez até as primeiras quatro ou cinco. Então o felino se aproximou, atacou-a, mas antes que conseguisse matá-la... BANG! — Eddie bateu com o punho na palma da mão. Viu nitidamente toda a cena, como se estivesse presente. — A bala matou o felino ou talvez só o tenha ferido. Ou talvez só o tenha enxotado. O que me diz disso?

— Teríamos ouvido um tiro — respondeu Roland suavemente.

Por um momento Eddie continuou parado, mudo, incapaz de pensar em contra-argumentos. Claro que teriam ouvido o tiro. A primeira vez que escutaram o uivo do felino ele devia estar a uns vinte e cinco ou trinta quilômetros dali. Um tiro de revólver...

Eddie olhou para Roland com um ar repentinamente astuto.

— Talvez *você* tenha ouvido — disse ele. — Talvez *você* tenha ouvido um tiro enquanto eu estava dormindo.

— O tiro o teria acordado.

— Não cansado como eu estou, cara. Quando durmo é como...

— Como estar morto — disse o pistoleiro no mesmo tom suave. — Conheço a sensação.

— Então você entende...

— Mas não é uma morte *real*. Ontem à noite você estava apagado dessa forma, mas quando um daqueles gatos uivou, você acordou e ficou de pé em segundos. Por causa da sua preocupação com ela. Não houve tiro, Eddie, e você sabe disso. Você teria escutado. Repetindo: por causa da sua preocupação com ela.

— Então Odetta pode ter quebrado a cabeça do bicho com uma pedra! — gritou Eddie. — Como é que vou conseguir saber se continuar parado aqui discutindo com você, em vez de ir ver o que aconteceu? Quero dizer, ela pode estar largada em algum lugar por aí, cara, ferida! Ferida ou sangrando, quase morta! Como você iria se sentir se eu *realmente* atravessasse aquela porta com você e ela morresse enquanto estivéssemos do outro lado? Como iria se sentir virando para o lado e vendo a porta e de repente virando outra vez e não vendo mais nada, como se nunca tivesse existido uma porta, porque ela se fora? Aí você ficaria preso no *meu* mundo em vez do contrário! — Ele parou ofegante, encarando o pistoleiro, as mãos cerradas em punhos.

Roland se sentia irritado e cansado. Alguém — poderia ter sido Cort, mas ele apostava mais no pai — tinha um ditado: *É mais fácil beber o oceano com uma colher do que discutir com alguém apaixonado.* Se fosse necessária alguma prova do ditado, ela se encontrava na sua frente, na postura de Eddie, desafiadora e defensiva. *Vá em frente*, dizia o corpo de Eddie Dean. *Vá em frente, posso responder a qualquer pergunta que me atirar.*

— Pode não ter sido um felino que a encontrou — disse Eddie agora. — Este pode ser o seu mundo, mas acho que você nunca esteve nesta parte dele, tanto quanto eu nunca estive em Bornéu. Não sabe o que pode estar correndo por esses morros, não é? Pode ser que um macaco a tenha agarrado ou algo do gênero.

— Alguma coisa a agarrou, sem dúvida — disse o pistoleiro.

— Bem, graças a Deus a doença não tirou todo o bom senso de sua men...

— E nós dois sabemos o que foi. Detta Walker. Foi isso o que a pegou. Detta Walker.

Eddie abriu a boca, mas por um breve tempo — segundos apenas, embora o suficiente para ambos admitirem a verdade. A expressão implacável do pistoleiro reduziu quase todos os seus argumentos ao silêncio.

14

— Não *precisa* ser desse jeito.

— Chegue um pouco mais perto. Se vamos conversar, vamos conversar. Cada vez que tenho de gritar para você me ouvir sobre o barulho das ondas, perco mais um pedaço da minha garganta. Pelo menos é essa a sensação.

— Que olhos grandes você tem, vovozinha — disse Eddie, sem se mexer.

— De que diabo está falando?

— De um conto de fadas — disse Eddie, descendo um pequeno trecho da encosta... quatro metros, não mais. — E um conto de fadas é o que você está *imaginando* se acha que pode me persuadir a chegar perto o suficiente dessa cadeira de rodas.

— Perto o suficiente para o *quê*? Não entendo — disse Roland, embora entendesse perfeitamente.

Quase cento e cinquenta metros sobre eles e talvez a uns quatrocentos metros para o leste, olhos escuros — olhos tão cheios de inteligência quanto carentes de misericórdia humana — contemplavam atentamente aquela cena. Era impossível escutar o que estavam dizendo: o vento, as ondas e o baque surdo da arrebentação cavando seu canal subterrâneo a impediam, mas Detta não precisava ouvir o que *diziam* para saber do que estavam *falando*. Não precisava de um telescópio para ver que o Homem Realmente Mau era agora também o Homem Realmente Doente. Talvez o Homem Realmente Mau continuasse disposto a perder alguns dias, ou até mesmo algumas semanas, torturando uma mulher negra sem pernas (pelo jeito das coisas ali, não havia muito com o que se divertir), mas ela achava que o agora Homem Realmente Doente só queria uma coisa: tirar o cu esbranquiçado daquele lugar. Usar a porta mágica para puxar a porra do carro. Antes, no entanto, ele não pensara em tirar o rabo. Antes não pensara em puxar o carro. Antes, o Homem Realmente Mau não fora a parte alguma, além de dentro da *cabeça dela*. Ainda não gostava de se lembrar como fora, de como havia se sentido com aquilo, da facilidade com que ele havia neutralizado todos os seus dilacerantes esforços para tirá-lo de lá, jogá-lo *fora*, tentando assumir novamente o controle sobre si mesma. Aquilo fora medonho. Terrível. E o que tornava a coisa pior era o fato de ela não compreender. Qual, exatamente, seria a fonte real de seu terror? Que não era a invasão em si mesma era bastante assustador. Ela sabia que poderia entender tudo se examinasse a si própria mais intimamente, mas não queria fazer isso. Tal análise poderia levá-la a um lugar como aquele que os marinheiros temiam nos velhos tempos, um lugar que era nada mais nada menos do que a beirada do mundo, um lugar que os cartógrafos tinham marcado com a inscrição AQUI HÁ SERPENTES. A coisa hedionda na invasão do Homem Realmente Mau fora a sensação de *familiaridade* que veio junto, como se aquele fato assombroso já tivesse acontecido antes — não uma vez, mas muitas. Assustada ou não, porém, ela se recusara a entrar em pânico. Observara tudo com atenção, mesmo enquanto lutava, e se lembrava de olhar por aquela porta quando o pistoleiro usou as mãos dela para virar a cadeira de rodas. Lembrava-se de ver o corpo do Homem Realmente Mau estirado na areia com Eddie agachado sobre ele, segurando uma faca.

Se pelo menos Eddie tivesse enfiado aquela faca na garganta do Homem Realmente Mau! Melhor do que ver a matança de um porco! Muito melhor!

Ele não enfiara a faca, mas ela tinha visto como ficara o corpo do Homem Realmente Mau. Ainda respirava, mas não passava de um *corpo*; era apenas uma coisa *imprestável*, como um saco de farinha jogado fora, um saco entupido de mato ou espigas de milho por algum idiota.

A mente de Detta podia ser feia como o cu de um rato, mas era ainda mais ágil e esperta do que a de Eddie. *O Homem Realmente Mau costumava tá sempre preparado pru bote. Agora já não. Sabe que tô cá em cima e num qué fazer nada a num sê puxá o carro antes que eu desça e dê um tiro no seu cu. Mas o parceirozinho… ele continua bastante forte e acha que ainda não deu as porradas que eu merecia. Qué subi té aqui e me obrigá a descer, num interessa se o Homem Realmente Mau qué ou num qué. Claro. Ele pensa: uma piranha negra sem pernas não é páreo prum sujeito porreta e matreiro como eu. Num quero fugi. Quero caçá aquela preta. Dou-lhe um murro ou dois, depois faço o que o hôme tá querendo. É isso que ele tá pensando e num pudia sê de outro jeito. Vai sê como você tá pedindo, puto. Tu acha que pode pegá Detta Walker, acha que é fácil subir aqui nesses Estreitos e dá um apertão nela. Tu vai descobrir quando estivé fodendo comigo, vai tá fodendo com o melhor, ô pote de merda! Tu vai descobrir…*

Mas ela foi sacudida do caminho de rato daqueles pensamentos por um barulho que ouviu nitidamente, apesar da quebrada das ondas e do vento: era o forte estampido de um tiro de revólver.

15

— Acho que você entende melhor do que quer me fazer acreditar — disse Eddie. — Realmente *muitíssimo* melhor. Quer que eu chegue mais perto para poder me agarrar, é o que eu penso. — Balançou a cabeça para a porta sem tirar os olhos do rosto de Roland.

Inconsciente de que não longe dali alguém estava tendo pensamentos semelhantes, acrescentou:

— Sei que está doente, verdade, mas pode estar fingindo estar muito mais fraco do que realmente está. Quem sabe não está pronto para a qualquer momento dar o bote.

— Poderia ser... — disse Roland, sem sorrir, e continuou. — Mas não estou.

Mas estava... um pouco.

— Acho que poderia pelo menos dar mais alguns passos, não é? — disse Roland. — O que não vou conseguir é continuar gritando. — A última sílaba se converteu num coaxar como para comprovar o que ele estava dizendo. — E preciso fazê-lo pensar no que está fazendo... ou planejando fazer. Se não puder convencê-lo a ir comigo, talvez possa pelo menos deixá-lo novamente... alerta.

— Em nome da sua preciosa Torre — zombou Eddie, mas desceu uns metros da encosta que havia subido, os tênis rasgados chutando estagnadas nuvens de poeira vermelha.

— Em nome da minha preciosa Torre e da *sua* preciosa saúde — disse o pistoleiro. — Para não mencionar a sua preciosa *vida*.

Tirou do coldre esquerdo o revólver que sobrara. Contemplou a arma com uma expressão ao mesmo tempo triste e estranha.

— Se acha que pode me assustar com isso...

— Não acho. Você sabe que eu não posso atirar em você, Eddie. Mas acho que precisa de uma lição objetiva para perceber que as coisas mudaram. Para perceber o quanto mudaram.

Roland ergueu o revólver, a boca da arma apontando não para Eddie, mas para a vastidão do oceano, e puxou o gatilho. Eddie se preparou para o forte estampido.

Sem estampido. Apenas um clique surdo.

Roland tornou a engatilhar. O cilindro girou. Apertou o gatilho e de novo houve somente um clique surdo.

— Esqueça — disse Eddie. — No lugar de onde eu vim, o Ministério da Defesa teria contratado você depois de a primeira bala falhar. É melhor parar...

Mas o pesado KA-BLAM do revólver cortou o final da frase tão vigorosamente quanto Roland cortava pequenos galhos de árvores como exercício de tiro quando era um estudante. Eddie teve um sobressalto. O disparo abafou por um momento o constante *riiiii* dos insetos nos morros. Eles só recuperaram a afinação aos poucos, de forma cautelosa, e após Roland ter pousado o revólver no colo.

— Que diabo está querendo provar com isso? — perguntou Eddie.

— Acho que tudo depende do que você vai escutar e do que vai se recusar a escutar — disse Roland um tanto asperamente. — Tentei provar que nem todas as balas falham. Por conseguinte, isso sugere... sugere *enfaticamente*... que algumas, talvez *todas* as balas no revólver que você deu a Odetta podem estar boas.

— Besteira! — Eddie fez uma pausa. — Por que está me dizendo isso?

— Porque carreguei o revólver que acabei de usar com balas retiradas da parte de trás da cartucheira... isto é, as que ficaram mais molhadas. Fiz isso para passar o tempo enquanto estava sozinho. Claro que carregar um revólver não ocupa muito tempo, mesmo sem um par de dedos!

Roland deu uma risada breve e o riso se converteu numa tosse que ele reprimiu com o punho fechado. Quando a tosse cedeu, ele continuou:

— Só que depois de tentar atirar com as molhadas, você precisa desmontar a arma e limpar a arma. *Desmontem a arma, limpem a arma, seus vermes*... foi a primeira coisa que Cort, nosso mestre, martelou nas nossas cabeças. Eu não sabia quanto tempo iria levar para desmontar meu revólver, limpar e tornar a montar com apenas uma mão e meia, mas achei que se pretendesse continuar vivo... e pretendo, Eddie, pretendo... era melhor descobrir isso. Aprender a fazer e depois aprender a fazer mais rápido, entende? Chegue um pouco mais perto, Eddie! Chegue um pouco mais perto pelo amor que teve a seu pai!

— Mais perto, minha filha, para eu poder enxergá-la melhor — disse Eddie, mas deu alguns passos em direção a Roland. *Só* alguns.

— Quando puxei o gatilho e a primeira bala utilizável detonou, quase me mijei — disse o pistoleiro. Ele riu de novo. Chocado, Eddie achou que o pistoleiro havia atingido a beira do delírio. — A primeira, mas acredite quando eu digo, que era a *última* coisa que eu achei que pudesse acontecer.

Eddie tentava avaliar se o pistoleiro estava mentindo, mentindo sobre as balas, a limpeza da arma ou sobre seu verdadeiro estado de saúde. Estava mal, evidente. Mas estaria realmente assim tão mal? Eddie não sabia. Se Roland estava fingindo, sem dúvida fazia um ótimo trabalho; quanto ao revólver e às balas, Eddie não tinha como saber porque não tinha experiência com eles. Tinha detonado um revólver talvez três vezes em toda a sua vida antes de se ver no meio daquele tiroteio no estabelecimento de Balazar. *Henry* poderia saber, mas Henry estava morto — um pensamento que de vez em quando ainda assaltava sua cabeça e o mergulhava na tristeza.

— Nenhuma das outras balas disparou — disse o pistoleiro. — Então limpei a arma, recarreguei e disparei de novo todo o tambor. E dessa vez usei as balas que estavam um pouco mais perto da fivela do cinturão. Balas que não tinham chegado a levar um banho completo. Parte da munição que usamos para caçar nossa comida, a munição que parecia seca e que estava, como eu disse, mais perto da área da fivela.

Fez uma pausa para abafar a tosse com a mão, depois continuou.

— Nessa segunda virada do tambor consegui disparar duas balas. Abri de novo o revólver, limpei-o e carreguei uma terceira vez. Você acabou de me ver apertar o gatilho nas primeiras três balas dessa terceira carga. — Sorriu com um ar de desânimo. — Você sabe, depois dos primeiros dois cliques achei que tivesse exagerado em encher o tambor apenas com balas molhadas. Nenhuma delas detonaria e eu não teria nada a provar a você. Não pode chegar um pouco mais perto, Eddie?

— Não está sendo muito convincente… — disse Eddie. — E acho que cheguei o máximo que dava para chegar, certo? Que lição que eu deveria tirar de tudo isso, Roland?

Roland o encarou como se estivesse olhando para um imbecil.

— Eu não trouxe você até aqui para que morresse, você sabe disso. Não trouxe *nenhum* dos dois para morrer. Pelos deuses, Eddie, onde estão seus miolos? Ela está nos esperando *armada*! Mesmo balas molhadas podem disparar! — Os olhos encararam Eddie atentamente. — Ela está em algum lugar lá em cima, naqueles morros. Talvez você esteja pensando em ir atrás das pegadas dela, mas não vai haver absolutamente nenhuma pegada se o terreno for tão pedregoso quanto está parecendo daqui. Ela está de tocaia lá em cima, Eddie, não Odetta mas Detta, de tocaia e armada. E se eu deixar você ir atrás dela, Detta vai detonar suas tripas e puxá-las pelo seu cu.

Outro acesso de tosse tomou conta dele.

Eddie contemplou aquele homem tossindo na cadeira de rodas enquanto as ondas rugiam e o vento soprava sua única nota inútil. Por fim ouviu a própria voz dizendo:

— Você poderia ter guardado uma bala que *soubesse* que estava boa. Não duvido de que você fizesse algo assim. — E Eddie percebeu que estava dizendo a verdade: não duvidava de que Roland fizesse qualquer coisa.

Sua Torre.

Sua maldita Torre.

E a astúcia de encaixar uma bala utilizável no *terceiro* cilindro! Ela fornecia o toque exato de realismo, não é? Tornava difícil não acreditar.

— Temos um ditado no meu mundo — disse Eddie. — Diz assim: "Há gente capaz de vender geladeiras aos esquimós".

— O que isso significa exatamente?

— Significa ser capaz de armar qualquer coisa.

O pistoleiro o encarou por um bom tempo e então aquiesceu.

— Você quer ficar. Tudo bem. Como Detta, ela está mais protegida de... de qualquer vida selvagem que possa haver por essas bandas... Mais protegida do que na pele de Odetta, e você, com certeza, ficaria mais protegido longe dela... pelo menos por enquanto... Mas consigo ver como são as coisas; não gosto, mas não se deve discutir com um tolo.

— Está me dizendo — disse Eddie num tom polido — que ninguém jamais tentou discutir com você a respeito dessa Torre Negra que parece tão determinado a alcançar?

Roland sorriu com ar cansado.

— Na verdade muitos já tentaram. Por isso mesmo que reconheço que não o farei mudar de ideia. Um tolo reconhece outro. Seja como for, estou fraco demais para impedi-lo de fazer qualquer coisa, e você, obviamente, está desconfiado demais para chegar mais perto de mim, onde eu poderia agarrá-lo. Acho que nem temos tempo de continuar nesta discussão. Tudo que posso fazer é torcer para que nada lhe aconteça. Mas vou falar pela última vez antes que eu vá, Eddie, e quero que me escute: fique sempre alerta.

Então Roland fez algo que deixou Eddie envergonhado de suas dúvidas sobre a amizade do outro (ainda que isto não abalasse em nada a decisão que tomara): puxou o tambor do revólver com um habilidoso movimento do pulso, tirou todas as balas e substituiu-as por outras melhores, retiradas das presilhas mais próximas da fivela do cinturão. E voltou a encaixar o tambor no lugar com outro movimento do pulso.

— Agora não dá tempo para limpar a arma — disse ele —, mas isso já não tem importância, imagino. Agora segure e segure bem, procure não sujar esta arma mais do que ela já está suja. No meu mundo é bem difícil encontrar uma máquina que funcione.

Roland jogou o revólver pela distância que havia entre os dois. Em sua ansiedade, Eddie quase chegou a deixar o revólver cair, mas logo o guardou em segurança no cós da calça.

O pistoleiro saiu da cadeira de rodas (quase caindo quando ela deslizou para trás sob a fraqueza de suas mãos) e cambaleou até a porta. Agarrou a maçaneta; em suas mãos ela girou com facilidade. Eddie não pôde ver a cena para a qual a porta se abria, mas conseguiu ouvir o barulho abafado do trânsito.

Roland tornou a olhar para Eddie, com os olhos azuis muito salientes brilhando num rosto de uma palidez fantasmagórica.

16

De seu esconderijo, Detta acompanhou tudo isso com olhos avidamente brilhantes.

17

— Não esqueça o que eu falei, Eddie — disse o pistoleiro com voz rouca, dando um passo à frente. Seu corpo desabou na passagem do umbral, como se tivesse encontrado um muro de pedra em vez de um espaço vazio.

Eddie teve um ímpeto quase incontrolável de ir para a frente da porta, olhar por ela e ver para onde — e para *quando* — ela conduzia. Em vez disso, virou para o lado e tornou a esquadrinhar as colinas, a mão na coronha do revólver.

Vou falar pela última vez.

De repente, esquadrinhando os áridos morros marrons, Eddie ficou assustado.

Fique alerta.

Nada lá no alto se mexia.

Pelo menos nada que ele pudesse *ver*.

Ainda assim ele a sentia.

Não Odetta; o pistoleiro estava certo sobre isso.

Era *Detta* que ele sentia.

Engoliu em seco e ouviu um estalo na garganta.

Alerta.

Sim. Mas nunca em sua vida sentira uma necessidade tão brutal de dormir. O sono não demoraria a levá-lo; se ele não se entregasse voluntariamente a ele, o sono iria sequestrá-lo.

E quando ele estivesse dormindo, Detta iria chegar.

Detta.

Tentando resistir ao cansaço, Eddie contemplou os morros parados com olhos que pareciam inchados, pesados, e se perguntou quanto tempo Roland iria demorar para voltar com o terceiro: O Empurrador, fosse lá quem fosse, ele ou ela.

— Odetta? — chamou sem muita esperança.

Apenas o silêncio respondeu, e para Eddie o tempo da espera começou.

O EMPURRADOR

1. REMÉDIO AMARGO

1

Quando o pistoleiro entrou em Eddie, este experimentou um momento de náusea e teve a sensação de estar sendo *observado* (isso Roland não sentira; Eddie lhe contara depois). Ele teve, em suma, uma vaga percepção da presença do pistoleiro. Com Detta, Roland fora forçado a *tomar a frente* de imediato, gostasse ou não. Ela não tivera apenas uma percepção; de uma maneira estranha, parecera estar à *espera* dele… dele ou de outra presença mais frequente. De uma forma ou de outra, Detta ficara totalmente consciente da presença do pistoleiro desde que sentira seu toque inicial.

Jack Mort não sentiu nada.

Estava atento demais ao garoto.

Passara as últimas duas semanas vigiando o garoto.

Hoje iria empurrá-lo.

2

Mesmo no fundo dos olhos com os quais agora olhava, Roland reconheceu o garoto. Era o garoto que tinha encontrado no posto de parada do deserto, o garoto que salvara do Oráculo nas Montanhas, o garoto cuja vida havia sacrificado quando teve de escolher entre resgatá-lo ou conseguir, enfim, alcançar o homem de preto; o garoto que tinha dito *vá então… há outros mundos além deste,* antes de mergulhar no abismo. E, realmente, o garoto estava certo.

O garoto era Jake.

Com uma das mãos segurava um saco de papel marrom e com a outra a correia de uma mochila de lona azul. Pelas arestas que apareciam na lona, o pistoleiro achou que que ele carregava livros.

O tráfego fluía na rua que o garoto esperava para atravessar — uma rua da mesma cidade onde Roland pegara o Prisioneiro e a Dama, mas por ora isso não vinha ao caso. Só importava o que iria ou não acontecer nos próximos segundos.

Jake não fora levado para o mundo do pistoleiro por qualquer porta mágica; havia atravessado um portal mais natural, mais compreensível: ele nascera no mundo de Roland ao morrer em seu próprio mundo.

Ele havia sido assassinado.

Mais especificamente, havia sido *empurrado.*

Empurrado para o meio da rua quando estava a caminho da escola; atropelado por um carro, o saco de papel com a merenda numa das mãos e a mochila com os livros na outra.

Ele havia sido empurrado pelo homem de preto.

Ele vai fazer isso! Vai fazer isso neste instante! Será meu castigo por ter assassinado Jake em meu mundo — ver Jake ser assassinado neste antes que eu possa impedir!

Mas a rejeição de um destino cruel marcara toda a vida do pistoleiro (fora seu ka, se preferirmos), e por isso ele *tomou a frente* sem pensar duas vezes. Agia com reflexos cuja intensidade quase os transformava em instintos.

E quando fez isso, um pensamento simultaneamente horrível e irônico lampejou em sua mente: *E se o corpo em que ele havia entrado fosse o próprio corpo do homem de preto? E se, ao se lançar para salvar o menino, ele visse as próprias mãos avançando para empurrar? E se aquele senso de controle não passasse de ilusão e a última piada de Walter fosse ele próprio,* Roland, *ser quem assassinava o garoto?*

3

Por um momento, a flecha afiada e fina da concentração de Jack Mort se desviou. Quando estava à beira de se adiantar e empurrar o garoto para o meio do tráfego, Mort sentiu uma coisa que a mente traduziu incorretamente como um sinal que o corpo transmitia de sua superfície para o cérebro.

Quando o pistoleiro *tomou a frente*, Jack achou que algum tipo de inseto havia pousado em sua nuca. Não uma vespa ou uma abelha, nada que fosse picar, mas uma coisa que mordia e coçava. Talvez um mosquito. Foi a isso que atribuiu a falha de sua concentração no momento crucial. Mort deu uma palmada na nuca e voltou ao garoto.

Achou que tudo isso acontecera num abrir e fechar de olhos, mas na realidade sete segundos haviam se passado. Não sentiu o rápido avanço do pistoleiro nem seu retroceder igualmente rápido, e nenhuma das pessoas ao redor de Jack (gente indo para o trabalho, em geral pessoas saídas da estação de metrô no quarteirão vizinho, rostos ainda amassados de sono, olhos ainda sonhadores e distraídos) viu seus olhos, atrás de modestos óculos de aro dourado, passarem do habitual tom azul-escuro para um azul mais claro. Ninguém observou aqueles olhos escurecerem de novo, recuperando sua habitual tonalidade cobalto, mas quando isso aconteceu e os olhos tornaram a se concentrar no garoto, Jack Mort viu, com uma raiva frustrada e afiada como espinho, que perdera sua chance. O sinal já tinha aberto para os pedestres.

Quando viu o garoto começar a atravessar com o resto da multidão, Jack deu meia-volta e começou a forçar caminho contra o fluxo de pessoas.

— Ei, cara! Olha por onde…

Era uma adolescente de cara amarrada para quem ele mal olhou. Jack empurrou-a para o lado, com força, não dando atenção a sua exclamação de raiva quando o braço cheio de livros escolares foi jogado para o alto. Jack continuou descendo a Quinta Avenida, afastando-se da rua 43, que era o lugar destinado à morte do garoto naquele dia. A cabeça ia baixa, os lábios apertados com tanta força que ele já nem parecia ter uma boca, apenas a cicatriz de uma antiga ferida em cima do queixo. Uma vez livre do gargalo de pessoas na esquina, passou a andar ainda mais depressa, atravessando as ruas 42, 41, 40. E em algum ponto da quadra depois da 40, passou pelo prédio onde o garoto morava. Olhou-o muito de relance, embora nas últimas três semanas, a cada manhã, tivesse seguido Jake desde aquele prédio até uma esquina três quadras e meia mais à frente, subindo a Quinta Avenida, a esquina em que ele pensava simplesmente como o Local de Empurrar.

A garota em que ele esbarrara ficara gritando lá atrás, mas Jack Mort, como um caçador amador de borboletas diante de um exemplar banal, não dera a menor importância.

A seu próprio modo, Jack era muito parecido com um caçador amador de borboletas.

Por profissão, era um executivo bem-sucedido.

Empurrar era apenas o seu hobby.

4

O pistoleiro voltou para os fundos da mente do homem e ficou ali. Se havia algum alívio, era o fato de aquele homem não ser o homem de preto, não ser Walter.

O resto era extremo horror… e extrema lucidez.

Divorciada do corpo, sua mente — seu ka — continuava saudável e perspicaz, mas um repentino *conhecimento* o havia atingido como um golpe na testa.

O conhecimento não veio quando ele *tomou a frente* mas quando, se convencendo de que o garoto estava seguro, retrocedeu. Viu a conexão entre Jack Mort e Odetta, demasiado surreal e, no entanto, demasiado coerente para ser mera coincidência. Compreendeu, então, o que a *verdadeira* escolha dos três poderia significar e *quem* eles poderiam ser.

O terceiro não era aquele homem, aquele Empurrador; o terceiro mencionado por Walter fora a Morte.

A morte… mas não para você. Fora isso que Walter, astuto como Satã, mesmo em seus momentos finais, dissera. Uma resposta de advogado… algo tão próximo da verdade que a verdade continuava capaz de se esconder em sua sombra. A morte não era para ele; a morte se *transformara* nele.

O Prisioneiro, a Dama.

A Morte era o terceiro.

De repente ele foi tomado pela certeza de que ele próprio era o terceiro.

5

Roland *tomou a frente* como uma espécie de míssil, um projétil mecânico programado para lançar o corpo em que se encontrava contra o homem de preto no instante em que o visse.

Ideias sobre o que poderia acontecer se ele impedisse o homem de preto de assassinar Jake só lhe ocorreram mais tarde... o possível paradoxo, a fístula no tempo e na dimensão que poderia cancelar tudo que acontecera depois de sua chegada ao posto de parada... Porque, sem dúvida, se ele salvasse Jake naquela cidade, não haveria nenhum Jake para ser encontrado lá, naquele outro mundo, e tudo que havia acontecido depois seria alterado.

Em que sentido? Até especular sobre isso era impossível. Por exemplo, não entrava na cabeça do pistoleiro que uma das alterações pudesse ser o fim de sua jornada. E tais especulações pareciam inúteis; se ele tivesse visto o homem de preto, nenhuma consequência, paradoxo ou curso ordeiro do destino o impediria de baixar a cabeça do corpo que habitava e atirá-la como um martelo contra o peito de Walter. Roland teria sido tão incapaz de agir de modo diferente quanto um revólver era incapaz de se recusar a obedecer ao dedo que apertava o gatilho e fazia a bala sair voando.

Se uma atitude assim fizesse tudo ir para o inferno, ao diabo com tudo.

Examinou rapidamente as pessoas amontoadas na esquina, observando cada rosto (examinava as mulheres tão detidamente quanto os homens, para se certificar de que não haveria alguém *fingindo* ser uma mulher).

Walter não estava lá.

Aos poucos Roland relaxou, como um dedo curvado ao redor de um gatilho é capaz de relaxar no último instante. Não, Walter não estava cercando o garoto, e o pistoleiro acabou se convencendo de que aquele não era o *quando* correto. Não de todo. O tal *quando* estava próximo — seria dali a duas semanas, uma semana, talvez até um único dia —, mas ainda não chegara.

Então *voltou*.

Mas no caminho *viu*...

6

... e ficou atordoado com o choque: o homem para cuja mente a terceira porta se abrira tinha um dia se sentado diante da janela de um quarto vazio, num prédio cheio de cômodos abandonados — exceto pelos bêbados e lunáticos que passavam a noite lá. Era possível saber dos bêbados porque dava para sentir o cheiro de seu suor desesperado e de sua urina raivosa. Era possível saber dos lunáticos porque dava para sentir o fedor dos pensamentos desequilibrados. A única mobília do quarto eram duas cadeiras. Jack Mort estava usando ambas: uma para se sentar, outra como escora para manter fechada a porta que dava para o corredor. Não esperava por interrupções repentinas, mas era melhor não arriscar. Estava perto o bastante da janela para espiar lá fora, mas suficientemente atrás da orla oblíqua da sombra para ficar a salvo de qualquer observador casual.

Segurava um gasto tijolo vermelho na mão.

Ele o havia arrancado da parte de baixo do parapeito da janela, onde havia muitos tijolos soltos. Estava velho, erodido nas quinas, mas continuava pesado. Pedaços de velha argamassa ainda se prendiam nele como uma sarna.

O homem pretendia jogar o tijolo em alguém.

Não interessava em quem; quando se tratava de homicídio, Jack Mort era muito democrata.

Após algum tempo, uma família de três pessoas avançou pela calçada lá embaixo: homem, mulher, menina. A menina andava pelo lado de dentro da calçada, presumivelmente para se manter a salvo do tráfego. Havia bastante tráfego naqueles arredores da estação ferroviária, mas Jack Mort não se importava com o movimento dos carros. Importava-se era com a ausência de prédios logo na sua frente, do outro lado da rua; ali as demolições já tinham sido feitas, transformando tudo num árido terreno baldio, onde se misturavam tábuas lascadas, tijolos quebrados e reflexos em cacos de vidro.

Ele só se inclinou por alguns segundos; usava óculos escuros e um antiquado gorro de tricô cobria seu cabelo louro. Era como a cadeira sob a maçaneta da porta. Mesmo quando você se considera a salvo de riscos previsíveis, não custa reduzir os riscos imprevisíveis que ainda possam restar.

Também estava usando um moletom grande demais para o seu tamanho — um moletom que lhe chegava quase ao meio da coxa. Aquela roupa mal-ajambrada ajudaria a disfarçar seu verdadeiro tamanho e a forma do corpo (era bastante magro) se alguém o visse. Servia também a outro propósito: sempre que "pegava pesado" contra alguém (pois era assim que pensava na coisa: como um "ataque pesado"), ele gozava na calça. O moletom, então, também serviria para cobrir a mancha úmida que invariavelmente se formava no jeans.

Agora estavam mais perto.

Não se precipite, espere, só espere…

Estremeceu na beirada da janela, levantou o tijolo, apertou-o um instante contra a barriga, tornou a erguê-lo, recuou de novo com ele (mas dessa vez apenas até a metade do caminho) e então se inclinou para baixo, totalmente calmo agora. Sempre ficava assim no penúltimo instante.

Soltou o tijolo e viu-o cair.

Ele mergulhou, as quinas se revezando no ar. Jack viu nitidamente, no sol, os torrões de argamassa ainda grudados. Era nesses momentos, mais do que em qualquer outro, que tudo ficava claro, tudo se destacava com exata e geometricamente perfeita substância; lá estava uma coisa que ele transformara em realidade, como um escultor batendo numa talhadeira para alterar a pedra e criar uma nova substância do magma bruto; ali estava a coisa mais incrível do mundo: a lógica que era também êxtase.

Às vezes ele errava ou batia mal, como o escultor pode talhar canhestramente ou no vazio, mas aquele fora um ato perfeito. A menina com o vestido de riscado colorido foi atingida bem na cabeça. Ele viu o sangue (mais brilhante do que o tijolo, mas que acabaria, ao secar, ganhando a mesma cor marrom) jorrar. Ouviu o início do grito da mãe. Então se pôs em movimento.

Jack cruzou o aposento e atirou num canto a cadeira que estivera sob a maçaneta (havia chutado a outra — aquela onde ficara sentado — para o lado). Levantando o moletom, tirou uma bandana do bolso de trás da calça. Usou-a para girar a maçaneta.

Sem impressões digitais.

Apenas imbecis deixavam digitais.

Colocou a bandana no bolso de trás no momento em que escancarou a porta. E enquanto descia o corredor, assumiu um andar embriagado. Não olhava para os lados.

Olhar para os lados também era coisa de imbecis.

Espertos sabiam que tentar ver se alguém estava reparando era um meio infalível de fazer isso acontecer. Ter visto alguém observando o ambiente era o tipo de coisa que uma testemunha *poderia* lembrar depois de um acidente. Aí um policial espertalhão *poderia* concluir que se tratava de um acidente *suspeito*, e haveria investigação. Tudo graças a uma olhadela nervosa para o lado. Jack, porém, não acreditava que alguém conseguisse conectá-lo com o crime, mesmo se concluíssem que fosse um "acidente" suspeito e *houvesse* investigação, mas...

Só assuma riscos aceitáveis. E procure minimizar os outros.

Em outras palavras, escore sempre a maçaneta com uma cadeira.

E assim ele foi descendo o corredor poeirento onde os descascados de tinta se sucediam no revestimento das paredes. Ia de cabeça baixa, resmungando sozinho como os vagabundos que andam pela rua. Ainda conseguia ouvir a mulher — a mãe da menininha, ele supôs — aos gritos. Era um barulho que vinha da frente do prédio; fraco, insignificante. *Todas* as coisas que aconteciam *depois* — os gritos, a confusão, os gemidos do ferido (se o ferido ainda fosse capaz de gemer) — não eram coisas que importavam para Jack. O que importava era o fato que ele introduzira a mudança no curso habitual das coisas e esculpira novas linhas no fluxo da vida... Talvez não apenas nos destinos daqueles diretamente atingidos, mas na vida de crescentes círculos humanos em torno deles, como as ondulações que uma pedra provoca ao ser atirada na superfície tranquila de um lago.

Quem poderia dizer que ele não havia esculpido o cosmos naquele dia ou que não seria capaz de voltar a esculpi-lo em algum tempo futuro?

Meu Deus, não era de admirar que ele gozasse na calça!

Não encontrou ninguém enquanto descia os dois lances de escada, mas manteve a encenação, balançando um pouco enquanto andava, mas sem cambalear. Uma oscilação não seria lembrada. Um cambalear ostensivo poderia ser. Resmungava, mas jamais dizia qualquer coisa que fosse compreensível. Seria melhor nem encenar nada do que exagerar demais.

Saiu pela porta dos fundos quebrada em direção a um beco cheio de lixo e de garrafas quebradas que faziam cintilar galáxias de raios de sol.

Tinha planejado antecipadamente a fuga. Era seu hábito planejar tudo antecipadamente (e só assumindo riscos aceitáveis, procurando minimizar os outros, sendo astucioso em todas as coisas). Por causa da vocação para planejar, ficou marcado pelos colegas como um homem que poderia ir longe (e *de fato* ele pretendia ir longe, embora um dos lugares para onde não pretendia ir fosse a cadeia, ou a cadeira elétrica).

Algumas pessoas corriam pela rua onde dava o beco, mas estavam a caminho de ir descobrir a razão daquela gritaria. Ninguém olhou para Jack Mort, que havia tirado o antiquado gorro de tricô mas não os óculos escuros (e eles não pareciam deslocados numa manhã tão ensolarada).

Entrou em outro beco.

Saiu em outra rua.

Agora descia a passo vagaroso um beco não tão sujo quanto os dois primeiros — quase, de fato, uma alameda. Ele dava em outra rua, onde, uma quadra acima, havia um ponto de ônibus. Menos de um minuto depois de ele chegar lá, apareceu um ônibus, o que também estava de acordo com a programação que fizera. Jack entrou quando as portas de sanfona se abriram e jogou a moeda de quinze centavos na fenda do coletor de moedas. O motorista não olhou para ele sequer de relance. Aquilo era bom, mas mesmo que o homem tivesse olhado só teria visto um sujeito normal de calça jeans, alguém que talvez estivesse desempregado — o moletom parecia ter saído de algum bazar do Exército da Salvação.

Esteja pronto, esteja preparado, seja astuto.

O segredo do sucesso de Jack Mort tanto no trabalho quanto no lazer.

A nove quadras de lá havia um estacionamento. Jack saltou do ônibus, entrou no pátio, abriu a porta do carro (um Chevrolet, sem nada especial, de meados dos anos 1950, ainda em bom estado) e voltou para Nova York.

Estava livre e limpo.

7

O pistoleiro viu tudo aquilo num instante. E antes que sua mente chocada pudesse se fechar para novas imagens por um simples ato de bloqueio, ele viu mais. Não tudo, mas o suficiente. O suficiente.

8

Viu Mort cortando um pedaço da página quatro do *The New York Daily Mirror* com um estilete, minuciosamente manejado para o recorte seguir exatamente as linhas da coluna. MENINA NEGRA ENTRA EM COMA DEPOIS DE TRÁGICO ACIDENTE era o título da matéria. Viu Mort passando cola atrás do recorte com o pincel que havia na tampa do pote de cola. Viu Mort colocar o recorte no centro da página branca de um álbum de recortes, que, pelo aspecto caótico e espalhafatoso das demais páginas, vinha abrigando vários outros recortes. Conseguiu ler as linhas iniciais do artigo: "Odetta Holmes, de cinco anos, que foi a Elizabeth, N.J., para participar de uma comemoração familiar, foi vítima de um cruel e bizarro acidente. Dois dias depois do casamento de uma tia, a menina caminhava com a família para a estação ferroviária quando um tijolo rolou...".

Mas essa não foi a única vez em que Jack se aproximou dela, foi? Não. Deuses, não.

Nos anos entre aquela manhã e a noite em que Odetta perdera as pernas, Jack Mort tinha deixado cair um grande número de coisas e empurrado um grande número de pessoas.

E no meio disso chegou novamente a vez de Odetta.

Da primeira vez tinha empurrado alguma coisa, o tijolo, contra ela. Da segunda vez empurrara ela própria, colocando-a na *frente* de outra coisa.

Que tipo de homem é esse que eu devo usar? Que tipo de homem...

Mas então pensou em Jake, pensou no empurrão que tinha levado Jake para o outro mundo e achou que podia ouvir a risada do homem de preto. Isso acabou com ele.

Roland desmaiou.

9

Quando voltou a si, olhava para ordenadas fileiras de números passando por uma folha de papel verde. O papel estava cortado por linhas verticais que se cruzavam com linhas horizontais, de modo que cada número parecia um prisioneiro numa cela.

Ele pensou: *Outra coisa.*

Não apenas a risada de Walter na sua cabeça. Alguma coisa... um plano?

Não, Deuses, não... nada tão complexo ou promissor.

Mas uma ideia, pelo menos. Uma cócega.

Por quanto tempo fiquei apagado?, pensou subitamente, alarmado. *Deviam ser umas nove horas quando atravessei a porta, talvez um pouco menos. Quanto tempo...?*

Ele tomou a frente.

Jack Mort (que agora não passava de um boneco humano controlado pelo pistoleiro) ergueu um pouco a cabeça e viu, sobre sua mesa, os ponteiros do caro relógio de quartzo marcando uma e quinze.

Deuses, assim tão tarde? Assim tão tarde? Mas Eddie... ele estava tão cansado, não iria conseguir ficar acordado por tanto t...

O pistoleiro virou a cabeça de Jack. A porta ainda estava lá, mas o que viu do outro lado foi algo muito pior do que poderia ter imaginado.

Postadas ao lado da porta havia duas sombras, uma da cadeira de rodas, outra de um ser humano... mas o ser humano estava incompleto, apoiando-se nos braços porque a parte de baixo das pernas fora arrancada com a mesma brutalidade voraz que os dedos da mão e do pé de Roland.

A sombra se moveu.

Roland sacudiu de imediato a cabeça de Jack Mort, jogando-a para o lado com a rapidez chicoteante de um bote de cobra.

Ela não deve olhar para dentro. Não antes que eu esteja pronto. Até lá não vai ver nada a não ser a nuca deste homem.

Na realidade, Detta Walker não veria Jack Mort, porque a pessoa que olhasse através da porta aberta veria apenas o que Mort, hospedeiro de Roland, estivesse vendo. Detta só poderia ver o rosto de Mort se ele olhasse num espelho, o que poderia levá-la a vivenciar terríveis sensações de paradoxo e repetição. Mesmo assim, isso nada significaria para nenhuma das Damas, assim como o rosto da Dama nada significaria para Jack Mort. Embora tivessem estado duas vezes numa situação de fatal intimidade, nunca tinham visto o rosto um do outro.

O que o pistoleiro não queria era que a Dama visse a *Dama*.

Pelo menos ainda não.

A centelha de intuição foi ficando mais próxima de um plano.

Mas já era tarde naquele seu mundo — a luz informava que deveriam ser umas três da tarde, talvez quatro.

Quanto tempo faltava para que o pôr do sol trouxesse as lagostrosidades e o fim da vida de Eddie?

Três horas?

Duas?

Poderia voltar e tentar salvar Eddie... mas isso era exatamente o que Detta queria. Ela montara uma armadilha, exatamente como aldeões com medo de um lobo assassino poderiam, para atrair o lobo e colocá-lo ao alcance de uma flecha, destinar um cordeiro ao sacrifício. Roland voltaria para seu corpo enfermo... mas não por muito tempo. Só tinha visto a sombra de Detta porque ela estava deitada ao lado da porta segurando com firmeza um dos revólveres dele. No momento em que seu corpo-Roland se mexesse, ela atiraria dando fim à sua vida.

O fim de Roland, porque Detta tinha medo dele, seria pelo menos misericordioso.

O de Eddie, no entanto, seria apavorante.

Roland pareceu estar ouvindo a voz asquerosa, debochada de Detta Walker: *Num qué vir tomá conta de mim, puto? Claro, tu qué tomá conta de mim! Num tá cum medo duma negrinha aleijada, tá?*

— Só há um modo — sussurrou a boca de Jack. — Só um.

A porta do escritório se abriu e um homem calvo, com lentes sobre os olhos, espreitou por ela.

— Como está indo com essa conta do Dorfman? — perguntou o homem calvo.

— Não estou me sentindo bem. Acho que foi o almoço. Talvez eu vá para casa.

O homem calvo pareceu preocupado.

— Provavelmente é uma virose. Soube que tem uma bem tensa pegando as pessoas.

— Provavelmente.

— Bem... desde que termine tudo do Dorfman até amanhã às cinco da tarde...

— Vou terminar.

— Porque você sabe como ele pode ser um pé no saco...

— Sei.

O homem calvo, parecendo agora um tanto inquieto, assentiu.

— Bem, vá pra casa. Está completamente diferente de seu estado normal.

— Estou.

O homem calvo saiu apressado da sala.

Ele sentiu a minha presença, pensou o pistoleiro. *Mas isso foi apenas parte. Parte, não tudo. As pessoas têm medo dele. Não sabem por quê, mas têm medo dele. E têm razão de ter medo.*

O corpo de Jack Mort se levantou, encontrou a maleta que carregava ao ser invadido pelo pistoleiro e jogou dentro dela todos os papéis que estavam na superfície da mesa.

Roland sentiu o impulso de virar a cabeça para trás e dar uma espiada na porta, mas resistiu. Não olharia de novo até estar pronto para arriscar tudo e voltar.

Por enquanto, o tempo era curto e havia coisas que precisavam ser feitas.

2. O POTE DE MEL

1

Detta estava deitada numa fenda muito escura, formada por rochas que se inclinavam umas para as outras como antigos homens convertidos em pedra enquanto compartilhavam algum estranho segredo. Contemplava Eddie percorrendo de cima a baixo as encostas cheias de pedregulhos daqueles morros. Ele já estava ficando rouco de tanto gritar. A penugem em seu rosto ia enfim se transformando em barba e Detta poderia até confundi-lo com um homem adulto se ele não tivesse passado três ou quatro vezes bem perto dela (numa dessas vezes, perto o bastante para ela pensar em dar um bote com uma das mãos e lhe agarrar o tornozelo). Quando Eddie se aproximou, ela viu que ele ainda não passava de um garoto, e um garoto que estava absolutamente exausto.

Odetta teria sentido pena; Detta sentiu apenas a silenciosa, concentrada prontidão do predador natural.

Da primeira vez que rastejou para lá sentira coisas estalando sob as mãos. Como velhas folhas de outono no fundo de um bosque. Quando os olhos se acostumaram, ela viu que não eram folhas, mas ossinhos de pequenos animais. Algum predador que, segundo aqueles ossos velhos e amarelados, já se fora havia um bom tempo, tivera um covil ali, talvez uma fuinha ou uma doninha. Talvez costumasse sair à noite, no rastro de alguma presa, subindo direto para o Estreito, o lugar onde as árvores e o mato eram mais densos. Matava, comia uma parte e levava os restos para lá, garantindo a refeição do dia seguinte, enquanto estivesse de tocaia, esperando novamente que a noite trouxesse a hora da caça.

Agora havia um predador maior ali. A princípio Detta achou melhor fazer exatamente o que o morador anterior tinha feito: esperar até Eddie pegar no sono, como era quase certo que aconteceria, depois matá-lo e arrastar seu corpo até lá. Então, de posse dos dois revólveres, poderia se arrastar de novo para junto da porta e esperar pela volta do Homem Realmente Mau. Seu primeiro instinto fora liquidar o corpo do Homem Realmente Mau assim que tivesse acabado com Eddie, mas isso não adiantaria de nada, não é? Se o Homem Realmente Mau não tivesse corpo para onde voltar, não haveria como Detta sair de lá, retornando a seu próprio mundo.

Conseguiria fazer com que o Homem Realmente Mau a levasse de volta?

Talvez não.

Mas talvez sim.

Se ele soubesse que Eddie ainda estava vivo, talvez sim.

E isso levara a uma ideia muito melhor.

2

Ela era profundamente astuta. Mas era também profundamente insegura, mesmo que risse estridentemente de qualquer um que ousasse sugerir isso. Por causa dessa segunda característica, atribuía a astúcia a qualquer um que tivesse um intelecto próximo do seu. Era como se sentia em relação ao pistoleiro. Detta ouvira o tiro e vira a fumaça saindo da boca do revólver de Roland, o revólver que o pistoleiro havia carregado e que jogara para Eddie pouco antes de atravessar a porta.

Detta sabia o que aquilo deveria significar para Eddie: que afinal nem todas as balas estavam molhadas; o revólver poderia protegê-lo. *Também* sabia o que significava para ela (pois, é claro, o Homem Realmente Mau sabia que ela estava observando; mesmo se estivesse dormindo quando os dois começaram a tagarelar, o tiro a teria despertado): *Fique longe dele. Ele está armado.*

Mas os demônios sabiam ser sutis.

Mesmo que aquele pequeno show tivesse sido encenado para ela, não era possível que o Homem Realmente Mau tivesse outro objetivo em mente, um objetivo que nem ela nem Eddie deveriam saber? Talvez o Homem Realmente Mau estivesse pensando: *se ela vir* este *atirar balas boas, vai pensar que aquele que pegou de Eddie pode fazer a mesma coisa.*

Mas vamos supor que ele tenha adivinhado que Eddie dormiria? Não iria deduzir que Detta estaria esperando exatamente por isso, esperando essa oportunidade para surrupiar a arma e depois voltar lentamente pelas encostas, rastejando até a segurança? Sim, aquele Homem Realmente Mau poderia ter previsto tudo. Era esperto para um branquelo. Esperto o suficiente para compreender que Detta saberia tirar o melhor proveito daquele moleque branco.

Sendo assim, talvez aquele Homem Realmente Mau tivesse carregado o revólver com falsa munição. Já a enganara uma vez; por que não fazer de novo? Dessa vez ela tomara o cuidado de verificar que não havia apenas cápsulas vazias no tambor; sim, elas *pareciam* ser balas verdadeiras, mas isso não significava que fossem. Ele nem precisava se arriscar para que *uma* delas estivesse seca o bastante para atirar, precisava? Todas poderiam ser de festim. Revólveres, afinal, eram a especialidade do Homem Realmente Mau. Por que ele faria isso? Ora, para induzi-la a se expor, é claro! Então Eddie poderia acabar com ela com o revólver realmente capaz de funcionar e, cansado ou não, não cometeria o mesmo erro novamente. Teria, de fato, um cuidado todo especial para não cometer o mesmo erro novamente justamente por *estar* cansado.

Bela tentativa, branquelo, pensou Detta em seu sombrio covil, aquele lugar escuro e apertado, mas de certa forma confortável, cujo piso estava forrado com os ossos decompostos e amolecidos de pequenos animais. *Bela tentativa, mas não vou cair nessa merda.*

Não precisava atirar em Eddie; precisava apenas esperar.

3

Seu único medo era que o pistoleiro voltasse antes que Eddie pegasse no sono, mas ele ainda não chegara. O corpo inerte na soleira da porta não se mexia. Talvez estivesse tendo dificuldade para conseguir o remédio de que precisava — talvez estivesse em alguma encrenca. Homens como ele pareciam se meter em encrenca com a mesma facilidade que uma cadela no cio encontra um cão vagabundo.

Duas horas já tinham se passado com Eddie procurando a mulher que chamava de "Odetta" (ah, como ela odiava o som desse nome), rodando de um lado para o outro no pé dos morros e gritando até ficar sem voz.

Por fim Eddie fez aquilo que ela estava esperando: voltou até aquele pequeno pedaço de praia e sentou-se ao lado da cadeira de rodas, olhando em volta com ar desconsolado. Tocou uma das rodas da cadeira e o toque foi quase uma carícia. Então sua mão desabou e ele suspirou profundamente.

Aquela visão causou um aperto na garganta de Detta; a dor lhe atravessou a cabeça de um lado a outro como um relâmpago de verão e ela pareceu ouvir uma voz chamando… chamando ou demandando.

Não, não vai, pensou ela, não sabendo em quem estava pensando ou a quem estava se dirigindo. *Não, não vai, não desta vez, não agora. Não agora, talvez nunca mais.* Aquela fisgada de dor irrompeu de novo em sua cabeça e ela cerrou com força as mãos. O rosto também se contraiu, transformando-se num esgar concentrado — uma expressão notável e arrebatadora em sua mistura de feiura e quase divina determinação.

A fisgada de dor não retornou. Nem a voz que às vezes parecia falar através dessas dores.

Ela esperou.

Eddie apoiou o queixo nos punhos, mas manteve a cabeça erguida. Logo a cabeça começou a cair e os punhos foram subindo pelas faces. Detta esperava, os olhos pretos brilhando.

A cabeça de Eddie deu um solavanco. Ele se levantou com esforço, desceu até a água e borrifou o rosto.

Isso mesmo, branquelo. Pena num ter anfetamina neste mundo ou tu taria também tomando uma pra se ligar, num tô certa?

Dessa vez Eddie se sentou *na* cadeira de rodas, mas evidentemente achou aquilo confortável *demais*. Então, após uma longa olhada pela porta aberta (*que qui tu tá vendo lá, branquelo? Detta dá uma nota de vinte pra saber isso*), Eddie tornou a chapar o traseiro na areia.

E tornou a apoiar a cabeça nas mãos.

Logo a cabeça começou novamente a escorregar.

Dessa vez não teve jeito. O queixo acabou no peito e, mesmo com o barulho da arrebentação, Detta pôde ouvi-lo roncar. Muito breve ele caiu para o lado e se enroscou.

Detta ficou surpresa, irritada e assustada ao experimentar uma súbita pontada de pena do branquelo lá embaixo. Ele não parecia mais do que um guri que tentara ficar acordado até meia-noite na véspera do Ano-Novo e não havia conseguido. Então Detta se lembrou do modo como ele e o Homem Realmente Mau queriam fazê-la engolir comida envenenada enquanto a tentavam com a comida boa que comiam, sempre afastando os pedaços de sua boca no último segundo... Fizeram isso até ficarem com medo de que ela morresse.

Se ficaram com medo de que você morresse, por que então teriam tentado fazê-la comer uma coisa envenenada?

A pergunta a assustou assim como aquele momentâneo sentimento de pena a assustara. Ela não estava acostumada a se questionar e, além disso, a voz em sua mente não parecia absolutamente ser a voz dela.

Podi sê qui nu fundo num quisessem me matá cum aquela comida envenenada. Podiam só querê me deixá doente. Ficá rindo ali sentados enquanto eu vomitava e gemia.

Ela esperou vinte minutos e então começou a descer para a praia, impelindo-se com as mãos e os braços fortes, ondulando como uma serpente, os olhos jamais se desviando de Eddie. Teria preferido esperar outra hora, pelo menos mais meia hora; seria melhor ter o escroto mergulhado dez quilômetros no sono do que apenas um ou dois. Mas esperar era um luxo que ela não podia se conceder. A qualquer momento o Homem Realmente Mau poderia voltar.

Quando chegou mais perto do lugar onde Eddie estava (ele ainda roncava, lembrando uma serra prestes a chegar ao final da tábua), ela pegou um pedaço de pedra adequadamente lisa num dos lados e adequadamente lascada do outro.

Fechou a palma da mão sobre o lado liso e continuou seu rastejar réptil para onde Eddie estava. Nos olhos, o brilho mortífero da morte.

4

O que Detta planejava fazer era brutalmente simples: bater em Eddie com o lado lascado da pedra até ele estar tão morto quanto a própria pedra. Então pegaria o revólver e esperaria pela volta de Roland.

Quando o corpo de Roland se erguesse, Detta lhe daria uma escolha: levá-la de volta para seu mundo ou se recusar e ser morto. *De um modo ou de outro tu vai tê de resolvê a parada cumigo, otário*, ela diria, *e agora que teu namorado morreu, tu num tem mais nenhuma razão pra continuá andando no memo caminho.*

Era possível que o revólver que o Homem Realmente Mau dera a Eddie nem funcionasse; nunca encontrara alguém de quem sentisse tanto ódio e medo quanto Roland. Achava que não havia limites para a astúcia dele, mas Detta saberia dar o troco. Acabaria com ele com uma pedra ou com as próprias mãos. Doente e sem dois dedos numa das mãos, Roland não teria como se defender. Detta conseguiria dar um jeito nele.

Mas à medida que se aproximava de Eddie, um pensamento perturbador lhe ocorreu. Era outra dúvida, e de novo parecia ser uma outra voz que questionava.

E se Roland souber? E se Roland souber o que você fez no instante exato em que matar Eddie?

Num vai descobri nada. *Tá ocupado dimais tentando pegá o remédio.*

E acho que tá ficando cada vez pior.

A voz estranha não respondeu, mas a semente de dúvida fora plantada. Tinha ouvido os dois conversando quando acharam que ela estava dormindo. O Homem Realmente Mau dizia que precisava fazer alguma coisa. Detta não sabia o que era. Tinha algo a ver com uma torre. Talvez o Homem Realmente Mau imaginasse que a torre estivesse cheia de ouro, joias ou algo do gênero. Disse que precisava dela, Detta, de Eddie e de mais alguém para chegar lá, e Detta achava que talvez fosse verdade. Para que mais estariam aparecendo todas aquelas portas?

Se a coisa fosse mágica e ela matasse Eddie, Roland *poderia* ficar sabendo de imediato. Se arruinasse o caminho dele para a torre, talvez estivesse destruindo a única coisa que fazia sentido na vida do escroto. E se descobrisse que não tinha mais nenhuma razão para continuar vivendo, o escroto poderia não fazer mais nada. Porque o escroto não daria mais a mínima para nada.

A ideia do que poderia acontecer se o Homem Realmente Mau voltasse desse jeito fez Detta estremecer.

Mas se ela não pudesse matar Eddie, o que iria fazer? Poderia pegar o revólver enquanto Eddie estivesse dormindo, mas quando o Homem Realmente Mau voltasse, será que conseguiria dar conta dos dois?

Simplesmente não sabia.

Seus olhos foram até a cadeira de rodas, começaram a se afastar, depois retrocederam, rápidos. Havia um bolso fundo no couro das costas da cadeira. Saindo de lá havia um laço da corda que tinham usado para amarrá-la.

Vendo aquilo, compreendeu o que poderia fazer.

Detta mudou de direção e começou a rastejar para o corpo inerte do pistoleiro. Pretendia tirar o que precisasse da mochila que ele chamava de "bolsa", depois pegar a corda, o mais rápido possível... mas por um momento sentiu-se paralisada pela presença da porta.

Como Eddie, ela interpretava o que via em termos de cinema... só que aquilo estava ficando mais parecido com um programa televisivo policial. O cenário era uma farmácia. Estava vendo um farmacêutico tremendamente assustado e Detta entendia o motivo, pois havia um revólver apontado diretamente para o seu rosto. O farmacêutico estava dizendo alguma coisa, mas tinha a voz distante, abafada. Era como se Detta o ouvisse através de protetores de ouvido. Não conseguia distinguir as palavras. Também não conseguia ver quem estava segurando a arma, mas no fundo não precisava realmente ver quem era, não é? Sabia quem era.

Era o Homem Realmente Mau.

Pode não estar com a cara dele, pode estar parecendo com um merdinha qualquer, pode até estar parecendo com um irmão de cor, mas por dentro é ele, sem dúvida. Não demorou muito para achar outra arma, não é? Aposto que isso nunca foi problema para ele. Continue em frente, Detta Walker.

Abriu a bolsa de Roland e sentiu o aroma fraco, nostálgico do tabaco que ficara muito tempo guardado ali (embora não restasse mais nada dele). Em certo sentido, a mochila era muito parecida com uma bolsa de mulher, cheia do que, à primeira vista, lembrava um amontoado de cosméticos... mas uma olhada mais detida mostrava os apetrechos de viagem de alguém preparado para enfrentar quase qualquer tipo de situação.

Achava que o Homem Realmente Mau devia estar havia muito tempo a caminho da sua Torre. Era surpreendente a quantidade de coisas que ainda havia ali, por mais pobre que fosse a aparência de algumas delas.

Continue em frente, Detta Walker.

Pegou o que precisava e retomou seu silencioso trajeto réptil para a cadeira de rodas. Quando chegou lá, apoiou-se num braço e, como um pescador enrolando a linha, foi puxando a corda do encosto da cadeira. De vez em quando dava uma olhada em Eddie, só para ter certeza de que ele continuava dormindo.

Eddie só se mexeu quando Detta atirou o laço em volta de seu pescoço e puxou a corda.

5

Ele foi arrastado para trás, a princípio achando que ainda estava dormindo, que aquilo era algum terrível pesadelo de ser enterrado vivo ou asfixiado.

Então sentiu a dor do laço em sua garganta, sentiu o cuspe quente descendo pelo queixo enquanto engasgava. Não era sonho. Agarrou a corda e tentou ficar de pé.

Detta deu um violento puxão com seus braços fortes. Eddie caiu de costas com um baque surdo. Seu rosto ia ficando roxo.

— Desista! — silvou Detta atrás dele. — Não vou te matá se pará de resistir, mas se continuar assim, vou te fazê sufocá até morrer.

Eddie baixou as mãos e tentou não se mexer. O nó de correr que Odetta dera no seu pescoço afrouxou o suficiente para lhe permitir uma breve, nervosa arfada de ar. Pelo menos era melhor do que não respirar.

Quando o pânico dos batimentos do coração diminuiu um pouco, Eddie tentou olhar para o lado. O laço tornou imediatamente a apertar.

— Num tenta. Vira a cabeça e fica concentrado na vista do mar, escroto. É tudo que tu deve querê olhá por enquanto.

Eddie virou a cabeça para o mar e o laço afrouxou o suficiente para outra vez lhe permitir aquelas inspirações extremamente ávidas. Sua mão esquerda avançou furtivamente para o cós da calça (mas ela viu o movimento e, embora Eddie não soubesse disso, Detta estava sorrindo). Não tinha nada ali. Ela tirara o revólver.

Detta espreitou para cima de você enquanto estava dormindo, Eddie. Era a voz do pistoleiro, é claro. *De nada adianta eu agora dizer que o avisei, mas...*

eu avisei. Foi o que esse romance lhe trouxe — um laço em volta do pescoço e uma louca com dois revólveres em algum lugar atrás de você.

Mas se ela fosse mesmo me matar, já teria feito isso. Teria feito enquanto eu estava dormindo.

E o que você acha que ela vai fazer agora, Eddie? Pegá-lo pela mão e levá-lo à Disney, numa viagem para dois com todas as despesas pagas?

— Escute — disse ele. — Odetta...

A palavra ainda não tinha saído de todo de sua boca e o laço já voltara brutalmente a apertar.

— Num quero que me chame assim. A próxima vez que tu me chamá desse jeito vai sê a última vez que tu vai tê oportunidade de chamar qualqué pessoa de *qualqué coisa*. Meu nome é *Detta Walker* e se tu qué cuntinuá pondo algum ar no pulmão, seu pedacinho de merda descorada, é melhó se lembrá disso!

Eddie soltou ruídos de sufocamento, de engasgo, e agarrou o laço. Grandes manchas pretas começaram a explodir na frente de seus olhos como flores malignas.

Pelo menos a corda sufocante ao redor de seu pescoço tornava a afrouxar.

— Sacou, escroto?

— Sim — disse ele, mas foi apenas um som rouco e estrangulado.

— Então diga. Diga meu nome.

— Detta.

— Diga meu nome *todo*! — Uma histeria perigosa surgiu na voz dela e nesse momento Eddie ficou feliz de não poder vê-la.

— Detta Walker.

— Ótimo. — O laço afrouxou mais um pouco. — Agora me escute, branquelo, e preste atenção se quisé ficá vivo té o pôr do sol. Num tente fazê gracinhas. Ti vi tentá puxá aquele revólver que eu peguei enquanto tu tava dormindo. Num tenta nada pruque Detta tá vendo tudo. Ela vê o que tu vai tentá antes de tu começá. Cum certeza.

E ela continuou:

— Também num pensa que pode bancá o engraçadinho pruque num tenho perna. Aprendi a fazer um monte de coisas desde que perdi as pernas e já consegui pegá os dois revólveres de vocês, fiodaputas. Isso devia servir de lição procês. Num acha que sim?

— Acho — resmungou Eddie. — Não estou vendo graça em nada.

— Bem, ótimo. Isso é ótimo. — Ela deu uma risada. — Farejei como uma cadela esperta enquanto tu tava dormindo. Preparei todo esse lance em que te meti. E aqui tá o que eu quero que tu faça, seu merdinha: põe as mão atrás das costas e vai tateando té encontrar um laço como aquele que pus em volta do teu pescoço. Tem três deles. Fiquei trançando os laço enquanto tu tava durmindo, preguiçoso! — Ela voltou a rir. — Quando sentir o laço, põe os pulso um contra o outro e enfia os pulso nele.

"Então tu vai sentir minha mão puxando o nó até ele ficar firme, e quando tu sentir isso, tu vai dizer: 'Esta é minha chance pra atacar essa puta negra. Enquanto ela não consegue puxar de vez a porra dessa corda'. Mas… — Aqui a voz de Detta ficou abafada e reproduziu uma caricatura de um sotaque sulista. — É melhor dá uma olhada em volta antes de começá a fazê alguma coisa precipitada."

Eddie obedeceu. Detta parecia ainda com uma bruxa, suja, rançosa, uma visão que teria provocado medo em corações muito mais destemidos que o de Eddie. O vestido que estivera usando na Macy's quando Roland a raptou estava agora imundo e rasgado. Usara a faca que tinha trazido da bolsa do pistoleiro (aquela que Eddie e Roland tinham usado no avião ao cortar a fita que amarrava a droga) para cortar o vestido em dois pontos, improvisando coldres logo acima do contorno dos quadris. As coronhas gastas dos revólveres do pistoleiro despontavam deles.

Detta tinha a voz abafada porque a ponta da corda estava presa em seus dentes. Uma ponta recentemente cortada brotava de um dos lados do sorriso; o resto da corda, a parte que levava ao laço em volta do pescoço de Eddie, projetava-se do outro lado. Havia algo tão predatório e bárbaro naquela imagem — com a corda presa entre os dentes — que Eddie ficou petrificado, fitando-a com um horror que apenas a fez sorrir mais.

— Nenhuma gracinha enquanto cuido dos lacinhos, certo? — disse ela com aquela voz abafada. — Experimenta brincá e vai vê como cuido da tua traqueia com meus próprios dentes, escroto. E dessa vez eu não vou afrouxar. Tá entendendo?

Eddie não confiou em sua voz para responder. Apenas assentiu.

— Bom. Talvez consiga tornar tua vida um pouquinho mais longa, quem sabe.

— Se eu não viver — gemeu Eddie —, você nunca mais terá o prazer de roubar nada na Macy's. Porque ele vai saber e todo mundo vai cair fora do jogo.

— Cala a boca — disse Detta, quase num murmúrio. — Cala essa boca. Deixa tuas ideias pras pessoas que ainda podem tê ideias. Tudo que tu tem a fazer é ir levando as mãos pra aquele laço.

6

Fiquei trançando os laço enquanto tu tava durmindo, dissera ela, e com nojo e crescente alarme Eddie descobriu que Detta sabia muito bem o que estava dizendo. A corda fora transformada numa série de nós de correr com três voltas cada um. O primeiro Detta havia laçado ao redor de seu pescoço enquanto ele dormia. O segundo mantinha suas mãos atrás das costas. Então Detta o empurrou bruscamente para o lado e mandou que ele erguesse os pés até os calcanhares encostarem nas nádegas. Eddie percebeu onde aquilo iria chegar e não se mexeu. Então Detta tirou um dos revólveres de Roland de uma das fendas do vestido, engatilhou e pressionou o cano contra a têmpora de Eddie.

— Você se mexe ou quem se mexe sou eu, escroto — disse ela naquele tom murmurante. — Só que se *eu* me mexer, você vai estar morto quando eu acabar. Vou dar uma passada nos teus miolos até o lado de lá da cabecinha. Depois disfarço o buraco com o teu cabelo. Roland vai achar que tu tá durmindo! — Ela deu outra risada.

Eddie levantou os pés e ela rapidamente amarrou a terceira volta do nó de correr ao redor dos tornozelos dele.

— Aí. Bem amarradinho como vitelo num rodeio.

Isso descrevia muito bem a coisa, pensou Eddie. Se tentasse baixar os pés, saindo de uma posição que já se tornava desconfortável, apertaria ainda mais o nó em volta dos tornozelos. Isso diminuiria o comprimento da corda entre os tornozelos e os pulsos, o que por sua vez apertaria todos os nós e a corda entre seus pulsos e o laço que ela passara ao redor de seu pescoço, e...

Ela o estava arrastando, de alguma maneira o arrastava pela praia.

— Ei! O que...

Tentou recuar e sentiu tudo ficar menor — incluindo sua capacidade de respirar. Deixou-se então ficar o mais inerte possível (mantendo os pés levantados, não esqueça disso, seu imbecil, porque se baixar os pés vai se estrangular) e deixou que ela o arrastasse pelo solo irregular. Uma saliência de rocha raspou um pedaço da pele de sua bochecha e ele sentiu o sangue quente começar a escorrer. Detta arfava asperamente. O barulho das ondas e o estrondo da arrebentação batendo no túnel de rocha estavam mais altos.

Me afogar? Santo Deus, é isso que ela pretende fazer?

Não, é claro que não. Achou que sabia o que ela pretendia fazer antes mesmo que seu rosto passasse pela retorcida faixa de algas marinhas que marcavam o limite da maré alta, uma coisa morta fedendo a sal e fria como os dedos de marinheiros afogados.

Lembrou-se de Henry dizendo: *Às vezes matavam um dos nossos. Um americano... sabiam que um vietnamita do sul não adiantava, porque nenhum de nós iria querer ir atrás de um amarelo no mato. Só se fosse um peixe fresco recém-chegado dos Estados Unidos. Davam-lhe uma facada, deixavam o cara gritando, e então pegavam os caras que tentavam salvá-lo. Faziam isso até o cara morrer. Sabe como chamavam um cara desses, Eddie?*

Eddie havia balançado a cabeça, chocado com a ideia.

Chamavam de pote de mel, dissera Henry. *Uma coisa doce. Uma coisa para atrair as moscas. Ou quem sabe até mesmo um urso.*

Era o que Detta estava fazendo: usando-o como um pote de mel.

Deixou-o uns dois metros abaixo do limite da maré alta, deixou-o sem uma palavra, deixou-o de frente para o oceano. Não era a maré chegando para afogá-lo que o pistoleiro veria, olhando através da porta, porque a maré estava na vazante e ainda levaria umas seis horas para subir até aquele ponto. Muito antes disso...

Eddie ergueu um pouco os olhos e viu o sol estendendo uma comprida linha dourada através do mar. Que horas seriam? Quatro? Mais ou menos isso. O pôr do sol ocorreria por volta das sete.

Anoiteceria bem antes de ele ter de se preocupar com a maré.

E quando a escuridão chegasse, as lagostrosidades surgiriam vindas das ondas. Rastejariam praia acima fazendo suas indagações. Chegariam até onde ele estava amarrado, completamente indefeso, e o comeriam vivo.

7

O tempo estendeu-se interminavelmente para Eddie Dean. A própria ideia de tempo tornou-se uma piada. Mesmo o terror do que aconteceria ao escurecer esmoreceu quando suas pernas começaram a latejar. O desconforto foi abrindo caminho pela escala de sensações até a dor e, finalmente, até uma agonia terrível. Ele tentou relaxar a musculatura, o que acabou apertando todos os nós. Quando estava à beira do estrangulamento, conseguiu erguer de novo os tornozelos, diminuindo a pressão, permitindo o retorno de alguma respiração. Não tinha mais certeza se iria aguentar até o anoitecer. Talvez chegasse a um ponto onde ficaria simplesmente incapaz de manter as pernas erguidas.

3. ROLAND TOMA SEU REMÉDIO

1

Agora Jack Mort sabia que o pistoleiro estava ali. Se Mort fosse outra pessoa — um Eddie Dean ou uma Odetta Walker, por exemplo —, Roland teria conversado com ele, nem que fosse apenas para abrandar o pânico e a confusão naturais ao sentir de repente o ego de outra pessoa abrir brutalmente caminho para o banco do carona de seu corpo, um corpo que o cérebro pilotara a vida inteira.

Mas como Mort era um monstro — pior do que Detta Walker jamais fora ou poderia ser —, Roland não se deu ao trabalho de oferecer explicações nem de falar. Ouvia os clamores (*Quem é você? O que está acontecendo comigo?*), mas os ignorou. O pistoleiro se concentrava em sua curta lista de necessidades, usando a mente do homem sem qualquer constrangimento. Os clamores se transformaram em gritos de terror. O pistoleiro continuou a desconsiderá-los.

O único jeito de permanecer no covil de vermes que era a mente daquele sujeito era encará-lo como uma mera combinação de atlas e enciclopédia. Mort tinha toda a informação de que Roland precisava. O plano de Roland era rústico, mas às vezes o rústico ganhava da sutileza. Quando se tratava de planejar, não existiam no universo duas criaturas mais diferentes do que Roland e Jack Mort.

Num planejamento rústico, você deixa espaço para a improvisação. E a improvisação a curto prazo sempre fora um dos pontos fortes de Roland.

2

Um homem gordo com lentes nos olhos, assim como o homem calvo que enfiara a cabeça na sala de Mort cinco minutos antes (ao que parecia, no mundo de Eddie muita gente usava essas lentes, que o linguajar de Mort identificava como "óculos"), entrou no elevador com ele. Olhou para a maleta na mão do homem que ele acreditava ser Jack Mort e depois para o próprio Mort.

— Vai se encontrar com Dorfman, Jack?

O pistoleiro não disse nada.

— Se acha que vai convencê-lo a não sublocar, está perdendo o seu tempo — disse o homem gordo, ficando surpreso quando o colega deu um rápido passo para trás. As portas da pequena caixa se fecharam e de repente eles estavam caindo.

Roland se agarrou com toda força à mente de Mort, ignorando os gritos, e percebeu que estava tudo bem. A queda era controlada.

— Se passei dos limites, desculpe — disse o homem gordo. O pistoleiro pensou: *Este também está com medo.* — Você lidou com o babaca melhor que qualquer um na empresa, essa é a verdade.

O pistoleiro não disse nada. Só queria sair daquele caixão que caía.

— Sei como é difícil — continuou o homem gordo avidamente. — Ora, ontem mesmo eu estava almoçando com...

A cabeça de Jack Mort se virou e, atrás dos óculos de aro dourado de Jack Mort, olhos que pareciam estar um tom azulado um tanto diferente do tom que os olhos de Jack costumava ser fitaram o homem gordo.

— Cale a boca — disse o pistoleiro, sem emoção.

A cor abandonou o rosto do homem gordo, que deu dois passos rápidos para trás. As nádegas flácidas encostaram nos painéis de compensado imitando madeira que havia nos fundos do pequeno ataúde móvel. De repente a coisa parou. As portas se abriram e o pistoleiro, usando o corpo de Jack Mort como uma muda de roupas feita sob medida, saiu sem olhar para trás. O homem gordo manteve o dedo no botão PORTA ABERTA do elevador e esperou lá dentro até Mort estar fora de vista. *Sempre teve alguma coisa errada com ele*, pensou o homem gordo, *mas isso pode ser mais sério. Pode ser um colapso nervoso.*

O homem gordo pensou que a ideia de Jack Mort preso em um sanatório era muito reconfortante.

O pistoleiro não teria ficado surpreso com essa reação.

3

Em algum ponto entre a sala cheia de ecos que os arquivos mentais de Mort identificavam como saguão, a saber, um lugar de entrada e saída dos escritórios que enchiam aquele arranha-céu, e o sol brilhando na rua (o arquivo Mort identificou a rua com dois nomes: *Sexta Avenida* e *Avenida das Américas*), o apavorado hospedeiro de Roland parou de gritar. Mort não morrera de medo; o pistoleiro teve a percepção profundamente instintiva de que, se Mort morresse, os kas dos dois seriam jogados para sempre naquele vácuo de possibilidades que jazia além de todos os mundos físicos. Mort não havia morrido — apenas desmaiara. Desmaiou devido à sobrecarga de terror e estranheza, como acontecera com o próprio Roland depois de ele entrar na mente do homem, descobrir seus segredos e ver certos destinos se cruzando de forma incrível demais para ser mera coincidência.

Achava ótimo que Mort tivesse desmaiado. Desde que essa inconsciência não dificultasse o acesso de Roland ao seu conhecimento e às suas memórias — e aconteceu —, achava ótimo não tê-lo atrapalhando.

Os carros amarelos eram veículos públicos chamados *Tá-Xis*. As tribos que os conduziam, o arquivo Mort informava, eram duas: *Moto-ristas* e *Ta-xistas*. Para fazer um deles parar, você levantava a mão como um garoto numa sala de aula.

Roland fez isso e após vários *Tá-Xis*, obviamente vazios salvo pelos condutores, passarem sem parar, ele percebeu que todos tinham plaquinhas que diziam *fora de serviço* na frente. Já que essas faziam parte das Grandes Letras, o pistoleiro não precisou da ajuda de Mort para interpretar o seu significado. Esperou um pouco, depois ergueu novamente a mão. Desta vez o *Tá-Xi* parou. O pistoleiro entrou no banco de trás. Sentiu o cheiro de fumaça antiga, suor antigo, perfume antigo. Cheirava como um coche de seu próprio mundo.

— Para onde, amigo? — perguntou o motorista. Roland não fazia ideia se ele era da tribo dos Moto-ristas ou dos Ta-xistas, e não tinha intenção de perguntar. Poderia ser algo indelicado naquele mundo.

— Não tenho certeza.

— Não está num grupo de terapia, meu amigo. Tempo é dinheiro.

Mande que arrie a bandeira do taxímetro, pediu o arquivo Mort.

— Arrie sua bandeira — disse Roland.

— Já está marcando o tempo — respondeu o motorista.

Diga que vai dar cinco paus de gorjeta, aconselhou o arquivo Mort.

— Dou cinco paus de gorjeta — disse Roland.

— Vamos ver — respondeu o homem. — Só acredito vendo.

Pergunte se ele quer o dinheiro ou se quer ir se foder, o arquivo Mort aconselhou de imediato.

— Quer o dinheiro ou quer ir se foder? — perguntou Roland num tom seco, frio.

Por um breve momento, os olhos do motorista olharam apreensivos pelo retrovisor. Ele não disse mais nada.

Dessa vez, Roland consultou o estoque acumulado de conhecimento de Jack Mort mais extensamente. O motorista deu mais uma olhada, rápida, durante os quinze segundos que seu passageiro se limitou a ficar sentado no banco traseiro com a cabeça ligeiramente inclinada e a mão esquerda espalmada na testa, como se estivesse com um início de enxaqueca. O motorista tinha decidido dizer ao sujeito para sair ou ele chamaria um policial, quando o passageiro ergueu a cabeça e disse suavemente:

— Gostaria que me levasse à Sétima Avenida com a rua 49. Por essa viagem vou lhe dar dez dólares além do que o taxímetro marcar, não importa qual seja sua tribo.

Maluco, pensou o motorista (um branco-anglo-saxão-protestante de Vermont tentando entrar no show business), *mas talvez um maluco* rico. Engrenou a primeira.

— Chegamos lá num minuto, amigão — e acrescentou mentalmente ao entrar no tráfego: *Quanto mais depressa melhor*.

4

Improviso. Essa era a palavra.

Quando saltou, o pistoleiro viu um carro azul e branco estacionado e, sem checar o estoque de conhecimento de Mort, leu *Posse* em vez de *Polícia*. Dentro do veículo dois pistoleiros bebendo alguma coisa — talvez café — em copos de papel branco. Pistoleiros, sim… mas pareciam gordos e molengas.

Estendeu a mão para a carteira de Jack Mort (só que era muito pequena para ser uma carteira de verdade; uma carteira de *verdade* era quase tão grande quanto uma bolsa e podia carregar todas as coisas de um homem, desde que a viagem não fosse longa) e deu ao motorista uma nota com o número vinte marcado. O motorista foi embora rápido. Era a maior gorjeta que recebera naquele dia, mas o sujeito parecia tão esquisito que achou merecido cada centavo daquele dinheiro.

O pistoleiro observou a placa sobre a loja.

CLEMENTS ARMAS E ARTIGOS ESPORTIVOS, dizia. MUNIÇÃO, EQUIPAMENTO DE PESCA, XEROX AUTENTICADA.

Não entendeu todas as palavras, mas uma olhada na vitrine bastou para ele perceber que Mort o levara ao lugar certo. Viu joelheiras, insígnias militares… e armas. Principalmente rifles, mas também pistolas. Estavam presas por correntes, mas sem problema.

Saberia qual ia lhe servir quando… *se*… a visse.

Roland consultou a mente de Jack Mort (uma mente astuta o suficiente para se adequar aos seus propósitos) por mais de um minuto.

5

Um dos policiais no veículo azul e branco cutucou o outro com o cotovelo.

— Isso aí que é pensar *muito* antes de comprar — disse ele.

O parceiro riu.

— *Nossa* — respondeu ele num tom afeminado enquanto o homem de terno e óculos de aro dourado concluía seu exame da mercadoria em exibição e entrava na loja. — Acho que o cara decidiu comprar as algemas *cor-de-rosa*.

O primeiro policial engasgou com a boca cheia de café morno. Num jorro de riso, o café foi lançado de volta ao copo de papel.

6

Um balconista veio quase de imediato perguntar se podia ajudar.

— Será — respondeu o homem no terno azul de corte conservador — que você teria um papel... — Fez uma pausa, parecendo pensar bem, e voltou a erguer os olhos. — Quero dizer, um *gráfico* com ilustrações de munição de revólver?

— Quer dizer um gráfico sobre os diferentes calibres? — perguntou o balconista.

O freguês hesitou, depois respondeu:

— Sim. Meu irmão tem um revólver. Já atirei com ele, há bastante tempo. Mas acho que consigo reconhecer as balas se as vir.

— Bem, o senhor pode achar que sim — respondeu o balconista —, mas pode ser difícil de identificar. Era um .22? Um .38? Talvez...

— Se tiver o gráfico, vou saber — disse Roland.

— Só um segundo. — Por um momento, o balconista olhou desconfiado para o homem de terno azul, depois deu de ombros. Foda-se, o cliente tinha sempre razão, mesmo quando estava errado... Se tinha grana para pagar, que fosse. Só a grana importava. — Tenho uma *Bíblia do Atirador*. Talvez devesse dar uma olhada.

— Sim. — O pistoleiro sorriu. *Bíblia do Atirador*. Um nome nobre para um livro.

O homem remexeu embaixo do balcão e tirou de lá um volume já bastante gasto e mais grosso do que todos os livros que o pistoleiro já vira... O homem, no entanto, começou a folheá-lo como se não valesse mais do que um punhado de pedras.

Abriu o livro sobre o balcão e virou-o para Roland.

— Dê uma olhada. Mas acho que, se já faz anos que mexeu no revólver, é um tiro no escuro. — Ergueu a cabeça e sorriu. — Desculpe o trocadilho.

Roland nem ouviu. Estava curvado sobre o livro, examinando gravuras que pareciam quase tão reais quanto as próprias coisas que representavam, maravilhosas ilustrações que o arquivo Mort identificou como *Fotograffs*.

Foi virando as páginas devagar. Não... não... não...

Estava quase perdendo a esperança quando a viu. Levantou os olhos com um entusiasmo tão febril que o balconista se assustou um pouco.

— Aqui! — disse. — Aqui! *Bem aqui*!

A foto para a qual apontava era de uma bala de pistola Winchester .45. Não era exatamente igual às suas próprias balas, pois não fora feita à mão para ser carregada isoladamente, mas Roland podia ver, mesmo sem consultar os números do catálogo (números que provavelmente não significariam nada para ele), que caberia nos seus tambores e poderia ser disparada de seus revólveres.

— Bem, ótimo, acho que encontrou — disse o balconista —, mas não precisa gozar por causa disso, cara. Quero dizer, são apenas *balas*.

— Você as tem?

— Claro. Quantas caixas vai querer?

— Quantas há numa caixa?

— Cinquenta. — O homem começou a olhar para o pistoleiro com desconfiança genuína. Se o sujeito planejava comprar as balas, deveria saber que teria de mostrar um Porte de Armas, com foto, mais a identidade. Sem porte, sem munição, não para revólveres; era a lei em Manhattan. E se esse sujeito tinha um porte de armas, como podia não saber quantas balas vinham numa caixa-padrão de munição?

— Cinquenta!

Agora o freguês olhava para ele boquiaberto de espanto. Era um esquisito, com certeza.

O balconista avançou um pouco para a esquerda, para um pouco mais perto da caixa registradora... e, não por acaso, para um pouco mais perto de seu próprio revólver, um Magnum .357, que mantinha sempre carregado no fundo da gaveta da caixa registradora.

— Cinquenta! — repetiu o pistoleiro. Tinha esperado cinco, dez, talvez uma dúzia, mas aquilo... aquilo...

Quanto dinheiro você tem?, perguntou ao arquivo Mort. O arquivo Mort não sabia, não exatamente, mas achou que deveria ter pelos menos uns sessenta dólares na carteira.

— E quanto custa uma caixa? — Seria mais do que sessenta dólares, ele imaginou, mas o homem poderia ser persuadido a lhe vender *parte* de uma caixa, ou...

— Dezessete e cinquenta — disse o balconista. — Mas, senhor…

Jack Mort era contador e desta vez não houve espera; tradução e resposta vieram simultaneamente.

— Três — disse o pistoleiro. — Três caixas. — Bateu na *fotograff* das balas com um dedo. Cento e cinquenta tiros! Pelos deuses! Que insano depósito de riquezas era aquele mundo!

O balconista não se mexeu.

— Você não tem tudo isso… — disse o pistoleiro, sem se surpreender. A coisa era boa demais para ser verdade. Um sonho.

— Ah, claro que sim, tenho balas de Winchester .45 a rodo. — O homem deu mais um passo para a esquerda, ficando ainda mais perto da caixa registradora e de sua arma. Se o sujeito fosse maluco, algo que o balconista sentia que descobriria em breve, logo seria um maluco com um buraco extremamente grande no meio da testa. — Tenho munição de .45 até a tampa, mas o que preciso saber é se o *senhor* tem porte.

— Porte?

— Um documento com foto que lhe permita portar uma arma. Não posso lhe vender munições se não puder me mostrar um. Se quiser comprar munição sem um porte de armas, vai precisar ir até Westchester.

O pistoleiro ficou atônito, encarando o homem. Para ele, aquilo era pura bobagem. Ele não estava entendendo nada. Seu arquivo Mort tinha uma vaga noção do que o homem queria, mas as ideias de Mort a esse respeito eram vagas demais para serem dignas de confiança. Mort jamais possuíra uma arma em toda a sua vida. Fazia o seu serviço desprezível sem precisar de armas.

O homem deu outro passo furtivo para a esquerda sem tirar os olhos do rosto do freguês e o pistoleiro pensou: Ele tem uma arma. *Acha que vou causar problemas… ou talvez esteja* querendo *que eu cause problemas. Quer uma desculpa para atirar em mim.*

Improvise.

Lembrou-se dos pistoleiros sentados no coche azul e branco na rua. Pistoleiros, sim, mantenedores da paz, homens encarregados de impedir que o mundo seguisse adiante. Mas pareciam — pelo menos à primeira vista — quase tão molengas e desatentos quanto todos os outros homens naquele mundo de fracos; só dois sujeitos de uniformes e quepes, prostrados nos bancos do coche, tomando café. Claro, Roland poderia estar fazendo mau juízo deles, mas achava que a sua avaliação estava correta.

— Ah! Entendo — disse o pistoleiro, forçando um sorriso de desculpas na cara de Jack Mort. — Sinto muito. Acho que não tenho me dado conta de como o mundo seguiu... quero dizer, mudou... desde a última vez que tive uma arma.

— Não tem problema — disse o balconista, relaxando um pouco. Talvez o sujeito fosse tranquilo. Ou quem sabe só estivesse querendo bancar o engraçadinho.

— Será que eu poderia dar uma olhada nesse kit de limpeza? — Roland apontava para uma prateleira atrás do balconista.

— Claro. — Quando o homem se virou para pegar o kit, o pistoleiro tirou a carteira de Mort do bolso de dentro do paletó. Fez isso num puxão, com uma velocidade de um saque de arma. O balconista ficou de costas por menos de quatro segundos, mas quando voltou a olhar para Mort, a carteira estava no chão.

— É um ótimo kit — disse o homem sorrindo, tendo concluído que de fato não havia nada de errado com o cara. Diabo, sabia como era ruim fazer o papel de idiota. Vivenciara bastante essa sensação quando era fuzileiro naval. — E não precisa de um maldito porte para comprar um kit de limpeza. É ótimo viver num país livre, não é?

— É — disse o pistoleiro com ar sério e fingindo examinar o kit de limpeza, embora um rápido olhar tivesse bastado para mostrar-lhe que se tratava de uma coisa ordinária numa caixinha ordinária. Enquanto olhava, seu pé ia empurrando cuidadosamente a carteira de Mort para baixo do balcão.

Depois de alguns instantes, devolveu o kit com uma razoável demonstração de pesar.

— Acho que não vai ser para mim.

— Tudo bem — disse o balconista, perdendo abruptamente o interesse pela conversa. Já que o sujeito não era maluco e obviamente não passava de um curioso, e não era um comprador, a relação entre os dois estava encerrada. Cliente besta não faltava. — Mais alguma coisa? — a boca perguntou enquanto os olhos mandavam embora o homem de terno azul.

— Não, obrigado. — O pistoleiro saiu sem olhar para trás. A carteira de Mort estava bem escondida sob o balcão. Roland tinha deixado lá seu próprio pote de mel.

7

Os policiais Carl Delevan e George O'Mearah tinham acabado o café e estavam prestes a seguir em frente quando o homem no terno azul saiu do Clements — que ambos os policiais acreditavam ser uma "armada" (gíria da profissão para uma loja de armas legal que vende revólveres a bandidos bem credenciados e faz negócios, às vezes no atacado, com a Máfia) — e se aproximou do carro-patrulha.

Ele se inclinou e olhou pela janela do carona para O'Mearah. O'Mearah achou que o homem ia soar como um desmunhecado — provavelmente não tanto quanto ele soara durante a piadinha sobre algemas cor-de-rosa, mas ainda assim desmunhecado. Armas à parte, Clements vendia boas algemas. Eram objetos legais em Manhattan e a maioria das pessoas que as comprava não eram Houdinis amadores (a polícia não gostava disso, mas *quando* foi que o que a polícia pensava sobre determinado assunto conseguiu mudar algo?). Os compradores eram veados com um certo gosto pelo sadomasoquismo. Mas o homem não parecia absolutamente um afeminado. Sua voz era seca, inexpressiva, educada mas um tanto amorfa.

— O negociador dali pegou minha carteira — disse ele.

— *Quem*? — O'Mearah se endireitou de imediato no banco. Estavam tentando pegar Justin Clements havia um ano e meio. Se conseguissem a proeza, talvez os dois pudessem finalmente trocar aqueles uniformes azuis pelos distintivos de detetives. Provavelmente não passava de um sonho... aquilo parecia bom demais para ser verdade... mas mesmo assim...

— O negociador. O... — Uma breve pausa. — O balconista.

O'Mearah e Carl Delevan trocaram um olhar.

— Cabelo preto? — perguntou Delevan. — Meio atarracado?

— Sim. — De novo uma pausa muito breve. — Olhos castanhos. Uma pequena cicatriz embaixo de um deles.

Havia algo naquele sujeito... O'Mearah não conseguiu identificar exatamente o que naquele momento, mas lembrou-se disso mais tarde, quando já não havia tantos outros assuntos em que pensar. Dos temas restantes, o mais importante era o fato de a insígnia dourada de detetive não mais importar; o simples fato de terem conseguido conservar os empregos já poderia ser considerado puro e simples milagre.

Mas anos depois houve um breve momento de revelação quando O'Mearah levou os dois filhos ao Museu de Ciência em Boston. Tinham uma máquina ali — um computador — que tinha o jogo da velha e a não ser que você selecionasse um X no quadrado do meio logo de cara, a máquina te sacaneava todas as vezes. Havia porém sempre uma pausa enquanto ela checava todas as possíveis combinações. Ele e os filhos ficaram fascinados. Mas havia algo de assustador naquilo... e então O'Mearah se lembrou do homem de terno azul. Lembrou-se porque o Terno Azul fazia a mesma coisa. Falar com ele fora como falar com um robô.

Delevan não teve a mesma sensação, mas uma noite, nove anos mais tarde, quando levou seu próprio filho (então com dezoito anos e prestes a entrar para a universidade) ao cinema, cerca de trinta minutos depois de o filme começar, ficou inesperadamente de pé e gritou: *É ele! É ELE! É o cara com a porra do terno azul! O cara que estava no Cle...*

Alguém gritou *Senta aí!*, mas foi uma reclamação inútil; Delevan, mais de trinta quilos acima do peso e fumante inveterado, seria fulminado por um ataque cardíaco fatal antes de o queixoso acabar de pronunciar a segunda palavra. O homem de terno azul que se aproximou naquele dia daquele carro-patrulha e contou a eles sobre o roubo de sua carteira não era parecido com o astro do filme, mas as palavras ditas de modo inteiramente amorfo tinham sido as mesmas; assim como era igual o modo um tanto rígido, mas gracioso, como ele se movia.

O filme, é claro, chamava-se *O exterminador do futuro*.

8

Os policiais trocaram olhares. O homem de quem o Terno Azul estava falando não era Clements, mas um elemento quase do mesmo nível: "Johnny

Gordo" Holden, cunhado de Clements. E ter feito algo tão incrivelmente estúpido quanto furtar a carteira de um homem seria...

... *seria algo inteiramente à altura de um trapaceiro como Johnny*, concluiu a mente de O'Mearah, precisando colocar uma mão na boca para tapar um sorrisinho.

— Talvez fosse melhor nos contar exatamente o que houve — disse Delevan. — Pode começar dizendo seu nome.

Novamente a resposta do homem soou um tanto estranha aos ouvidos de O'Mearah, um tanto fora do comum. Naquela cidade, onde às vezes parecia que setenta por cento da população acreditava que *vá se foder* era o jeito americano de dizer *tenha um bom dia*, achou que o sujeito ia dizer algo do tipo *Ei, aquele filho da puta roubou minha carteira! Será que vai até lá pegá-la ou vamos ficar parados aqui, brincando de perguntas e respostas?*

Mas havia o terno de ótima qualidade, as unhas feitas. Talvez um cara acostumado a lidar com aquele monte de burocracia. Para falar a verdade, isso pouco importava a George O'Mearah. A ideia de apanhar Johnny Gordo Holden e usá-lo como fio condutor para Arnold Clements deixava O'Mearah com água na boca. Por um instante vertiginoso, chegou a se imaginar usando Holden para pegar Clements e Clements para pegar um dos caras realmente grandes — o tal do Balazar, por exemplo, ou talvez Ginelli. Aquilo não seria nada. Não seria *mesmo* nada ruim.

— Meu nome é Jack Mort — disse o homem.

Delevan havia tirado um bloquinho amassado do bolso de trás.

— Endereço?

A ligeira pausa. *Como uma máquina*, pensou O'Mearah outra vez. Um momento de silêncio, depois um clique quase que audível.

— Park Avenue South, 409.

Delevan anotou.

— Registro da Previdência Social.

Após outra ligeira pausa, Mort forneceu o número.

— Quero que compreenda que estou fazendo essas perguntas com objetivos de identificação. Se o cara *realmente* pegou sua carteira, é bom que eu possa dizer que o senhor me passou certas informações antes de recolher a carteira para lhe devolver. Compreende?

— Sim. — Agora havia na voz do homem um traço de impaciência, ainda que muito leve. Isso fez O'Mearah se sentir um pouco mais à vontade com ele. — Só não demore mais com isto do que for necessário. O tempo está passando e...

— As coisas precisam acontecer de uma determinada maneira, entende?

— As coisas precisam acontecer de uma determinada maneira — concordou o homem no terno azul. — Sim.

— Tem uma foto em sua carteira que possa identificá-lo?

Uma pausa. E então:

— Tenho uma foto da minha mãe tirada na frente do Empire State Building. No verso está escrito: "Foi um dia maravilhoso e uma vista maravilhosa. Com amor, mamãe".

Depois de anotar freneticamente, Delevan fechou o bloquinho com um estalo.

— Está bem. Isso deve bastar. Só mais uma coisa... Vou precisar da sua assinatura depois que recolher a carteira para compará-la com as assinaturas na carteira de motorista, cartões de crédito, coisas desse tipo. Está bem?

Roland assentiu. Parte dele, no entanto, sabia que, embora fosse possível recorrer às lembranças de Jack Mort e ao conhecimento que Mort tinha daquele mundo, não havia a menor possibilidade de ele conseguir reproduzir a assinatura de Mort com a consciência de Mort ausente, como era o caso naquele momento.

— Conte o que aconteceu.

— Entrei na loja atrás de munição para o meu irmão. Ele tem um revólver Winchester .45. O homem perguntou se eu tinha porte de arma. Claro que sim, eu disse. Ele me pediu para ver.

Pausa.

— Puxei a carteira. Mostrei. Só que, quando abri a carteira para mostrar o documento, ele deve ter visto que havia algumas... — uma ligeira pausa — ... notas de vinte lá dentro. Sou contador. Tenho um cliente chamado Dorfman que acabou de receber um pequeno reembolso de imposto após um longo... — pausa — ... litígio. A soma era apenas de oitocentos dólares, mas esse sujeito, Dorfman, é um cliente nosso que... — pausa — ... o maior babaca da nossa carteira. — Pausa. — Desculpe pelo trocadilho.

O'Mearah repassou mentalmente as últimas palavras e de repente entendeu o maior babaca da nossa carteira. Nada mau. Deu uma risada. Imagens de robôs e máquinas jogando jogo da velha saíram de sua mente. O sujeito era de carne e osso, só meio transtornado e querendo esconder o nervosismo com indiferença.

— Claro que Dorfman quis em dinheiro vivo. *Insistiu* que fosse vivo.

— Acha então que Johnny Gordo deu uma olhada na grana do seu cliente — disse Delevan. Ele e O'Mearah saíram do carro azul e branco.

— É como chamam o homem dessa loja?

— Ah, de vez em quando chamamos de coisa pior — disse Delevan. — O que aconteceu depois que o senhor mostrou o porte de armas, sr. Mort?

— Ele pediu para ver de perto. Entreguei a carteira, mas ele não olhou para a foto. Deixou a carteira cair no chão. Perguntei por que tinha feito isso. Ele disse que era uma pergunta estúpida. Então mandei que me devolvesse a carteira. Eu estava furioso.

— Aposto que sim. — Se bem que, observando o ar impassível do homem, Delevan jamais poderia imaginar o sujeito furioso.

— Ele riu. Comecei a contornar o balcão e peguei a carteira. Foi quando ele puxou a arma.

Estavam andando para a loja, mas naquele momento pararam. Pareciam empolgados, não temerosos.

— *Arma?* — perguntou O'Mearah, querendo ter certeza de que ouvira direito.

— Estava embaixo da caixa registradora — disse o homem de terno azul. Roland se lembrou do momento em que quase jogara no lixo seu plano original e tentara pegar a arma do sujeito. Agora, diante daqueles pistoleiros, sabia mais do que nunca o motivo de não pegar a arma. Queria usá-los, não fazer com que morressem. — Acho que estava numa presilha de estivador…

— Uma o *quê*? — O'Mearah perguntou.

Dessa vez houve uma longa pausa. A testa do homem se enrugou.

— Não sei exatamente como se diz… uma coisa onde ele guarda o revólver. Para abrir é preciso apertar…

— Um gancho de mola! — disse Delevan. — Puta merda! — Outra troca de olhares entre os parceiros. Nenhum dos dois queria ser o primeiro a dizer àquele sujeito que Johnny Gordo provavelmente já recolhera a grana de sua carteira, fizera passar o traseiro pela porta dos fundos e atirara o couro vazio pelo muro do beco atrás do prédio... mas uma arma num gancho... isso era diferente. Furto era uma possibilidade, mas com certeza uma acusação por ocultação de arma parecia uma certeza. Talvez não fosse tão boa quanto furto, mas era um começo.

— E aí? — perguntou O'Mearah.

— Aí ele me disse que eu não tinha carteira nenhuma. Disse... — pausa — que eu devia ter deixado cair na rua, quero dizer, que a carteira devia ter caído na rua e que era melhor eu me lembrar logo disso se eu não quisesse sofrer. Então lembrei de ter visto o carro de vocês estacionado na quadra e achei que talvez ainda estivessem por aqui. Então saí da loja.

— Tudo bem — disse Delevan. — Vou entrar na frente com meu parceiro, e rápido. Nos dê um minuto — um minuto *completo* —, porque pode surgir algum problema. Depois entre, mas fique junto da porta. Está entendendo?

— Estou.

— Tudo bem. Vamos pegar esse filho da puta.

Os dois tiras entraram. Roland esperou trinta segundos e foi atrás.

9

Johnny Gordo Holden estava fazendo mais do que protestar. Estava berrando.

— O cara é maluco! O sujeito entrou aqui, não tinha a menor ideia do que queria, então viu as balas na *Bíblia do Atirador*, mas nem sabia quantas vinham numa caixa, quanto custava e o que ele contou sobre eu pedir para ver mais de perto o porte de arma é a mentira mais escrota que eu já ouvi, porque ele não tem porte de arma... — Johnny Gordo se interrompeu. — Ali está ele! Ali está o patife! Venha aqui! Estou te vendo, parceiro! Vou me lembrar da sua cara! Da próxima vez que você vir a minha vai lamentar pra cacete! Pode ficar certo disso! Certo pra caralho...

— Não está com a carteira deste homem? — perguntou O'Mearah.

— Você *sabe* que não estou com a carteira dele!

— Se importa se eu der uma olhada atrás desse balcão? — insistiu Delevan. — Só pra ter certeza?

— Porra-de-merda-de-um-cacete! O balcão é de vidro! Está vendo alguma carteira em algum lugar?

— Não, não em algum lugar... Estou querendo dizer *aqui* — disse Delevan, movendo-se para a caixa registradora. Sua voz foi um ronronar de gato. Perto da caixa, uma faixa reforçada de aço cromado com meio metro de largura corria pela borda do balcão. Delevan se virou para trás, para o homem no terno azul, que assentiu.

— Quero vocês fora daqui agora! — falou Johnny Gordo. Tinha empalidecido um pouco. — Voltem com um mandado, aí sim. Mas por ora, quero vocês dois fora daqui! Ainda estou na porra de um país livre, vocês sab... *ei! Ei!* EI, PARE COM ISSO!

O'Mearah espiava por cima do balcão.

— *Isso é ilegal!* — berrava Johnny Gordo. — *É ilegal pra cacete, a Constituição... a porra do meu advogado... dê meia-volta agora mesmo ou...*

— Só queria dar uma olhada mais de perto na mercadoria — disse O'Mearah num tom suave —, porque o vidro do balcão está imundo. Foi por isso que eu quis dar uma olhada mais de perto. Não é, Carl?

— Pura verdade, parceiro — disse Delevan solenemente.

— E olhe o que eu achei.

Roland ouviu um clique na caixa registradora e de repente a mão do pistoleiro de uniforme azul estava segurando um revólver realmente grande. Percebendo, enfim, que era a única pessoa naquele lugar capaz de contar uma história diferente do conto de fadas inventado pelo policial que pegara sua Magnum, Johnny Gordo assumiu uma expressão sombria.

— Tenho uma licença para isso — disse ele.

— Para portar uma arma? — perguntou Delevan.

— Sim.

— Para portar escondida?

— Sim.

— É uma arma registrada? — perguntou O'Mearah. — É, não é?

— Bem... Posso ter esquecido.

— Talvez seja roubada, e você esqueceu isso também.

— Vá se foder. Vou ligar para o meu advogado.

Johnny Gordo começou a se virar. Delevan o agarrou.

— E vai sobrar ainda a questão de saber se está ou não autorizado a ocultar uma arma mortal num gancho de mola — disse ele no mesmo tom suave, ronronante. — É uma questão interessante porque pelo que sei a prefeitura de Nova York não *emite* esse tipo de autorização.

Os policiais olhavam para Johnny Gordo; Johnny Gordo também os olhava. Assim, ninguém reparou quando Roland virou a tabuleta pendurada na porta de ABERTO para FECHADO.

— Talvez possamos dar um jeito nisso aqui se conseguirmos achar a carteira do cavalheiro — disse O'Mearah. O próprio Satã não teria sido capaz de mentir com tanta convicção. — Talvez ele apenas a tenha deixado cair, sabe como é.

— *Eu já disse! Não sei nada sobre a carteira do sujeito! O cara surtou!*

Roland se abaixou.

— Aqui está — avisou ele. — Acabei de ver. Ele está com o pé em cima.

Não era verdade, mas Delevan, cuja mão ainda estava no ombro de Johnny Gordo, empurrou o homem tão rapidamente que ficou impossível dizer se o pé dele *tinha* ou não estado lá.

Só podia ser naquele momento. Roland avançou furtivamente quando os dois pistoleiros se curvaram para olhar debaixo do balcão. Como um estava ao lado do outro, os dois abaixaram a cabeça ao mesmo tempo. A mão direita de O'Mearah continuava segurando com a mão direita o revólver que o balconista guardava debaixo do balcão.

— Porra, está aqui! — disse Delevan num tom agitado. — Estou *vendo*!

Roland olhou de relance para o homem que chamavam de Johnny Gordo. Queria se certificar de que ele não criaria problemas. Mas Johnny estava imóvel, encostado na parede — na realidade *empurrando* o corpo para trás, como se quisesse empurrar a si mesmo através da parede. As mãos pendiam inertes ao lado do corpo e os olhos estavam arregalados em grandes Ahs de exclamação. Parecia um homem se perguntando por que seu horóscopo não o mandara tomar cuidado naquele dia.

Nenhum problema ali.

— *Sim!* — disse O'Mearah, exultante. Com as mãos nos joelhos, os dois espiavam embaixo do balcão. Agora a mão de O'Mearah deixava o joelho e se estendia para agarrar a carteira. — Estou vendo, es…

Roland deu um último passo para a frente. Agarrou a bochecha direita de Delevan com uma das mãos, a bochecha esquerda de O'Mearah com a outra e, de repente, um dia que Johnny Gordo Holden acreditava já ter sido terrível ficou *muito* pior. A assombração de terno azul bateu a cabeça dos policiais uma contra a outra com força suficiente para produzir o barulho de uma colisão de rochas enroladas em feltro.

Os policiais desabaram. O homem de óculos de aro dourado ficou em pé. Apontava para Johnny Gordo o Magnum .357. O tamanho do cano parecia suficiente para mandar um foguete à Lua.

— Não vamos ter mais nenhum problema, não é? — perguntou a assombração com sua voz letal.

— Não, senhor — disse de imediato Johnny Gordo —, absolutamente nenhum.

— Fique aí parado. Se o seu traseiro perder contato com essa parede, você vai perder contato com a vida que sempre conheceu. Está entendendo?

— Sim, senhor — disse Johnny Gordo —, entendi muito bem.

— Ótimo.

Roland empurrou os dois policiais para o lado. Continuavam vivos, o que era bom. Por mais molengas e desatentos que fossem, ainda eram pistoleiros, homens que haviam tentado ajudar um estranho em apuros. Não sentia qualquer ímpeto de liquidar seus pares.

Mas já fizera isso, não é? Sim. Alain, um de seus irmãos de armas, não tinha sido morto pelos revólveres fumegantes de Roland e Cuthbert?

Sem tirar os olhos do balconista, ele tateou embaixo do balcão com a ponta do mocassim Gucci de Jack Mort. Sentiu a carteira. Chutou-a. Ela saiu girando de baixo do balcão para o lado do balconista. Johnny Gordo deu um salto e soltou um grito estridente, como uma menininha vendo um camundongo. Seu traseiro de fato *perdeu* contato com a parede por um momento, mas o pistoleiro deixou passar. Não tinha intenção de meter uma bala naquele homem. Poderia no máximo usar a coronha do revólver para deixá-lo desacordado, não atirar nele. Até porque um revólver de tamanho tão absurdo provavelmente atrairia metade da vizinhança.

— Pegue a carteira — disse o pistoleiro. — Devagar.

Johnny Gordo estendeu a mão e, quando agarrou a carteira, soltou um peido alto e gritou. Sentindo vontade de rir, o pistoleiro percebeu que ele acabara de confundir o som daquele peido com um tiro e, por um segundo, achara que sua vez de morrer havia chegado.

Ao se levantar, Johnny Gordo estava tremendamente vermelho. Tinha uma grande mancha molhada na frente das calças.

— Coloque a bolsa no balcão. Quero dizer, a carteira.

Johnny Gordo obedeceu.

— Agora as balas. Winchester .45. E quero ver suas mãos a cada segundo.

— Vou precisar colocar uma das mãos no bolso. Para pegar a chave.

Roland concordou com um movimento de cabeça.

Enquanto Johnny Gordo destrancava e puxava a porta de correr do mostruário onde havia uma pilha de caixas de balas, Roland ficou um instante pensativo.

— Me dê quatro caixas — disse por fim. Achava difícil que fosse precisar de tantas balas, mas era impossível resistir à tentação de *possuí-las*.

Johnny Gordo colocou as caixas no balcão. Roland abriu uma delas, ainda incrédulo de que aquilo não fosse uma piada, uma tapeação. Mas eram balas, sem dúvida. Limpas, brilhantes, sem marcas, jamais usadas, jamais disparadas, jamais colocadas num tambor. Suspendeu uma contra a luz e tornou a colocá-la na caixa.

— Agora me dê um par desses aros para o pulso.

— Aros?

O pistoleiro consultou o arquivo Mort.

— Algemas.

— Não sei o que o senhor está querendo. A caixa registradora está...

— Faça o que eu digo. Agora.

Meu Deus, isto nunca *vai acabar*, pensou lamentoso Johnny Gordo. Depois de um segundo de reflexão, ele abriu outra seção do balcão e pegou um par de algemas.

— Chave? — Roland perguntou.

Johnny Gordo colocou a chave das algemas em cima do balcão, o que produziu um pequeno clique. Um dos policiais inconscientes fez um ruído ressonante e Johnny deixou escapar um pequeno grito.

— Vire-se — disse o pistoleiro.

— Não vai atirar em mim, não é? Você disse que não ia!

— E não vou — Roland confirmou num tom neutro. — Desde que se vire já. Se não fizer isso, vou atirar.

Johnny Gordo se virou e começou a chorar. Tudo bem, o sujeito tinha dito que não ia atirar, mas o cheiro de uma execução pela máfia estava forte demais para ser ignorado. Ele nem estava roubando tanto assim. O choro de Johnny se transformou em gemidos sufocados.

— Por favor, senhor, pelo bem da minha mãe, não atire em mim. Minha mãe é velha. Está cega. Foi…

— Amaldiçoada com um covarde como filho… — disse o pistoleiro num tom severo. — Junte os pulsos.

Choramingando, com a cueca molhada colada na virilha, Johnny Gordo obedeceu. Num segundo, os braceletes de aço estavam postos no lugar. Ele não fazia ideia de como a assombração conseguira pular ou contornar o balcão tão depressa. E nem *queria* saber.

— Fique aí olhando para a parede até eu lhe dizer que está tudo bem e que pode virar. Se virar antes disso, vou matá-lo.

A esperança tomou conta de Johnny Gordo. Talvez, afinal, o sujeito não pretendesse mesmo liquidá-lo. Talvez não fosse louco varrido, apenas insano.

— Não vou me virar. Juro por Deus. Juro diante de todos os Seus santos. Juro diante de todos os Seus anjos. Juro diante de todos os Seus arcanj…

— E *eu* juro que se você não calar a boca vou enfiar uma bala no seu pescoço — disse a assombração.

Johnny Gordo calou a boca. Tinha a sensação de estar havia uma eternidade encarando a parede. Na verdade, foram vinte segundos.

O pistoleiro se ajoelhou, colocou o revólver do balconista no chão, deu uma rápida olhada para se certificar de que o imbecil estava cooperando, depois ajeitou os dois policiais de costas. Ambos estavam completamente sem sentidos, mas não gravemente feridos, avaliou Roland. Os dois respiravam regularmente. Saía um filete de sangue do ouvido do que se chamava Delevan, mas era só.

Deu outra olhada rápida no balconista, depois desafivelou e soltou os cinturões dos pistoleiros. Tirou, então, o paletó azul de Mort para colocar os cinturões na cintura. Eram o tipo errado de arma, mas pareciam estar em ótimo estado de conservação. *Realmente* ótimo. Melhor do que teria acreditado.

Dois revólveres. Um para Eddie e um para Odetta... quando e se Odetta estivesse pronta para receber uma arma. Tornou a vestir o terno de Jack Mort, enfiou duas caixas de munição no bolso direito e duas no esquerdo. O terno, antes impecável, ficou completamente sem caimento. Pegou o Magnum .357 do balconista e colocou as balas no bolso da calça. Depois jogou a arma no chão. Quando ela bateu no assoalho, Johnny Gordo deu um salto, deixou escapar outro gritinho agudo e mais um pouco de líquido quente na calça.

O pistoleiro se levantou e mandou que Johnny Gordo se virasse.

10

Quando Johnny Gordo deu outra olhada no maluco de terno azul e óculos de aro dourado, ficou boquiaberto. Por um momento, experimentou uma esmagadora certeza de que o homem que entrara na sua loja se transformara num fantasma enquanto ele estava de costas. Johnny Gordo achou que podia ver através do homem uma figura muito mais real, um daqueles lendários pistoleiros que apareciam em filmes e programas de TV quando ele era criança: Wyatt Earp, Doc Holliday, Butch Cassidy, um desses caras.

Então sua visão clareou e ele percebeu o que o maluco tinha feito: tirara as armas dos policiais, incluindo os cinturões. De terno e gravata, o efeito deveria ter sido ridículo, mas por algum motivo não era.

— A chave das tiras do pulso está em cima do balcão. Os pistoleiros vão soltá-lo quando acordarem.

Ele pegou a carteira, abriu-a e, por incrível que pareça, colocou quatro notas de vinte dólares no vidro do balcão. Depois enfiou a carteira no bolso.

— Pela munição — disse Roland. — Tirei as balas do seu revólver. Pretendo jogá-las fora quando deixar a loja. Acho que, com um revólver descarregado e sem carteira, aqueles dois não vão conseguir acusá-lo de nenhum crime.

Johnny Gordo engoliu em seco. Foi uma das poucas vezes na vida em que ficou sem fala.

— Agora me diga onde posso encontrar uma... — pausa — ... farmácia?

Johnny Gordo compreendeu — ou achou que tinha compreendido. O sujeito era a porra de um viciado, é claro. Era essa a explicação. Não era de admirar que fosse tão estranho. Provavelmente estava chapado até a raiz dos cabelos.

— Há uma farmácia na esquina. A meia quadra daqui. Rua 49.

— Se estiver mentindo, vou voltar e meter uma bala no seu cérebro.

— Não estou mentindo! — gritou Johnny Gordo. — Juro diante de Deus-Pai! Juro diante de todos os Santos! Juro pela minha mãe...

Mas a porta já estava batendo. Johnny Gordo ficou um instante em absoluto silêncio, incapaz de acreditar que o maluco fora embora.

Então contornou o balcão o mais depressa que pôde e foi até a porta. Ficou de costas para ela e tateou até conseguir agarrar e trancar. Tateou mais um pouco até conseguir fechar também o ferrolho.

Só então se permitiu escorregar lentamente para uma posição sentada, arfando, gemendo e jurando em nome de Deus e de todos os Seus santos e anjos que iria a uma igreja, a de Santo Antônio, naquela mesma tarde, assim que um daqueles merdas acordasse e o tirasse das algemas. Iria se confessar, fazer sua penitência e comungar.

Johnny Gordo Holden queria acertar os ponteiros com Deus.

Aquela tinha passado perto demais.

11

O sol poente tornou-se um arco sobre o mar Ocidental. E foi se estreitando até se transformar numa linha brilhante que machucava os olhos de Eddie. Olhar demais para uma luz daquelas poderia provocar queimadura permanente nas retinas. Esse era apenas um dos interessantíssimos fatos que aprendera na escola, fatos que o ajudaram a conseguir um gratificante trabalho de meio expediente como o de barman e a desenvolver o interessante hobby em tempo integral de procurar bocas de venda de heroína e os dólares com os quais comprá-la. Eddie não parou de olhar para o sol. Não achava que ficar ou não de retina queimada fosse ter importância por muito tempo.

Não implorou à bruxa que estava lá atrás. Em primeiro lugar, porque seria inútil. Em segundo, implorar o degradaria por completo. Ele tivera uma vida degradante; descobria agora que não tinha vontade de se degradar ainda mais nos últimos minutos dela. Minutos era tudo que lhe sobrava.

Tudo que restava antes que a linha brilhante desaparecesse e o tempo das lagostrosidades chegasse.

Já desistira de que alguma milagrosa metamorfose trouxesse Odetta de volta no último minuto, assim como já desistira de que Detta reconhecesse que sua morte iria quase certamente prendê-la para sempre naquele mundo. Até quinze minutos antes, achara que ela estava blefando; agora sabia que não.

Bem, será melhor do que me estrangular aos poucos com essa corda, pensou ele, se bem que, após ver as hediondas coisas-lagostas noite após noite, não acreditasse de verdade nisso. Talvez conseguisse morrer sem gritar. Não achava que fosse possível, mas pretendia tentar.

— Elas tão vindo te pegar, puto! — guinchou Detta. — A qualqué instante vão tá chegando! Vai sê o melhor jantá da vida daquelas bonequinhas!

Não era um blefe. E Odetta não ia voltar... nem ela nem o pistoleiro. E de certa forma era o último que doía mais. Eddie tivera certeza de que ele e o pistoleiro tinham se tornado... pelo menos parceiros, se não irmãos... durante aquela jornada praia acima. Tivera certeza de que Roland faria pelo menos um *esforço* para não abandoná-lo.

Mas Roland não ia voltar.

Talvez o problema não seja que ele não queira vir. Talvez não possa *vir. Talvez já esteja morto, baleado por algum segurança numa farmácia — porra, que piada isso seria, o último pistoleiro do mundo morto por um segurança de farmácia... Ou pode ter sido atropelado por um táxi. Talvez esteja morto e a porta para sempre desaparecida. Talvez seja por isso que Detta não está blefando. Talvez já não haja nada sobre o que ela possa blefar.*

— Vão chegá a qualqué instante! — gritava Detta, e Eddie não precisou mais se preocupar com as retinas, porque aquela última réstia brilhante de luz desapareceu, deixando apenas um clarão.

Contemplando as ondas, enquanto a imagem do crepúsculo impressa em sua retina ia lentamente se apagando, Eddie esperou que a primeira lagostrosidade saísse desajeitada das ondas.

12

Eddie tentou virar a cabeça para evitar a primeira, mas foi lento demais. Ela tirou um pedaço de seu rosto com a garra, reduzindo o olho esquerdo a gelatina e expondo, no crepúsculo, a superfície brilhante do osso. Fazia suas perguntas, e a Mulher Realmente Má não parava de rir...

Pare com isso!, Roland ordenou a si mesmo. *Imaginar essas coisas não é apenas inútil; é uma distração. E isso não precisa acontecer. Talvez ainda haja tempo.*

E ainda havia — naquele momento. Enquanto Roland descia a passos largos a rua 49 no corpo de Jack Mort, braços balançando, olhos de atirador concentrados com firmeza na placa que indicava REMÉDIOS, indiferente aos olhares que atraía e ao modo como as pessoas se desviavam dele, o sol ainda resistia no mundo de Roland. A superfície mais baixa de seu disco ainda levaria uns quinze minutos para atingir o ponto onde mar e céu se tocavam. Se o tempo de agonia de Eddie fosse mesmo chegar, ainda estava um pouco à frente.

O pistoleiro, contudo, não sabia disso; ele sabia apenas que era mais tarde no seu mundo do que era no mundo onde se encontrava, e mesmo que *provavelmente* o sol ainda não tivesse se posto, a ideia de que o tempo corria na mesma velocidade nos dois mundos poderia ser fatal... especialmente para Eddie, que poderia sofrer aquela morte de inconcebível horror que sua mente insistia em tentar imaginar.

O impulso de olhar para trás, de ver o que acontecia era quase incontrolável. Mas ele não ousava. Não *podia*.

A voz de Cort interrompeu severamente o fluxo de seus pensamentos: *Controle as coisas que pode controlar, verme. Deixe o resto se foder e, se tiver de cair, caia atirando.*

Sim.

Mas era difícil.

Às vezes *muito* difícil.

Teria compreendido por que as pessoas o encaravam, e depois se esquivavam dele, se estivesse um pouco menos concentrado em concluir suas tarefas naquele mundo o mais depressa possível e sair correndo de lá. Compreender isso, no entanto, não teria mudado nada. Ele caminhava muito depressa para a placa azul, onde segundo o arquivo Mort poderia conseguir o tal Keflex de que seu corpo precisava. Caminhava tão depressa que o paletó de Mort esvoaçava atrás dele, apesar de todo o chumbo que pesava nos bolsos. Os cinturões amarrados na cintura estavam claramente visíveis. Ele não os usava como os antigos donos, colocados na cintura, mas como costumava usar seus próprios cinturões, baixos nos quadris e cruzados.

Para os pedestres, músicos e camelôs da rua 49, Roland lembrava exatamente o que tinha lembrado a Johnny Gordo: um bandido de faroeste.

Roland alcançou a Farmácia Katz e entrou.

13

Em sua época, o pistoleiro conhecera mágicos, feiticeiros e alquimistas. Alguns eram hábeis charlatães, outros impostores imbecis que só conseguiam enganar pessoas ainda mais imbecis do que eles (mas como nunca tinham faltado tolos no mundo, mesmo os impostores imbecis sobreviviam; a maioria, inclusive, prosperava). Ao lado desses havia um pequeno número de pessoas realmente capaz de fazer aquelas coisas sombrias que os homens sussurravam — esses poucos eram capazes de convocar demônios e mortos, matar rogando uma praga ou curar com estranhas poções. Um desses homens fora uma criatura que o pistoleiro acreditava ser um demônio, uma criatura que fingia ser um homem e que chamava a si mesmo de Flagg. O pistoleiro o vira apenas brevemente e já perto do fim, quando o caos e o colapso final se aproximavam de sua terra. Logo atrás dele vinham dois rapazes que tinham uma expressão sinistra e desesperada, Dennis e Thomas. Os três não tinham atravessado mais do que uma minúscula parte de um tempo confuso e desorientador na vida do pistoleiro, mas ele jamais esqueceu de ter visto Flagg transformar um homem que o irritara num cachorro uivante. Lembrava-se muito bem disso. E então houvera o homem de preto.

E tinha havido Marten.

Marten que seduzira sua mãe enquanto o pai estava longe, Marten que tentara provocar a morte de Roland mas que, em vez disso, acabara provocando a chegada prematura de sua maturidade, Marten que, ele suspeitava, talvez tornasse a encontrar antes de alcançar a Torre... ou dentro dela.

Isto é só para dizer que a experiência de Roland com mágicos e magia o levara a esperar algo bem diferente do que aquilo que encontrou na Farmácia Katz.

Imaginara uma sala na penumbra da luz de velas, cheia de fumaças com cheiro acre, filtros, frascos com líquidos e pós desconhecidos, muitos cobertos com uma grossa camada de poeira ou rodeados de seculares teias de aranha. Esperava um homem de capuz, um homem que poderia ser perigoso. Ao ver, através dos janelões de vidro transparente, pessoas andando do lado de dentro, pessoas agindo da mesma maneira que em uma loja qualquer, acreditou que só podia estar vivendo alguma ilusão.

Não estava.

E então, por um momento, ficou parado na porta, primeiro espantado, depois achando tudo ironicamente divertido. Ali estava ele num mundo que o deixava atônito com novas maravilhas quase a cada passo, um mundo onde carruagens voavam pelos céus e o papel parecia ser barato como areia. E o mais recente prodígio era simplesmente que, para aquelas pessoas lá dentro, nada mais era prodigioso: ali, num lugar de milagres, via apenas rostos apáticos e corpos se movendo devagar.

Havia milhares de garrafas, havia poções, havia encantos, mas o arquivo Mort identificou a maioria como charlatanice. Aqui uma loção que deveria eliminar a queda de cabelos, mas não eliminava, ali um creme que prometia tirar manchas desagradáveis das mãos e dos braços, mas mentia, mais adiante promessas de cura para coisas que não precisavam ser curadas, coisas para fazer os intestinos funcionarem ou pararem de funcionar, para deixar os dentes brancos e o cabelo preto, ou para melhorar o hálito (como se isso, por exemplo, não pudesse ser conseguido com a pessoa mascando casca de amieiro). Nenhuma magia ali; apenas trivialidades — embora *houvesse* asmina e alguns outros remédios que talvez pudessem ser úteis. Mas, em sua maioria, Roland ficou chocado com o lugar. Num lugar que prometia alquimia, mas lidava mais com perfumaria do que com poções, era de admirar que ninguém mais ficasse admirado?

Contudo, quando tornou a consultar o arquivo Mort, descobriu que a verdade daquele lugar não estava apenas nas coisas para as quais olhava. As poções que realmente funcionavam eram mantidas fora de vista. Só era possível obtê-las se você tivesse a ordem de um feiticeiro. Naquele mundo, tais feiticeiros eram chamados de MÉDIKOS e rabiscavam suas fórmulas mágicas em folhas de papel que o arquivo Mort denominava RÉCITAS. O pistoleiro não conhecia a palavra. Talvez pudesse ter aprofundado a consulta sobre o assunto, mas não se deu ao trabalho. Sabia do que precisava e um rápido olhar no arquivo Mort lhe disse em que ponto da loja ele poderia obter o remédio.

Seguiu a passos largos por um dos corredores em direção a um balcão com as palavras MEDICAMENTOS COM RECEITA escritas em cima.

14

O Katz que tinha aberto a Farmácia Katz's & Mercearia (Aviamentos de Receitas e Artigos Diversos para Senhoras e Cavalheiros) na rua 49, em 1927, já morrera havia muito tempo, e seu único filho também parecia pronto para também bater as botas. Embora não tivesse mais de quarenta e seis anos, parecia vinte anos mais velho. Estava cada vez mais calvo, de pele descorada e fraco. Sabia que as pessoas diziam que ele parecia a imagem da morte, mas ninguém entendia *por quê.*

Escute por exemplo essa conversa ao telefone. A sra. Rathbun. Garantindo que iria processá-lo se ele não mandasse seu maldito Valium naquele instante, EXATAMENTE NAQUELE INSTANTE.

O que está pensando, madame? Acha que posso despejar os comprimidos pelo telefone? Se pudesse fazer isto, a cliente pelo menos faria o favor de parar de falar, pois teria de encostar o fone na boca e abri-la completamente para receber o remédio.

O pensamento o fez sorrir de maneira sinistra, revelando a dentadura amarelada.

— Não está entendendo, sra. Rathbun — ele a interrompeu, depois de ter ouvido um minuto de sua ladainha (um minuto inteiro, contado com o preciso ponteiro de segundos do relógio). Gostaria de, pelo menos uma vez, poder dizer: *Pare de gritar comigo, sua velha maldita! Vá gritar com o seu MÉDICO! Foi ele que a deixou viciada nessa merda!* Certo. Os charlatões receitavam calmantes como se fossem chiclete e quando resolviam cortar o suprimento, quem se fodia? Os médicos? Ah não! Era *ele*!

— O que está querendo dizer quando diz que eu não entendo? — A voz em seu ouvido era como uma vespa irada zumbindo numa jarra. — Entendo que já comprei *muita coisa* na sua farmácia de segunda, entendo que tenho sido uma *freguesa* leal todos esses anos, entendo...

— A senhora vai ter de falar com... — deu uma olhada na ficha da arara com os óculos para perto — ... o dr. Brumhall, sra. Rathbun. A sua receita está vencida. É crime federal fornecer Valium sem receita. — *E também, ele pensou, deveria ser crime federal receitar o Valium... a não ser que você dê ao paciente o seu número de telefone pessoal.*

— *Ele esqueceu!* — gritou a mulher. Agora havia um áspero timbre de pânico em sua voz. Eddie teria reconhecido aquele tom de imediato: era o grito do passarinho do vício.

— Então telefone e peça para ele completar a receita — disse Katz. — Ele tem o meu número. — Sim. Todos tinham o seu número. Esse era justamente o problema. Ele parecia um moribundo aos quarenta e seis anos por causa dos malditos médicos.

E tudo que tenho a fazer para garantir que a última fina beirada de lucro que, de alguma forma, consigo tirar deste lugar desapareça por completo é mandar que algumas dessas viciadas filhas da puta se fodam. Basta isso.

— *NÃO POSSO TELEFONAR PARA ELE!* — gritou a mulher. A voz perfurou dolorosamente o ouvido de Katz. — *ELE ESTÁ DE FÉRIAS COM O VEADO DO NAMORADO E NINGUÉM ME DIZ PARA ONDE ELES FORAM!*

Katz sentiu um ácido se destilar no estômago. Tinha duas úlceras, uma tratada, a outra sangrando, e mulheres como aquela escrota eram o motivo disso. Fechou os olhos. Por isso não viu seu atendente arregalar os olhos para o homem de terno azul e óculos de aro dourado que se aproximava do balcão de medicamentos, nem viu Ralph, o gordo e velho segurança (Katz pagava uma miséria ao sujeito, mas mesmo assim detestava precisar da despesa; o *pai* nunca havia precisado de um segurança, mas o *pai*, que Deus o amaldiçoasse, vivera numa época em que Nova York era uma cidade e não um monte de merda), de repente sair de sua habitual apatia e estender a mão para o revólver na cintura. Ouviu uma mulher gritar, mas achou que fosse porque ela havia acabado de descobrir que toda a linha Revlon estava em promoção — fora *forçado* a pôr o Revlon em promoção porque o babaca do Dollentz no alto da rua estava baixando os preços.

Quando o pistoleiro se aproximou como mensageiro do destino, Katz se concentrava no Dollentz e na escrota ao telefone, imaginando como seria maravilhoso ver os dois nus, cobertos de mel e deitados sobre formigueiros no abrasador sol do deserto. Um formigueiro para ELE e outro para ELA, perfeito. Estava pensando que isso era o pior que uma pessoa poderia conceber, o pior em termos absolutos. Seu pai estivera tão determinado a fazer com que o filho único seguisse sua profissão que se recusara a pagar por qualquer coisa além de um diploma de farmacêutico, e assim ele seguira as pegadas do pai, que Deus o amaldiçoasse, pois aquele era certamente o momento mais baixo numa vida cheia de momentos baixos, uma vida que o envelhecera antes do tempo.

Aquilo era o absoluto fundo do poço.

Ou assim ele imaginou com os olhos fechados.

— Se vier até aqui, sra. Rathbun, posso lhe dar uma dúzia de Valiuns de cinco miligramas. Está bem assim?

— O homem recuperou a razão! Obrigado, Deus, o homem recuperou a razão! — E desligou. Exatamente assim. Sem uma palavra de agradecimento. Mas quando encontrasse o merda ambulante que se autodenominava médico, iria polir os bicos de seus mocassins Gucci com a língua, iria lhe pagar um boquete, iria…

— Sr. Katz — chamou o atendente num tom que parecia estranhamente sem fôlego. — Acho que temos um probl…

Houve outro grito. Que foi seguido pelo estampido de um revólver. Isso o assustou de tal forma que, por um momento, ele achou que seu coração fosse produzir algum estalo monstruoso no peito e depois parar de vez.

Quando abriu os olhos, deu de frente com os olhos do pistoleiro. Katz abaixou a cabeça e viu o revólver no punho do homem. Olhou para a esquerda e viu Ralph, o guarda, segurando uma das mãos e encarando o ladrão com olhos que pareciam estar saltando do seu rosto. O revólver de Ralph, o .38 que carregara dedicadamente durante dezoito anos como policial (e com o qual só atirara durante o treino de tiro, no subsolo da 23ª delegacia, embora afirmasse que o havia sacado duas vezes em serviço… mas quem saberia?), era agora um destroço jogado no canto.

— Quero Keflex — disse o homem com os olhos de atirador com ar neutro. — Quero muitos. Agora. E não importa a RÉCITA.

Por um momento, Katz só conseguiu ficar de boca aberta olhando para o homem, o coração se debatendo no peito, uma nauseante panela fervente de acidez no estômago.

Ele achara que havia atingido o fundo do poço?

Realmente achara isso?

15

— Não está entendendo — Katz conseguiu finalmente dizer. Sua voz pareceu estranha a ele próprio e isso fazia todo o sentido, já que sua boca parecia ter se transformado numa camisa de flanela e sua língua num floco de algodão. — Não *tem* cocaína aqui. Essa droga não é receitada em nenhuma cir...

— Eu não disse cocaína — falou o homem de terno azul e óculos de aro dourado. — Eu disse Keflex.

Bom, mas foi isso que achei *que você tinha dito*, Katz quase falou para aquele maluco, mas acabou achando que isso poderia provocá-lo. Já tinha ouvido falar de farmácias sendo assaltadas por causa de anfetaminas, barbitúricos e uma meia dúzia de outras coisas (incluindo o precioso Valium da sra. Rathbun), mas achava que aquele devia ser o primeiro roubo de penicilina da história.

A voz de seu pai (que Deus amaldiçoasse o velho pilantra) mandou que parasse de engolir em seco e tremer e tomasse uma atitude.

Mas não conseguia pensar em nada para fazer.

O homem armado sugeriu algo para que ele fizesse.

— Ande — disse o homem com o revólver. — Estou com pressa.

— Q-quantos você quer? — perguntou Katz. Seus olhos passaram um instante sobre o ombro do ladrão e viram algo em que mal puderam acreditar. Não *naquela* cidade. Mas ainda assim parecia estar mesmo acontecendo. Sorte? Katz seria capaz de ter alguma sorte de verdade? Do tipo que pudesse figurar no Guinness?

— Não sei — disse o homem com o revólver. — Tantos quanto puder colocar numa sacola. Uma sacola grande. — E sem absolutamente qualquer aviso, deu meia-volta e o revólver em sua mão tornou a disparar. Um homem gritou. Uma placa de vidro voou para a calçada e para o meio da rua numa centelha de cacos e lascas. Vários pedestres que por ali passavam tiveram cortes, mas nada sério. No interior da farmácia de Katz, mulheres (e não poucos homens) gritaram. O alarme antirroubo começou a emitir seu próprio ruído. Os fregueses, em pânico, iam saindo em disparada pela porta. O homem armado tornou a se virar para Katz e sua expressão não sofrera a menor alteração: o rosto exibia o mesmo ar de assustadora (mas não inesgotável) paciência que o acompanhara desde a chegada. — Faça logo o que estou pedindo. Estou com pressa.

Katz engoliu em seco.

— Sim, senhor — disse ele.

16

O pistoleiro tinha visto e admirado o espelho curvo no alto do canto esquerdo da loja enquanto estava a caminho do balcão atrás do qual eram guardadas as poções poderosas. A criação de um espelho assim curvado estava além da capacidade de qualquer artesão em seu próprio mundo, embora mesmo lá tenha havido um tempo em que tais coisas — e muitas das que via no mundo de Eddie e Odetta — poderiam ter sido feitas. Ele tinha visto os restos de algumas no túnel sob as montanhas, e também as vira em outros lugares... relíquias tão antigas e misteriosas quanto as pedras *druites* que às vezes eram encontradas nos pontos onde surgiam os demônios.

Também compreendeu a finalidade do espelho.

Demorara um pouco para ver o movimento do segurança (ainda estava descobrindo como as lentes que Mort usava restringiam desastrosamente sua visão periférica), mas ainda teve tempo de se virar e atirar, arrancando o revólver da mão dele. Um tiro que para Roland era mera rotina, embora tivesse sido obrigado a acelerar um pouco o movimento do dedo. O segurança, contudo, tinha uma opinião diferente. Ralph Lennox iria jurar até o fim de seus dias que o sujeito dera um tiro impossível... só comparável, talvez, aos daqueles velhos faroestes de seu tempo de garoto, como Annie Oakley.

Foi também graças ao espelho, obviamente colocado onde estava para detectar ladrões, que Roland pôde lidar mais rapidamente com o outro homem.

Ele vira os olhos do alquimista olharem de relance por cima do seu ombro, e a atenção do pistoleiro se voltara de imediato para o espelho. Foi lá que viu um homem de jaqueta de couro subindo o corredor central por trás dele. Tinha uma faca comprida na mão e, sem dúvida, visões de glória na cabeça.

O pistoleiro se virou e deu um único tiro, logo abaixando a mão com o revólver para o quadril, consciente de que poderia ter errado aquele primeiro tiro por não estar familiarizado com a arma, mas não querendo ferir os fregueses parados atrás do pretenso herói. Melhor atirar a segunda vez da altura do quadril, acertando de um ângulo que protegeria os presentes, do que se arriscar a matar alguma senhora cujo único crime tivesse sido escolher o dia errado para comprar perfume.

O revólver estava bem cuidado. A pontaria foi certeira. Lembrando os olhares imprecisos, mal treinados dos pistoleiros de quem tomara aqueles revólveres, achou que os dois cuidavam melhor das armas que usavam do que das armas que eles próprios *eram*. Parecia uma maneira estranha de agir, mas aquele certamente era um mundo estranho e Roland não era capaz de julgar; não tinha *tempo* para julgar, a verdade era essa.

O tiro foi bom, acertando a faca do homem na base da lâmina, deixando apenas o cabo em sua mão.

Roland encarou calmamente o homem de jaqueta de couro e algo em seu olhar deve ter feito o candidato a herói se lembrar de algum importante encontro marcado fora dali, pois o homem deu meia-volta, deixou cair o que sobrara da faca e se mandou junto dos outros.

Roland tornou a se virar para o alquimista e deu suas ordens. Mais gracinhas e o sangue iria correr. Quando o alquimista virou as costas, Roland bateu-lhe no ombro ossudo com o cano do revólver. O homem deixou escapar um som estrangulado — *Iiii*! — e tornou de imediato a ficar de frente.

— Não você. Você fica aqui. Deixe seu aprendiz fazer isso.

— Q-Quem?

— Ele. — O pistoleiro gesticulou com impaciência para o ajudante.

— O que devo fazer, sr. Katz? — Os restos da acne adolescente do balconista se destacavam intensamente no rosto branco.

— Faça o que ele está dizendo, sua anta! Pegue o remédio! Keflex!

O ajudante foi até uma das prateleiras atrás do balcão e pegou um vidro.

— Vire para que eu possa ver as palavras escritas aí — disse o pistoleiro. O rapaz obedeceu. Roland não *conseguiu* ler; muitas letras não faziam parte de seu alfabeto. Consultou o arquivo Mort. Keflex, Mort confirmou, e Roland percebeu que aquela checagem fora uma estúpida perda de tempo. *Ele* sabia que não podia ler tudo naquele mundo, mas aqueles homens não.

— Quantas pílulas nesse frasco?

— Bem, na realidade são cápsulas — disse nervoso o ajudante. — Se está interessado em penicilina em forma de pílula comum, há...

— Esqueça isso. Quantas doses?

— Ah. Hum... — Agitado, o ajudante leu o que estava no frasco e quase o deixou cair. — Duzentas.

Roland teve a mesma sensação que experimentara na loja de armas, ao descobrir quanta munição podia ser comprada naquele mundo por uma soma trivial de dinheiro. Havia nove amostras grátis de Keflex no compartimento secreto do armário do banheiro de Enrico Balazar, trinta e seis doses ao todo e isso havia bastado para que se sentisse bem. Se não conseguisse liquidar a infecção com *duzentas* doses, nada iria acabar com ela.

— Me dê isso — disse o homem de terno azul.

O ajudante passou-lhe o vidro.

O pistoleiro puxou a manga do paletó, revelando o Rolex de Jack Mort.

— Não tenho dinheiro, mas isto pode servir como uma compensação adequada. Pelo menos é o que espero.

Ele se virou, acenou com a cabeça para o segurança, que continuava sentado no chão ao lado de seu banco derrubado e fitando o pistoleiro com olhos arregalados. Depois saiu.

Simples assim.

Durante cinco segundos, o único ruído na farmácia foi o zumbido do alarme, suficientemente alto para abafar até mesmo o vozerio das pessoas na rua.

— Meu Deus do céu, sr. Katz, o que fazemos agora? — sussurrou o ajudante.

Katz levantou o relógio e avaliou seu peso.

Ouro. Ouro maciço.

Não conseguia acreditar.

Ele *precisava* acreditar.

Algum maluco entrara lá, atirara no revólver do seu segurança e numa faca da mão de outro homem, tudo para obter o mais improvável remédio que se poderia imaginar.

Keflex.

Talvez Keflex no valor de uns sessenta dólares.

E havia pagado com um Rolex no valor de seis mil e quinhentos dólares.

— Fazer? — perguntou Katz. — *Fazer*? A primeira coisa que você vai fazer é colocar esse relógio embaixo do balcão. Você nunca o viu. — Olhou para Ralph. — Nem você.

— Não, senhor — concordou Ralph de imediato. — Desde que eu ganhe minha parte quando ele for vendido, nunca vi esse relógio.

— Vão acabar com esse homem lá fora — disse Katz com inconfundível satisfação.

— *Keflex*! E o sujeito nem parecia estar *fungando* — disse o ajudante com ar de espanto.

4. A ESCOLHA

1

Enquanto a parte de baixo do arco do sol tocava no mar Ocidental do mundo de Roland, projetando um belo fogo dourado através da água até onde Eddie jazia amarrado como um peru, os policiais O'Mearah e Delevan voltavam a si atordoados no mundo do qual Eddie fora tirado.

— Me tirem dessas algemas, pode ser? — pediu Johnny Gordo num tom humilde.

— Para onde ele foi? — perguntou O'Mearah rouco, a mão tateando pelo coldre. Não estava lá. Coldre, cinturão, balas, revólver. *Revólver*.

Ah, merda.

Começou a pensar nas perguntas que lhe podiam fazer os filhos da puta do Departamento de Assuntos Internos, caras que tinham aprendido tudo que sabiam sobre trabalhar nas ruas de Jack Webb, no seriado *Dragnet*, e o valor monetário do revólver perdido de repente se tornou tão importante quanto a população da Irlanda ou os principais depósitos minerais do Peru. Olhou para Carl e viu que Carl também estava sem a sua arma.

Ah meu Jesus, bancamos os palhaços, pensou O'Mearah miseravelmente, e quando Johnny Gordo tornou a perguntar se podia pegar a chave que estava em cima do balcão e abrir as algemas, O'Mearah disse:

— Eu deveria... — Fez uma pausa porque estivera prestes a dizer *Eu deveria meter um tiro em você*, mas seria meio difícil atirar em Johnny Gordo, não é? Os outros revólveres estavam acorrentados no mostruário e o maluco de óculos com aros dourados, o maluco que era tão parecido com um cidadão respeitável, havia enganado a ele e a Carl tão facilmente quanto O'Mearah poderia tirar uma espingarda de ar comprimido das mãos de um garoto.

Em vez de terminar a frase, pegou a chave e abriu as algemas. Viu então, num canto, o Magnum .357 que Roland tinha chutado e foi lá pegar. Como não podia mais colocá-lo no coldre, enfiou-o no cinto.

— Ei, isso é meu! — balbuciou Johnny Gordo.

— É? Quer de volta? — O'Mearah precisou falar devagar. A cabeça estava realmente doendo. Naquele momento tudo que queria era encontrar o sr. Óculos-com-Aro-Dourado e pregá-lo na primeira parede que encontrasse. Com pregos cegos. — Ouvi dizer que gostam de gordinhos como você na prisão, Johnny. Eles têm um ditado: "Quanto maior a almofada, melhor a entrada". Tem *certeza* de que vai querer de volta?

Johnny Gordo se virou sem uma palavra, mas não antes de O'Mearah ver as lágrimas acumuladas em seus olhos e a mancha molhada na calça. Não sentiu pena.

— Onde está ele? — perguntou Carl Delevan num sussurro.

— Foi embora — disse Johnny Gordo com ar sombrio. — É tudo o que eu sei. Foi embora. Achei que ele fosse me matar.

Delevan se levantou com cuidado. Sentiu uma umidade pegajosa na lateral do rosto e deu uma olhada nos dedos. Sangue. Merda. Tateou pelo revólver e continuou tateando, tateando e esperando achá-lo bem depois de os dedos terem lhe garantido que a arma e o coldre não estavam mais lá. O'Mearah tinha apenas uma dor de cabeça; Delevan tinha a impressão de que alguém havia usado o interior de seu cérebro como campo de testes de armas nucleares.

— O cara pegou o meu revólver — disse ele a O'Mearah. Sua voz estava tão rouca que era quase impossível discernir as palavras.

— Bem-vindo ao clube.

— Ele ainda está aqui? — Inclinando para a esquerda, como se estivesse andando no convés de um navio em mar revolto, Delevan deu um passo para O'Mearah, e em seguida conseguiu se endireitar.

— Não.

— Há quanto tempo ele saiu? — Delevan olhou para Johnny Gordo, que não respondeu, talvez porque Johnny, que estava de costas, tenha achado que Delevan ainda estava falando com o parceiro. Delevan, que não era exatamente um homem de temperamento calmo e conduta contida, mesmo na melhor das circunstâncias, começou a gritar com Johnny, embora isso lhe desse a sensação de que a cabeça racharia em mil pedaços: *Eu te fiz uma pergunta, seu gordo escroto! Há quanto tempo esse filho da puta saiu?*

— Talvez cinco minutos — disse Johnny Gordo num tom apático.

— Pegou as caixas de balas e os revólveres de vocês. — Fez uma pausa. — Pagou pela munição. Nem acreditei.

Cinco minutos, pensou Delevan. O sujeito havia chegado num táxi. Sentados no carro-patrulha e tomando café, eles o tinham visto saltar. Estava quase na hora do rush. Era difícil achar um táxi naquela hora. *Talvez...*

— Vamos — disse ele a George O'Mearah. — Ainda temos uma chance de capturá-lo. Vamos pegar um revólver desta birosca aqui...

O'Mearah exibiu o Magnum. A princípio Delevan viu dois deles, depois a imagem lentamente se reuniu.

— Ótimo. — Delevan estava voltando a si, não de imediato, mas estava chegando lá, como um lutador que tivesse levado uma tremenda direta no queixo. — Fique com ele. Vou usar a espingarda que está embaixo do painel do carro. — Começou a se dirigir para a porta e dessa vez fez mais do que oscilar; perdeu o equilíbrio e precisou se agarrar na parede para não cair.

— Está se sentindo bem? — perguntou O'Mearah.

— Vou estar se conseguirmos pegá-lo — disse Delevan.

Saíram. A partida deles não deixou Johnny Gordo tão satisfeito quanto a partida da assombração de terno azul, mas quase. Quase.

2

Delevan e O'Mearah nem tiveram de discutir que direção o elemento poderia ter tomado ao deixar a loja de armas. Tudo que precisaram fazer foi ouvir o plantonista do rádio.

— Código 19 — ele não parava de repetir. — Roubo em andamento, troca de tiros. Código 19, Código 19. A localização é rua 49 Oeste, 395, Farmácia Katz, o autor é alto, loiro, terno azul...

Troca de tiros, pensou Delevan, a cabeça doendo mais do que nunca. *Será que os tiros saíram do revólver de George ou do meu? Ou de ambos. Se aquele infeliz matou alguém, estamos fodidos. A não ser que o peguemos.*

— Acelera — disse concisamente a O'Mearah, que não precisou ouvir aquilo duas vezes. Compreendia a situação tão bem quanto Delevan. Acendeu as luzes, ligou a sirene e arremeteu para o tráfego. Já estava meio engarrafado, pois era início da hora do rush e O'Mearah acabou conduzindo a viatura com duas rodas sobre a calçada, fazendo os pedestres se dispersarem como aves. Bateu no para-lama traseiro de um caminhão de verduras que se dirigia para a 49. Viu à sua frente cacos de vidro cintilando na calçada. Os dois escutaram o zumbido estridente do alarme. Os pedestres procuravam se abrigar em fachadas e atrás de pilhas de lixo, enquanto os moradores dos prédios próximos olhavam avidamente das janelas, como se aquilo fosse um programa de TV particularmente bom ou um filme que a pessoa não precisasse pagar para ver.

A quadra estava esvaziada do tráfego de carros particulares; táxis e vans também haviam sido desviados.

— Só espero que ele ainda esteja lá — disse Delevan, usando uma chave para destrancar as curtas barras de aço que atravessavam a coronha e o cano da volumosa espingarda sob o painel do carro. Ele a puxou das braçadeiras. — Só espero que aquele desgraçado filho da puta ainda esteja lá.

O que nenhum dos dois compreendia era que, quando se estava lidando com o pistoleiro, o melhor a se fazer era simplesmente ir embora e se conformar.

3

Quando Roland saiu da Farmácia Katz, o grande frasco de Keflex tinha se juntado aos cartuchos de munição no bolso do paletó de Jack Mort. Levava o .38 de Carl Delevan na mão direita. Era uma sensação incrível poder segurar um revólver com a mão direita inteira.

Ouviu a sirene e viu o carro vindo a toda rua abaixo. *Eles*, pensou. Começou a erguer o revólver e então se lembrou: eram pistoleiros. Pistoleiros cumprindo seu dever. Virou-se e voltou para a loja do alquimista.

Não se mexa, filho da puta! — gritou Delevan. Os olhos de Roland foram em direção ao espelho convexo a tempo de ver um dos pistoleiros (aquele cuja orelha havia sangrado) se debruçando na janela com um rifle de cano curto. Quando seu parceiro parou a carruagem com um guincho de freios que fez as rodas de borracha soltarem fumaça na calçada, ele enfiou uma bala no tambor.

Roland se jogou no chão.

4

Katz não precisou de nenhum espelho para ver o que iria acontecer. Primeiro o cara maluco, agora os policiais malucos. *Ai, que dia.*

— Abaixem-se! — gritou para seu ajudante e para Ralph, o segurança, e caiu de joelhos atrás do balcão sem esperar para ver se eles iriam fazer o mesmo ou não.

Então, uma fração de segundo antes de Delevan engatilhar a espingarda, o ajudante caiu em cima dele como um ávido centroavante driblando o zagueiro na grande área, impelindo a cabeça de Katz contra o chão e quebrando seu queixo em dois lugares.

Por entre a dor que irrompeu subitamente em sua cabeça, Katz ouviu o estampido da espingarda, ouviu o vidro que sobrava na vitrine se estilhaçar — juntamente com frascos de loção de barba, água de colônia, perfume, solução bucal, xarope contra tosse, Deus sabe o que mais. Mil odores conflitantes brotaram, criando um fedor infernal. Antes que ele desmaiasse, Katz pediu novamente que Deus amaldiçoasse o seu pai como castigo por ter acorrentado aquela maldita farmácia ao tornozelo do próprio filho.

5

Roland viu frascos e caixas voarem no furacão provocado pelo tiro. Uma caixa de vidro contendo cronômetros se desintegrou. A maior parte dos relógios dentro também. Os pedaços voaram para cima numa nuvem faiscante.

Eles não têm como saber se ainda há gente inocente aqui ou não, pensou ele. *Não têm como saber e mesmo assim usam um rifle com carga de fragmentação!*

Era imperdoável. Sentiu raiva e reprimiu-a. Eles eram pistoleiros. Melhor acreditar que seus cérebros estavam sofrendo as sequelas das pancadas na cabeça que tinham levado. Melhor isso do que achar que estavam fazendo uma coisa daquelas conscientemente, sem o menor cuidado com quem poderiam ferir ou matar.

Provavelmente estavam esperando que ele corresse ou atirasse.

Em vez disso, Roland rastejou para a frente, mantendo o corpo baixo. Cortou as mãos e os joelhos em cacos de vidro e a dor trouxe Jack Mort de volta à consciência. Achava ótimo Mort estar de volta. Iria precisar dele. Quanto às mãos e os joelhos de Mort, isso não importava. Ele podia suportar facilmente a dor e os ferimentos estavam sendo infligidos ao corpo de um monstro que merecia.

Atingiu a área que ficava abaixo do que restava da vitrine de vidro. Estava à direita da porta. Ficou ali ajoelhado, o corpo encolhido. Colocou no coldre o revólver que trazia na mão direita.

Não precisaria dele.

6

— *O que você está fazendo, Carl?* — gritou O'Mearah. Em sua cabeça surgiu uma manchete do Daily News: POLICIAIS MATAM 4 EM TIROTEIO EM FARMÁCIA DO WEST SIDE.

Delevan ignorou-o e enfiou outra bala na espingarda.

— Vamos pegar esse merda.

7

Aconteceu exatamente como o pistoleiro achou que iria acontecer.

Furiosos por terem sido facilmente enganados e desarmados por um homem que não parecia ser mais perigoso do que qualquer outra pessoa ordinária das ruas daquela cidade que não parecia ter limites, ainda grogues devido à pancada na cabeça, os policiais entraram correndo, incluindo o idiota que atirara primeiro com o rifle. Os dois correram ligeiramente curvados, como soldados atacando uma posição inimiga, mas essa foi a única concessão que fizeram à ideia de que o adversário ainda poderia estar lá dentro. Em suas mentes, ele já tinha saído pelos fundos e estaria agora fugindo por algum beco.

Atravessaram a calçada cheia de estilhaços de vidro e, quando o policial Carl Delevan abriu a porta, agora sem vidraça, e começou a avançar loja adentro com o rifle com carga de fragmentação, o pistoleiro se levantou com as mãos unidas num único punho e deu um golpe em sua nuca.

Ao testemunhar diante do comitê de investigação, Delevan alegaria não se lembrar de absolutamente nada após se ajoelhar no Clements e ver a carteira do mau elemento embaixo do balcão. Os membros do comitê, naquelas circunstâncias, acharam tal amnésia extremamente conveniente, e Delevan teve sorte de sair de lá com apenas sessenta dias de suspensão não remunerada. Roland, contudo, teria acreditado e, sob outras circunstâncias (se, por exemplo, o tolo não tivesse descarregado um rifle de fragmentação numa loja que poderia estar cheia de pessoas inocentes), teria até tido empatia. Quando você tem o crânio golpeado duas vezes em meia hora, uma certa desordem cerebral é normal.

Quando Delevan caiu, parecendo, de uma hora para outra, quase que um saco de aveia, Roland tirou o rifle de suas mãos, agora frouxas.

— Pare! — gritou O'Mearah. Na voz, uma mistura de raiva e desânimo. Estava começando a erguer o Magnum de Johnny Gordo, mas foi como Roland suspeitara: os pistoleiros daquele mundo eram lastimavelmente vagarosos. Ele poderia ter acertado três vezes em O'Mearah, mas não houve necessidade. Limitou-se a sacudir a espingarda num arco vigoroso e ascendente. Houve um baque seco quando a coronha se conectou com o lado esquerdo do rosto de O'Mearah, como o som de um bastão de beisebol chocando-se contra toda a energia de um lançador. Na mesma hora, o rosto inteiro de O'Mearah, da bochecha para baixo, deslocou-se cinco centímetros para a direita. Seriam necessárias três cirurgias e quatro próteses de aço para consertá-la. Ele ficou um instante parado, incrédulo, e então os olhos giraram até ficar brancos. Quando os joelhos perderam a força, ele desabou.

Roland parou na porta, alheio à aproximação das sirenes. Abriu o rifle, soltou o mecanismo de trave e ejetou todos os grossos cartuchos vermelhos, que caíram sobre o corpo de Delevan. Feito isto, jogou a própria arma sobre Delevan.

— Você é um tolo perigoso que deveria ser mandado para o Oeste — disse ao homem inconsciente. — Esqueceu o rosto de seu pai.

Passou por cima do corpo e rumou para a carruagem dos pistoleiros, que continuava ali parada. Entrou pela porta do lado oposto à calçada e sentou-se atrás do volante.

8

Sabe conduzir esta carruagem?, perguntou à coisa desesperada, desarticulada que era Jack Mort.

Não obteve uma resposta coerente; Mort apenas continuou gritando. O pistoleiro identificou aquilo como histeria, mas uma histeria que não era de todo genuína. Jack Mort estava tendo ataques histéricos de propósito, como uma maneira de evitar qualquer conversa com aquele estranho sequestrador.

Escute, disse-lhe o pistoleiro. *Só tenho tempo para dizer isto — ou qualquer outra coisa — uma vez. Meu tempo ficou muito curto. Se não responder à minha pergunta, vou colocar seu polegar direito em seu olho direito. Vou enfiar o mais fundo que conseguir e depois vou tirar sua órbita ocular da cabeça e amassá-la no banco desta carruagem como um inseto. Posso continuar perfeitamente com um único olho. E, afinal, não vou sentir como se o olho fosse meu.*

Seria tão impossível estar mentindo para Mort quanto para Mort mentira para o pistoleiro; a natureza do relacionamento era fria e relutante de ambas as partes, mas era também muito mais íntima do que o mais apaixonado ato sexual conseguiria ser. Tratava-se, afinal, não de uma união de corpos, mas da mais extrema fusão de mentes.

Ele pretendia fazer exatamente o que dizia.

E Mort sabia disso.

A histeria parou de repente. *Sei dirigir*, disse Mort. Foi a primeira comunicação articulada que Roland obteve do homem desde que chegara ao interior da sua cabeça.

Então dirija.

Para onde quer que eu vá?

Conhece um lugar chamado "The Village"?

Conheço.

Vamos para lá.

Onde no Village?

Por enquanto, apenas dirija.

Podemos ir mais depressa se eu usar a sirene.

Ótimo. Pode ligá-la. As luzes que piscam também.

Pela primeira vez desde que tinha se apoderado dele, Roland recuou um pouco e permitiu que Mort assumisse. Quando a cabeça de Mort se abaixou para examinar o painel do carro azul e branco de Delevan e O'Mearah, Roland viu o movimento mas não iniciou a ação. Mas se fosse um ser físico em vez de apenas seu ka desencarnado, teria estado na ponta dos pés, pronto para saltar para a frente e assumir novamente o controle ao menor indício de motim.

Não houve, contudo, nenhum motim. Aquele homem havia matado e mutilado só Deus sabia quantas pessoas inocentes, mas não tinha a menor intenção de perder um de seus preciosos olhos. Tocou em botões, puxou uma alavanca e, de repente, estavam em movimento. A sirene tocava e o pistoleiro viu luzes vermelhas pulsantes surgindo na frente da carruagem.

Vá depressa, ordenou o pistoleiro num tom severo.

9

A despeito das luzes, da sirene e de Jack Mort buzinando sem parar, levaram vinte minutos para chegar ao Greenwich Village naquela hora de rush. No mundo do pistoleiro, as esperanças de Eddie Dean iam se rompendo como diques num dilúvio. Logo desapareceriam por completo.

O mar já comera metade do sol.

Bem, disse Jack Mort, *chegamos*. Estava dizendo a verdade (não havia como mentir), embora para Roland tudo ali parecesse exatamente como em qualquer outro lugar: um amontoado de prédios, pessoas e carruagens. As carruagens saturavam não apenas as ruas, mas o próprio ar... com seu interminável barulho e a fumaceira nociva. A fumaça, supunha Roland, vinha do combustível que elas queimavam. Era incrível que as pessoas pudessem viver assim, que as mulheres pudessem dar à luz crianças que não fossem monstros, como os Vagos Mutantes sob as montanhas.

Agora para onde vamos?, Mort estava perguntando.

Essa seria a parte difícil. O pistoleiro estava pronto... pelo menos o mais pronto possível.

Desligue a sirene e as luzes. Pare junto da calçada.

Mort parou o carro-patrulha um pouco acima de um hidrante de incêndio.

Há trilhos subterrâneos nesta cidade, disse o pistoleiro. *Quero que me leve a uma estação onde os trens param para desembarcar e embarcar passageiros.*

Que estação?, perguntou Mort. O pensamento estava tingido com uma nota mental do pânico. Mort nada podia esconder de Roland e Roland nada de Mort — pelo menos não por muito tempo.

Alguns anos atrás — não sei quantos — você empurrou uma jovem na frente de um trem numa dessas estações subterrâneas. É a essa que eu quero que me leve.

Seguiu-se, então, uma luta violenta mas breve. O pistoleiro ganhou, mas foi uma vitória surpreendentemente difícil. A seu jeito, Jack Mort era tão dividido quanto Odetta. Mas não era um esquizofrênico como ela; sabia muito bem o que fazia de vez em quando. Conservava, no entanto, seu eu secreto — a parte dele que era o Empurrador — tão cuidadosamente trancado quanto um estelionatário manteria em segredo a sua fraude.

Me leve até lá, seu maldito, repetiu o pistoleiro. E lentamente tornou a erguer o polegar para o olho direito de Mort. O dedo estava a um centímetro e ainda se movia quando Mort cedeu.

A mão direita de Jack Mort moveu novamente a alavanca junto do volante e seguiram para a estação Christopher Street, onde aquele fabuloso trem A cortara as pernas de uma mulher chamada Odetta Holmes cerca de três anos atrás.

10

— Bem, veja o que temos — o guarda Andrew Staunton disse para o *seu* parceiro, Norris Weaver, quando a viatura azul e branca de Delevan e O'Mearah parou na metade da quadra. Não havia vaga e o motorista também não se deu ao trabalho de achar uma. Simplesmente parou em fila dupla e deixou a massa engarrafada do trânsito tentar abrir um trabalhoso caminho pela brecha restante, como um filete mínimo de sangue tentando servir a um coração fatalmente entupido de colesterol.

Weaver verificou os números perto do farol dianteiro direito — 744. Sim, era esse mesmo o número que tinham recebido do despacho no rádio.

As luzes estavam acesas e tudo parecia em ordem — até a porta se abrir e o motorista saltar. Estava usando uma roupa azul, verdade, mas não do tipo que vem com botões dourados e um distintivo prateado. Os sapatos também não eram do modelo da polícia, a não ser que Staunton e Weaver tivessem perdido algum memorando informando aos agentes que os sapatos de serviço eram agora da Gucci. Não parecia provável. O que parecia provável era se tratar do patife que tinha roubado os agentes ao norte da cidade. Ele parecia ignorar as buzinas e os gritos de protesto dos motoristas tentando passar.

— Maldição — sussurrou Andy Staunton.

Abordagem com extrema cautela, dissera o despachante. *O homem está armado e é extremamente perigoso.* Geralmente os operadores do rádio têm as vozes mais entediadas do mundo — e pelo que Andy Staunton sabia eles eram as pessoas mais entediantes — e assim a ênfase quase religiosa que aquele havia colocado na palavra *extremamente* tinha atingido sua consciência como uma broca de dentista.

Sacou o revólver pela primeira vez em seus quatro anos de polícia e olhou de relance para Weaver. Weaver também sacara o seu. Os dois estavam parados na frente de uma delicatéssen, a uns dez metros da escada da estação do metrô. Já se conheciam havia tempo suficiente para estarem sintonizados um com o outro daquele modo que apenas policiais e soldados conseguem estar. Sem trocar uma palavra, recuaram para o umbral da porta da delicatéssen, armas apontadas para cima.

— Metrô? — perguntou Weaver.

— Sim. — Andy deu uma rápida olhada na entrada. A hora do rush estava agora no auge e as escadas do metrô apinhadas de gente que rumava para os trens. — Temos de pegá-lo agora mesmo, antes que se aproxime da multidão.

— Vamos nessa.

Saíram do umbral em perfeita sincronia, pistoleiros que Roland teria reconhecido de imediato como adversários muito mais perigosos do que os dois primeiros. Para começar, eram mais jovens; e embora ele não soubesse disso, algum operador desconhecido de rádio o rotulara como extremamente perigoso e para Andy Staunton e Norris Weaver isso o tornava comparável a um tigre solto. *Se não parar no segundo exato em que eu der a ordem, ele vai morrer*, pensou Andy.

— *Não se mexa!* — gritou ele, caindo agachado com o revólver seguro por ambas as mãos e erguido na sua frente. A seu lado, Weaver tinha feito o mesmo. — *Polícia! Ponha as mãos na ca...*

Foi o máximo que Weaver conseguiu falar antes que o cara corresse para a escadaria do metrô. A velocidade com que se moveu foi chocante. Andy Staunton estava, no entanto, muito ligado, em alerta máximo. Girou nos calcanhares, sentindo um manto de frieza e calma cair sobre si. Roland também teria entendido aquilo; vira-se inúmeras vezes em situações similares.

Durante um breve tempo, Andy acompanhou a corrida do vulto, depois apertou o gatilho do .38. Viu o homem de terno azul girar, tentando manter o equilíbrio. Ele então caiu na calçada, enquanto os pedestres que, segundos antes, só estavam concentrados em sobreviver a outra viagem de metrô para casa começaram a gritar e a se dispersar como aves. Tinham descoberto que, naquela tarde, seria preciso sobreviver a mais alguma coisa além do trem para o norte da cidade.

— Puta merda, parceiro — disse Norris Wheaton com a voz ofegante —, você acertou.

— Eu sei — disse Andy. Sua voz não fraquejou. O pistoleiro teria admirado aquilo. — Vamos ver quem ele era.

11

Estou morto!, gritava Jack Mort. *Estou morto, conseguiu que me matassem, estou morto, estou...*

Não, respondeu o pistoleiro. Através de olhos entreabertos, viu os policiais se aproximarem, as armas ainda apontadas. Mais jovens e mais rápidos do que aqueles que tinham estacionado perto da loja de armas. Sim, mais rápidos. E pelo menos um deles era um exímio atirador. Mort — e Roland junto com ele — deveriam estar mortos, estar morrendo ou pelo menos seriamente feridos. Andy Staunton tinha atirado para matar e a bala atravessara a lapela esquerda do paletó de Mort. Além disso, também perfurara o bolso da camisa Arrow — mas isso foi o máximo que aconteceu. A vida dos dois, o homem por dentro e o homem por fora, fora salva pelo isqueiro de Mort.

Mort não fumava, mas seu chefe — cujo cargo Mort esperava estar ocupando nessa mesma época do ano seguinte — sim. E por causa disso, Mort havia comprado um isqueiro de prata de duzentos dólares na Dunhill's. Não acendia *todo* cigarro que o sr. Framingham enfiava na boca quando os dois estavam juntos — isso o teria feito parecer demais com um puxa-saco. Só acendia de vez em quando... e geralmente quando alguém de uma hierarquia ainda mais alta estava presente, alguém que pudesse apreciar: a) a sóbria gentileza de Jack Mort e b) o bom gosto de Jack Mort.

Os astutos pensam em tudo.

Desta vez a sua astúcia salvara a sua vida e a de Roland. A bala de Staunton atingira o isqueiro prateado em vez do coração de Mort (um coração sem grife; a paixão de Mort pelas grifes — *boas* grifes — felizmente se limitava ao tecido que lhe cobria a pele).

Mesmo assim ele estava ferido, é claro. Quando se é atingido por um coice de grosso calibre, não existe como sair impune. O isqueiro foi impelido contra seu peito com força suficiente para criar um buraco. Ele se achatou e depois se despedaçou, abrindo alguns sulcos, ainda que rasos, na pele de Mort; um estilhaço quase cortou o mamilo de Mort em dois. A bala quente também provocou ignição no pavio do isqueiro, ensopado de combustível. Mesmo assim, o pistoleiro permaneceu imóvel quando eles se aproximaram. O policial que não atirara mandava as pessoas recuarem, recuarem rápido, porra.

Estou pegando fogo!, berrava Mort. *Pegando fogo, apague isso! Apague isso!* APAGUE ISSOOOO...

O pistoleiro continuou imóvel, ouvindo o rangido dos sapatos dos pistoleiros na calçada, ignorando os gritos de Mort, tentando ignorar o pavio brilhando contra seu peito e o cheiro de carne frita.

Um pé deslizou sob suas costas e, quando este se ergueu, o pistoleiro se deixou rolar como um corpo inerte. Os olhos de Jack Mort estavam abertos. Seu rosto estava imóvel. A despeito dos restos estraçalhados e ardentes do isqueiro, não havia sinal do homem que gritava dentro daquele corpo.

— Meu Deus — murmurou alguém —, você atirou nele com uma bazuca, cara?

A fumaça se erguia do buraco na lapela do paletó de Mort em uma coluna regular. Escapava pela beirada da lapela em rolos menos firmes. Os tiras sentiram o cheiro de carne queimada quando a bucha do pavio do isqueiro destroçado, ensopada de fluido, realmente começou a arder.

Andy Staunton, que até ali tivera uma atuação impecável, cometeu então seu único erro, um erro pelo qual Cort o teria mandado para casa com uma orelha inchada, apesar da sua admirável performance anterior. Cort lhe diria que, na maioria das vezes, bastava um erro para liquidar com a vida de homem. Staunton conseguira acertar o sujeito — algo que nenhum policial realmente sabe se conseguirá fazer antes de se defrontar com a situação em que terá de descobrir —, mas a ideia de que sua bala havia de alguma forma *incendiado* o sujeito encheu-o de um irracional sentimento de horror. Foi aí que, sem pensar, ele se curvou para apagar o fogo e os pés do pistoleiro atingiram sua barriga antes que ele tivesse tempo de fazer mais do que registrar o brilho de consciência em olhos que juraria estarem mortos.

Staunton caiu em cima de seu parceiro. A pistola voou de sua mão. Wheaton continuava segurando a dele, mas quando conseguiu se esquivar de Staunton, ouviu um tiro, e seu revólver tinha magicamente sumido. A mão onde ele antes estivera parecia dormente, como se tivesse sido atingida pelo golpe de um martelo muito grande.

O cara de terno azul se levantou, encarou-os por um instante e disse:

— Vocês são bons. Melhor do que os outros. Então escutem o meu conselho. Não venham atrás de mim. Isto está quase terminado e não quero ser obrigado a matá-los.

Aí ele se virou e correu para a escadaria do metrô.

12

A escadaria estava apinhada de gente que revertera seu curso quando a gritaria e o tiroteio começaram, gente obcecada por essa mórbida e também singular curiosidade nova-iorquina de verificar o quão grave, quantos tinham se envolvido, quanto sangue fora derramado na calçada suja. Mas, de alguma maneira, se afastaram do homem de terno azul que vinha correndo escada abaixo. A reação das pessoas não era de se espantar. Ele estava segurando um revólver e tinha outro enfiado na cintura.

E, também, ele parecia estar pegando fogo.

13

Roland ignorou os crescentes gritos de dor de Mort quando sua camisa, sua camiseta e seu terno começaram a queimar mais intensamente, quando a prata do isqueiro começou a derreter e a correr pelo meio do peito até a barriga numa trilha ardente.

Pôde sentir uma agitação da sujeira que havia no ar, pôde ouvir o ronco de um trem se aproximando.

Estava quase na hora, o momento estava quase lá, o momento em que escolheria os três ou perderia todos. Pela segunda vez pareceu sentir mundos se agitarem, rodopiarem em volta de sua cabeça.

Atingiu a plataforma e jogou o .38 no chão. Desabotoou a calça de Jack Mort e empurrou-a para baixo de forma distraída, revelando uma cueca branca que lembrava uma calcinha de uma prostituta. Não teve tempo de refletir sobre essa estranheza. Se não agisse depressa, não precisaria mais se preocupar em ser queimado vivo; as balas que havia comprado ficariam suficientemente aquecidas para detonar. Aquele corpo iria simplesmente explodir.

O pistoleiro enfiou as caixas de balas na cueca, pegou o vidro de Keflex e fez o mesmo com ele. Agora a cueca estava grotescamente volumosa. Tirou o terno flamejante, mas nada fez para se livrar da camisa também flamejante.

Podia ouvir o ronco do trem se aproximando da plataforma, podia ver o brilho do farol. Ele não tinha como saber se aquele trem fazia o mesmo trajeto que o trem que atropelara Odetta, mas, mesmo assim, ele *sabia*. Em coisas relacionadas à Torre, o destino se tornava tão misericordioso quanto o isqueiro que salvara sua vida e tão doloroso quanto o fogo que esse mesmo milagre provocara. Como as rodas do trem que se aproximava, seguia um curso ao mesmo tempo lógico e esmagadoramente brutal, um curso ao qual apenas o aço e a doçura podiam resistir.

Suspendeu a calça de Mort e começou de novo a correr, quase inconsciente das pessoas se afastando para deixá-lo passar. À medida que o ar ia alimentando o fogo, primeiro o colarinho da camisa e depois seu cabelo começaram a se incendiar. As pesadas caixas de munição na cueca de Mort iam batendo em seus testículos, machucando-os; uma dor excruciante brotando em suas entranhas. E, como um homem que estivesse se transformando num meteoro, ele pulou a catraca. *Apague isso!*, gritava Mort. *Apague isso antes que eu me queime todo!*

Você deveria queimar até o fim, pensou o pistoleiro severamente. *O que vai acontecer com você é mais piedoso do que você merece.*

O que está dizendo? O QUE ESTÁ DIZENDO?

O pistoleiro não respondeu; na verdade desligou-se inteiramente dele enquanto se atirava para a beira da plataforma. Sentiu uma das caixas de balas querendo escorregar da ridícula cueca de Mort e segurou-a com uma das mãos.

Enviou cada partícula de sua força mental na direção da Dama. Não fazia ideia se tal comando telepático podia ser ouvido, ou se o ouvinte seria compelido a obedecer, mas mesmo assim o enviou, uma veloz, afiada flecha de pensamento:

A PORTA! OLHE ATRAVÉS DA PORTA! AGORA! AGORA!

O trovejar do trem tomou conta de tudo. Uma mulher gritou "*Ah, meu Deus, ele vai pular!*". A mão de alguém bateu em seu ombro, tentando fazê-lo recuar. Então Roland empurrou o corpo de Jack Mort para além da linha amarela e o fez mergulhar pela beirada da plataforma. Mort caiu no caminho do trem que se aproximava. Tinha as mãos em concha sobre a cueca para segurar a bagagem que Roland levaria de volta... se, é claro, Roland fosse rápido o suficiente para sair do corpo de Mort no instante exato. Ao cair, tornou a chamá-la... tornou a chamar as duas:

ODETTA HOLMES! DETTA WALKER! OLHEM AGORA!

Enquanto chamava e via o trem — as rodas girando com impiedosa e prateada velocidade — se abater contra ele, o pistoleiro virou a cabeça e olhou mais uma vez pela porta.

Diretamente para o rosto dela.

Rostos!

Os dois, estou vendo os dois ao mesmo tempo...

NÃÃO*...!*, gritou Mort e, na última fração de segundo antes de o trem passar por cima dele cortando-o em dois (não acima dos joelhos, mas na cintura), Roland se atirou para a porta... e atravessou.

Jack Mort morreu sozinho.

As caixas de munição e o vidro de comprimidos apareceram ao lado do corpo físico de Roland. As mãos, que os seguravam com força, relaxaram um pouco. O pistoleiro forçou-se a ficar de pé, consciente de estar outra vez usando seu corpo enfermo, latejante; consciente de que Eddie Dean estava gritando; consciente de que Odetta estava berrando em duas vozes. Olhou — apenas por um instante — e viu exatamente o que escutara: não uma mulher, mas duas. Ambas sem pernas, ambas de pele escura, ambas de grande beleza. Não obstante, uma delas era uma megera, e a beleza exterior não ocultava a feiura interior, mas a realçava.

Roland encarou aquelas gêmeas que não eram de fato gêmeas, mas imagens, positiva e negativa, de uma mesma mulher. Observou-as com uma intensidade febril, hipnótica.

Então Eddie tornou a gritar e o pistoleiro viu as lagostrosidades saindo das ondas e iniciando seu avanço para o lugar onde Detta o havia deixado, amarrado e indefeso.

O sol caíra. A escuridão chegara.

14

Detta se viu no umbral da porta, se viu através dos olhos da outra, se viu através do olhos do *pistoleiro*, e seu senso de desorientação foi tão repentino quanto o de Eddie, mas muito mais violento.

Ela estava ali.

Estava *lá*, nos olhos do pistoleiro.

Ouviu o trem se aproximando.

Odetta!, ela gritou, de repente compreendendo tudo: o que ela era e quando aquilo havia acontecido.

Detta!, ela gritou, de repente compreendendo tudo: o que ela era e quem tinha feito aquilo.

Uma breve sensação de ser virada pelo avesso... e de repente uma muito mais agonizante.

Estava sendo rasgada.

15

Roland desceu cambaleando a curta encosta para o lugar onde Eddie estava. Movia-se como um homem que tivesse perdido os ossos. Uma das coisas-lagostas pôs as garras no rosto de Eddie. Eddie gritou. O pistoleiro chutou-a. Depois se curvou com dificuldade e agarrou os braços de Eddie. Começou a arrastá-lo para trás, mas era tarde demais; as forças que lhe restavam eram poucas, aquelas coisas iam pegar Eddie, diabo, os dois...

Eddie gritou de novo quando uma das lagostrosidades perguntou-lhe *did-a-chick*? e arrancou um pedaço da sua calça e junto também um naco de sua carne. Eddie tentou dar outro grito, mas a única coisa que saiu foi um gargarejo sufocado. Estava se estrangulando nos laços de Detta.

As coisas já rodeavam os dois, fechando o cerco, as garras estalando com avidez. O pistoleiro colocou o que restava de sua energia num arranco final... e rolou para trás. Ouviu as coisas vindo, vindo com perguntas infernais e garras estalando. Talvez a situação não fosse assim tão ruim, pensou ele. Ele arriscara tudo e aquilo era tudo o que perdera.

O trovão de seus próprios revólveres o encheu de um espanto chocado.

16

As duas mulheres estavam frente a frente, corpos erguidos como serpentes prontas para o bote, dedos com impressões digitais idênticas agarrando gargantas marcadas com rugas idênticas.

A mulher estava tentando matá-la mas a mulher não era real, assim como a menina não fora real; era um sonho criado por um tijolo caindo... mas agora o sonho era real, o sonho colocava as garras em sua garganta e tentava matá-la enquanto o pistoleiro tentava salvar seu amigo. O sonho-feito-realidade estava gritando obscenidades e fazendo chover cuspe quente em sua cara. "Peguei o prato azul porque aquela mulher me colocou no hospital e além disso eu não tinha nenhum prato especialíssimo *e eu o quebrei porque ele* precisava *ser quebrado e quando vi um garoto branco que eu podia quebrar ora eu também o quebrei eu machuco os garotos brancos porque eles precisam ser machucados eu roubo das lojas que só vendem coisas que são muito* especiais *para gente branca enquanto os irmãos e irmãs passam fome no Harlem e os ratos comem seus bebês, eu sou a única, sua puta, eu sou a única, eu... eu... eu!"*

Mate-a, pensou Odetta, e sabia que não podia.

Não podia matar a megera e sobreviver, assim como a megera não poderia *matá-la* e ficar bem. Podiam sufocar uma à outra até a morte enquanto Eddie e

(*Roland*)/(*Homem Realmente Mau*)

aquele que tinha trazido as duas para cá era comido vivo lá embaixo, na beira da água. Mas isso acabaria com todos eles. Ou ela podia

(*amar*)/(*odiar*)

soltar.

Odetta soltou a garganta de Detta, ignorando as mãos febris da outra, que seguravam com força o seu pescoço, esmagando a sua traqueia. Em vez de usar as mãos para sufocar, Odetta usou-as para abraçar.

— *Não, sua puta!* — gritou Detta, mas foi um grito infinitamente complexo, ao mesmo tempo raivoso e grato. — *Não, me deixe em paz, só me deixe em paz...*

Odetta não tinha voz com que responder. Enquanto Roland chutava a primeira lagostrosidade que atacava e a segunda se aproximava para almoçar um pedaço do braço de Eddie, ela se limitava a sussurrar no ouvido da bruxa:

— *Eu amo você.*

Por um momento as mãos de Detta se apertaram num laço fatal... e então afrouxaram.

Sumiram.

Ela estava sendo de novo virada pelo avesso... e então, de repente, incrivelmente, estava inteira. Pela primeira vez desde que um homem chamado Jack Mort tinha jogado um tijolo na cabeça de uma criança. A criança só estava ali para ser atacada porque um taxista branco, depois de dar uma olhada nos passageiros, se recusara a pegá-los (e porque o pai da criança, em seu orgulho, se recusara a chamar outro táxi com medo de enfrentar uma segunda recusa). Ela estava *inteira*. Era Odetta Holmes, mas e a outra...?

Depressa, porra!, berrou Detta... mas era ainda sua própria voz; ela e Detta haviam se fundido. Havia sido uma; havia sido duas; agora o pistoleiro havia criado uma terceira. *Depressa ou eles vão virar jantar!*

Olhou para as balas. Não havia tempo de usá-las; quando acabasse de carregar os revólveres tudo estaria perdido. Ela só podia torcer por um milagre.

Ou será que poderia fazer mais alguma coisa?, perguntou a si mesma, e sacou a arma.

E de repente suas mãos marrons se encheram de trovões.

17

Eddie viu uma das lagostrosidades aparecer na sua frente, olhos enrugados imóveis, mas brilhando horrendamente com uma horrenda vida. As garras desciam para seu rosto.

Ch..., começou ela, e então foi impelida para trás e feita em pedaços e borrifos.

Roland viu uma criatura deslizar entre os golpes de sua mão esquerda e pensou: *aí vai a outra mão...* Então, de repente, no escuro da noite, a lagostrosidade se transformou num esvoaçar de lascas de carapaça e tripas esverdeadas.

Roland se contorceu e viu uma mulher cuja beleza era de tirar o fôlego e a fúria de congelar o sangue.

— *VENHAM CÁ, SUAS PUTAS!* — gritava ela. — *SÓ VENHAM CÁ! VENHAM PEGÁ-LOS! SÓ QUE EU VOU ESTOURAR OS OLHOS DE VOCÊS PELA PORRA DO CU!*

A mulher abateu uma terceira criatura que vinha rastejando depressa entre as pernas imobilizadas de Eddie, com a dupla intenção de comer um pedaço dele e de castrá-lo. Seus pedaços explodiram como uma bomba.

Roland havia suspeitado que aquelas coisas possuíam uma inteligência rudimentar; agora tinha a prova.

As outras estavam recuando.

O cão de um dos revólveres foi puxado para trás e logo a mulher fazia em pedaços um dos monstros em retirada.

As demais avançaram para a água com rapidez ainda maior. Parecia que haviam perdido o apetite.

Enquanto isso, Eddie estava sufocando.

Roland mexeu desajeitado na corda, o que só serviu para cavar sulcos ainda mais profundos no pescoço do outro. Via o rosto de Eddie passando devagar do roxo ao preto. Eddie estava se debatendo cada vez menos.

Então as mãos de Roland foram empurradas por mãos mais fortes.

— Eu cuido disso. — Havia uma faca na mão dela... a faca *dele*.

Cuidar do quê?, pensou Roland enquanto sua consciência falhava. *Do que é que vai cuidar, agora que estamos os dois na sua mão?*

— Quem é você? — perguntou ele com voz rouca enquanto uma escuridão mais profunda do que a noite começava a levá-lo.

— Sou três mulheres — ouviu-a responder, e era como se ela estivesse falando do alto de um poço profundo no qual ele estivesse caindo. — Eu que era; eu que não tinha o direito de ser, mas era; eu sou a mulher que você salvou.

"Eu lhe agradeço, pistoleiro."

Ela o beijou, Roland percebeu, mas por um longo tempo depois houve apenas escuridão.

EMBARALHADA FINAL

EMBARALHADA FINAL

1

Pela primeira vez no que parecia ter sido mil anos, o pistoleiro não estava pensando na Torre Negra. Pensava apenas no cervo que descera até o lago na clareira da floresta.

Ele o avistara por sobre o tronco caído com sua mão esquerda.

Carne, pensou, e atirou enquanto a saliva quente enchia sua boca.

Errei, pensou no milésimo de segundo que se seguiu ao tiro. *Sumiu. Toda a minha perícia... sumiu.*

O cervo caiu morto na beira do lago.

Logo a Torre o ocuparia de novo, mas naquele momento ele só abençoou todos os deuses existentes por ter a mira ainda precisa e pensou na carne, na carne, na carne. Tornou a colocar o revólver — o único que usava agora — no coldre e pulou o tronco atrás do qual ficara pacientemente deitado, enquanto a tarde avançava para o crepúsculo, esperando que algo grande o bastante para servir de alimento fosse até o lago.

Estou me recuperando, pensou com algum espanto enquanto puxava a faca. *Estou realmente me recuperando*.

Não viu a mulher parada atrás dele, observando com atentos olhos castanhos.

2

Não comeram nada além de lagosta e só beberam da água turva de um riacho durante os seis dias que se seguiram ao confronto no final da praia. Roland se lembrava muito pouco desse período; estivera ardendo em febre, delirando. Às vezes chamando Eddie de Alain, às vezes de Cuthbert, e sempre chamando a mulher de Susan.

A febre foi diminuindo aos poucos e eles deram início à laboriosa jornada para os morros. Eddie empurrava a mulher na cadeira parte do tempo e às vezes era Roland quem viajava ali, enquanto Eddie carregava a mulher nas costas, com os braços dela enlaçando seu pescoço. Na maior parte do tempo o caminho tornava impossível que alguém fosse na cadeira, o que fazia o avanço se tornar ainda mais lento. Roland sabia como Eddie estava exausto. A mulher também sabia, mas Eddie jamais se queixava.

Tinham comida; durante os dias em que Roland estivera entre a vida e a morte, ardendo em febre, delirando e evocando tempos passados e pessoas há muito tempo mortas, Eddie e a mulher caçaram sem parar, sem parar. Aos poucos as lagostrosidades foram se distanciando daquele trecho de praia, mas eles já tinham comido lagosta o suficiente e, quando finalmente penetraram numa área onde cresciam mato e capim, comeram-nos compulsivamente. Estavam famintos por verduras, quaisquer verduras. E, pouco a pouco, as feridas em sua pele começaram a melhorar. Às vezes a relva era amarga, às vezes doce, mas eles comiam sem se importar com o gosto... exceto uma vez.

Ao acordar de um cochilo exausto, o pistoleiro viu a mulher arrancar um punhado de capim que ele reconheceu de imediato.

— Não! Isso não! — disse ele num tom áspero. — Isso nunca! Olhe bem e não esqueça! Isso nunca!

Depois de encará-lo longamente, ela jogou o mato fora sem pedir explicações.

O pistoleiro tornou a se deitar, tenso com o quão perto fora. Algumas outras amostras de capim poderiam matá-los, mas o que a mulher havia puxado iria desgraçá-la. Era erva do diabo.

O Keflex tinha provocado explosões em suas entranhas, e ele sabia que Eddie ficara preocupado, mas a ingestão de relva havia controlado isso.

Por fim eles alcançaram uma verdadeira floresta, e o barulho do mar Ocidental foi se reduzindo a um zumbido monótono, que só ouviam quando o vento soprava na direção certa.

E agora... *carne.*

3

O pistoleiro pegou o cervo e tentou limpá-lo com a faca segura entre o terceiro e o quarto dedos da mão direita. Não deu certo. Os dedos não tinham força suficiente. Trocou a faca para a mão esquerda e conseguiu dar um corte desajeitado da virilha ao peito do cervo. A faca fez escorrer o sangue quente antes que ele coagulasse na carne e a estragasse... mas ainda assim foi um corte ruim. Uma criança pequena teria feito melhor.

Vai aprender a ser esperta, disse Roland à mão esquerda, e se preparou para cortar de novo, agora mais fundo.

Duas mãos marrons fecharam-se sobre a dele e pegaram a faca.

Roland se virou.

— Eu faço isso — disse Susannah.

— Já fez alguma vez?

— Não, mas você me ensina.

— Está bem.

— Carne — disse ela, sorrindo.

— Sim — disse ele, devolvendo o sorriso. — Carne.

— O que aconteceu? — gritou Eddie. — Ouvi um tiro.

— Estamos com um banquete! — gritou ela de volta. — Venha ajudar!

Mais tarde, comeram como dois reis e uma rainha. Quando começou a mergulhar no sono, contemplando as estrelas, sentindo a friagem limpa daquele ar de planalto, o pistoleiro pensou que aquilo era o mais próximo que havia chegado da felicidade em muitos e muitos anos.

Dormiu. E sonhou.

4

Era a Torre. A Torre Negra.

Estava no horizonte de uma vasta planície que ganhara cor de sangue na violenta descida de um sol poente. Não podia ver os degraus que subiam numa espiral cada vez mais alta atrás das paredes de tijolos, mas podia ver janelas que se estendiam em outra espiral ao longo da escada, e podia ver os fantasmas de todas as pessoas que já tinha conhecido passando por elas.

Marchavam cada vez mais para o alto e um vento árido lhe trouxe o som de vozes chamando seu nome.

Roland... venha... Roland... venha... venha... venha...

— Eu vou — sussurrou ele, e sentou-se de imediato, acordado, suando e tremendo como se a febre ainda estivesse em seu corpo.

— Roland?

Eddie.

— Sim.

— Pesadelo?

— Ruim. Bom. *Sombrio.*

— Com a Torre?

— Sim.

Olharam para Susannah, que continuava dormindo, impassível. Um dia havia existido ali uma mulher chamada Odetta Susannah Holmes; depois, houvera outra chamada Detta Susannah Walker. Agora havia uma terceira: Susannah Dean.

Roland a amava porque era uma mulher de fibra, que nunca desistiria; temia, no entanto, por ela, porque sabia que se fosse preciso a sacrificaria — ela e Eddie — sem um instante de dúvida ou um olhar para trás.

Pela Torre.

Pela maldita Torre.

— Hora do comprimido — disse Eddie.

— Não quero mais comprimidos.

— Tome o remédio e cale a boca.

Roland engoliu o comprimido com um esguicho da água fria de um dos cantis, depois arrotou. Não fazia mal. Era um arroto *carnudo.*

— Sabe para onde estamos indo? — perguntou Eddie.

— Para a Torre.

— Bem, claro — disse Eddie —, mas me sinto como um caipira que saiu do Texas sem um mapa dizendo que ia para uma porra qualquer de lugar no Alasca. Onde ela fica? Em que direção?

— Pegue minha bolsa.

Eddie obedeceu. Susannah se mexeu e Eddie parou, o rosto reduzido a superfícies vermelhas e sombras escuras ante as brasas que se extinguiam na fogueira. Quando a viu novamente se acalmar, deu a bolsa a Roland.

Roland remexeu na bolsa, agora pesada com a munição daquele outro mundo. Foi fácil achar o que procurava no que restava de sua vida.

O maxilar.

O maxilar do homem de preto.

— Vamos ficar aqui um pouco — disse ele — e eu vou ficar bom.

— Vai saber quando for a hora de partir?

Roland sorriu um pouco. Os tremores estavam diminuindo, o suor secando na brisa fria da noite. Mas ainda via em sua mente aquelas figuras, aqueles cavaleiros, amigos, amantes e antigos inimigos, circulando de um lado para o outro, aparecendo brevemente naquelas janelas e depois sumindo; via a sombra da Torre em que estavam enclausurados despontar escura e comprida numa planície coberta de sangue, morte e terríveis provações.

— *Eu* não — disse ele virando a cabeça para Susannah. — Mas *ela* vai.

— E então?

Roland suspendeu o maxilar de Walter.

— Isto uma vez falou.

Olhou para Eddie.

— Vai falar de novo.

— É perigoso. — O tom de Eddie foi seco.

— Sim.

— Não apenas para você.

— Não.

— Eu amo essa mulher, cara.

— Sim.

— Se você a machucar...

— Vou fazer o que for preciso — disse o pistoleiro.

— E nós não importamos? É isso?

— Eu amo vocês dois. — O pistoleiro olhou para Eddie e Eddie viu que, sob o último clarão das últimas brasas da fogueira, o rosto de Roland tinha um brilho vermelho dos lados. Ele estava chorando.

— Isso não responde à minha pergunta. Você vai continuar, não vai?

— Vou.

— Até o fim.

— Sim. Até o fim.

— Não importa o que aconteça. — Eddie encarou-o com amor e ódio, uma espécie de carinho doloroso naquela última e desesperada tentativa de entender a mente, a vontade e a necessidade de outro homem.

O vento fazia as árvores gemerem.

— Está parecendo o Henry, cara. — Eddie também havia começado a chorar. Não queria. Detestava chorar. — Ele tinha uma torre também, só que ela não era negra. Está lembrado de quando lhe falei da torre do Henry? Éramos irmãos e acho que também éramos pistoleiros. Tínhamos uma Torre Branca, e ele também me pediu para ir atrás dela com ele, me pediu da sua maneira, é claro. Então eu selei o cavalo e montei, porque ele era meu irmão, entende? Nós chegamos lá. Encontramos a Torre Branca. Mas ela era venenosa. Ela o matou. Ela ia me matar. Você me viu. Você salvou mais do que a minha vida. Você salvou a porra da minha *alma*.

Eddie abraçou Roland e beijou-o no rosto. Sentiu o gosto de suas lágrimas.

— E agora? Subir outra vez no cavalo? Continuar e encontrar de novo o tal homem?

O pistoleiro não disse nada.

— É verdade que não temos encontrado muita gente, mas sei que há pessoas à frente e sempre que há uma Torre envolvida surge um homem. Você espera pelo homem porque sabe que terá de encontrá-lo, e no fim tudo que importa é a grana, mas neste caso, talvez sejam balas em vez de grana. Então é isso? Montamos no cavalo? Vamos ao encontro dele? Porque se for só um replay da mesma e velha merda de sempre teria sido melhor que você e ela tivessem me deixado para as lagostas. — Eddie olhou para ele com olhos com olheiras profundas. — Eu já estive na merda, cara. E se descobri alguma coisa, foi que não quero morrer na merda.

— Não é a mesma coisa.

— Não? Vai me dizer que não está viciado na torre?

Roland não disse nada.

— Quem vai atravessar alguma porta mágica para salvar *você*, cara? Sabe quem? *Eu* sei. Ninguém. Você escolheu tudo que podia escolher. E a única coisa que pode escolher agora é a porra de um revólver que vai usar, porque foi tudo que sobrou para você. Exatamente como Balazar.

Roland não disse nada.

— Quer saber qual foi a *única* coisa que meu irmão me ensinou? — As lágrimas deixavam a voz de Eddie rouca e falha.

— Quero — disse o pistoleiro. Ele se inclinou para a frente, os olhos colados atentamente nos de Eddie.

— Ele me ensinou que quem mata o que ama fica para sempre condenado.

— Já estou condenado — disse Roland calmamente. — Mas talvez até os condenados possam ser salvos.

— Vai mesmo provocar a morte de todos nós?

Roland não disse nada.

Eddie agarrou os farrapos da camisa de Roland.

— *Vai mesmo provocar a morte* dela?

— Todos nós vamos morrer um dia — disse o pistoleiro. — Não é apenas o mundo que segue adiante. — Olhou diretamente para Eddie, os olhos de um azul pálido, sob aquela luz, eram quase cor de ardósia. — *Mas seremos magníficos.* — Fez uma pausa. — Há mais do que um mundo para conquistar, Eddie. Eu não arriscaria você e ela... e eu não teria permitido que o garoto morresse... se não existisse mais do que isto.

— Do que você está falando?

— De tudo que existe — disse o pistoleiro calmamente. — Vamos seguir em frente, Eddie. Vamos lutar. Vamos ser feridos. *E no final vamos estar de pé.*

Desta vez foi Eddie quem não disse nada. Não conseguiu pensar em nada para dizer.

Roland segurou delicadamente o braço de Eddie.

— Até os condenados amam — disse ele.

5

Eddie finalmente adormeceu ao lado de Susannah, a terceira que Roland havia escolhido para formar um novo trio, mas Roland ficou acordado escutando vozes na noite enquanto o vento secava as lágrimas em seu rosto.

Condenação?

Salvação?

A Torre.

Ele chegaria à Torre Negra e lá cantaria seus nomes; lá cantaria seus nomes; lá cantaria todos os seus nomes.

O sol deixava no leste um rosado sombrio e por fim Roland, não mais o último pistoleiro, mas um dos últimos três, dormiu e sonhou seus sonhos febris por onde corria um único e tranquilizador raio azul:

Lá vou cantar todos os seus nomes!

POSFÁCIO

Isto completa o segundo dos seis ou sete livros que constituem uma longa história chamada A Torre Negra. O terceiro, *As terras devastadas*, encerra metade da jornada de Roland, Eddie e Susannah em busca da Torre; o quarto, *Mago e vidro*, fala de um encantamento e de uma sedução, mas principalmente daquelas coisas que aconteceram a Roland antes de seus leitores terem o primeiro encontro com ele no encalço do homem de preto.

Minha surpresa com a aceitação do primeiro volume desta história, que não se parece em nada com as histórias pelas quais sou mais conhecido, só é superada por minha gratidão para com aqueles que o leram e gostaram dele. Este trabalho parece ser minha própria Torre, entendem; essas pessoas me assombram, principalmente Roland. Será que eu sei mesmo o que é a Torre, e o que está lá à espera de Roland (se ele a alcançar, preparem-se para a possibilidade muito real de que a Torre seja alcançada por outra pessoa)? Sim… e não. Tudo que sei é que essa história me atrai há dezessete anos. Este segundo volume, mais longo, ainda deixa muitas perguntas sem resposta, e o clímax da história ainda está em um futuro remoto, mas sinto que é um livro muito mais completo do que o primeiro.

E a Torre está mais próxima.

Stephen King

1º de dezembro de 1986

1ª EDIÇÃO [2004] 20 reimpressões
2ª EDIÇÃO [2025]

ESTA OBRA FOI COMPOSTA PELA ABREU'S SYSTEM EM WHITMAN
E IMPRESSA EM OFSETE PELA GRÁFICA SANTA MARTA SOBRE PAPEL PÓLEN NATURAL
DA SUZANO S.A. PARA A EDITORA SCHWARCZ EM SETEMBRO DE 2025

FSC
www.fsc.org
MISTO
Papel | Apoiando o manejo florestal responsável
FSC® C005648

A marca FSC® é a garantia de que a madeira utilizada na fabricação do papel deste livro provém de florestas que foram gerenciadas de maneira ambientalmente correta, socialmente justa e economicamente viável, além de outras fontes de origem controlada.